der Larsen effekt

DER LARSEN EFFEKT

PROZESSHAFTE RESONANZEN IN DER ZEITGENÖSSISCHEN KUNST

L'effet Larsen

L'EFFET LARSEN

PROCESSUS DE RÉSONANCES DANS L'ART CONTEMPORAIN

the larsen effect

THE LARSEN EFFECT

PROGRESSIVE FEEDBACK IN CONTEMPORARY ART

SOMMAIRE

INHALT

CONTENTS

VORWORT

ENRICO LUNGHI,
CASINO LUXEMBOURG - FORUM D'ART CONTEMPORAIN,
LUXEMBURG

MARTIN STURM,
O.K CENTRUM FÜR GEGENWARTSKUNST OÖ, LINZ

AVANT-PROPOS

ENRICO LUNGHI,
CASINO LUXEMBOURG - FORUM D'ART CONTEMPORAIN,
LUXEMBOURG

MARTIN STURM,
O.K CENTRUM FÜR GEGENWARTSKUNST OÖ, LINZ

FOREWORD

ENRICO LUNGHI,
CASINO LUXEMBOURG - FORUM D'ART CONTEMPORAIN,
LUXEMBOURG

MARTIN STURM,
O.K CENTRUM FÜR GEGENWARTSKUNST OÖ, LINZ

La genèse de cette exposition repose sur une série de relations réciproques qui peuvent être considérées, métaphoriquement, comme un phénomène de résonance surgissant sur le plan institutionnel et organisationnel entre l'O.K Centrum für Gegenwartskunst à Linz (Haute-Autriche) et le Casino Luxembourg à Luxembourg. L'idée et le désir d'une collaboration qui dépasserait le cadre habituel d'une exposition itinérante étaient souvent évoqués lors de nos rencontres. Ces rencontres concernaient généralement des discussions, menées avec d'autres centres d'art, sur la création d'un nouveau réseau de centres d'art européens – un réseau qui, depuis, fait partie des 'Itinéraires culturels' du Conseil de l'Europe. Mais ce n'est que lorsque Beatrix Ruf nous présenta son projet d'exposition 'Les vases communicants' que nous décidâmes de nous engager dans cette entreprise complexe et aux contours encore flous. Nous cherchions une réponse originale à la question suivante : Comment deux institutions, qui s'associent pour développer et réaliser ensemble un projet, peuvent-elles, d'une part, garder chacune les spécificités et originalités propres à leur lieu respectif et, d'autre part, échanger leurs expériences et en ressortir enrichies ? D'emblée, il nous parut évident qu'il fallait considérer le projet dans son ensemble – de la conception au déroulement administratif et technique, en passant par le dialogue avec les artistes – comme un tout progressif mais indissociable. Lorsque Beatrix Ruf fut nommée à la tête de la Kunsthalle de Zurich et ne pouvait, dès

Die Vorgeschichte dieser Ausstellung beruht auf einer Folge von Wechselbeziehungen, die, metaphorisch gesprochen, als ein auf der institutionellen und organisatorischen Ebene wirkender Rückkopplungseffekt zwischen dem O.K Centrum für Gegenwartskunst in Linz (Oberösterreich) und dem Casino Luxembourg in Luxemburg gelten könnte. Die Idee und der Wunsch nach einer Zusammenarbeit, die den Rahmen herkömmlicher Wanderausstellungen sprengt, wurden oft in unseren Begegnungen diskutiert, Begegnungen, die meistens dem Aufbau eines neuen Netzwerkes europäischer Kunstzentren – mittlerweile Bestandteil der 'Itinéraires culturels' des Europarats – gewidmet waren. Aber erst als Beatrix Ruf uns ihr Ausstellungsprojekt 'Kommunizierende Röhren' vorstellte, wagten wir uns an dieses komplexe und noch etwas vage Unternehmen. Wir suchten eine originelle Antwort auf folgende Frage: Wie können zwei Institutionen, die sich zusammentun, um gemeinsam ein Projekt zu entwickeln und zu realisieren, einerseits das Originalitätspotential am jeweiligen Ausstellungsort bewahren und andererseits ihre Erfahrungen austauschen und daraus Nutzen ziehen? Von Anfang an stand fest, dass wir das Projekt in seiner Gesamtheit betrachten mussten – vom Konzept über den Dialog mit den Künstlern und Künstlerinnen bis hin zur technischen und administrativen Abwicklung – als ein fortschreitendes, aber dennoch unteilbares Ganzes. Als Beatrix Ruf zur Leiterin der Kunsthalle Zürich ernannt wurde und aus Zeitgründen das Projekt nicht mehr weiterführen konnte,

The story behind this exhibition is grounded in a sequence of interactions which, metaphorically speaking, might be considered a feedback effect generated between the O.K Centrum für Gegenwartskunst in Linz (Upper Austria) and the Casino Luxembourg in Luxembourg at the institutional and organisational levels. The idea and the wish to co-operate beyond the framework of conventional travelling exhibitions were often discussed when we met in encounters mainly devoted to the creation of a new network of European art centres – which has meanwhile become part of the 'Itinéraires culturels' of the Council of Europe. However, it was only when Beatrix Ruf presented her exhibition project 'Kommunikative Röhren' [Communicating Vessels] to us that we dared to approach this complex and still somewhat vague undertaking. We were looking for an original answer to the question: How can two institutions joining forces to develop and realise a project maintain the potential of originality each exhibition venue has by itself while at the same time exchanging their experiences and benefiting from it? From the very beginning, it was clear that we had to look at the project as an integral whole – from the concept to the dialogue with the artists and its technical and administrative implementation – treating it as a progressing yet indivisible totality. When Beatrix Ruf was appointed director of the Kunsthalle Zürich and could not continue working on the project due to time constraints, we were happy to rally the support of free-

konnten wir den freien Kurator Moritz Küng für unser Unterfangen gewinnen. Er entwickelte das Projekt weiter, erarbeitete ein neues, weiterführendes Konzept und gab ihm seinen endgültigen Titel: 'L'effet Larsen/Der Larsen Effekt'.

Jene Künstler und Künstlerinnen, die eingeladen waren, neue Werke eigens für die Ausstellung zu realisieren, machten sich von vornherein mit den Räumlichkeiten und dem spezifischen Kontext der beiden Institutionen bei Arbeitsbesuchen vertraut. Ein künstlerischer Beitrag, die Arbeit von Daniel Roth, wurde darüber hinaus als direkte Feedback-Schleife zwischen Luxemburg und Linz konzipiert. Die Teams von Linz und Luxemburg begrüßten mit der gleichen neugierigen Begeisterung die Idee, einen Teil ihrer organisatorischen Zuständigkeiten an den Kooperationspartner zu übertragen, um so, auf verschiedenen Ebenen, ihr Know-How und ihre Erfahrungen auszutauschen. Diese außergewöhnliche Zusammenarbeit hat beide Teams mit den Arbeitsweisen des anderen vertraut gemacht, hat dazu beigetragen, verschiedene Prozesse bzw. herkömmliche Vorgänge zu berücksichtigen und zu übernehmen und einige, sehr routinemäßig gewordene Praktiken in Frage zu stellen. Man braucht nur an die freundschaftliche Atmosphäre während der Eröffnung in Linz im Dezember 2001 und in Luxemburg im März 2002 zu denken, um sich von der gegenseitigen Anerkennung der Arbeit des anderen zu überzeugen, die im Laufe dieses gemeinschaftlichen Projekts entstanden ist.

lors, plus se consacrer au projet faute de temps, nous avions réussi à rallier Moritz Küng, curateur indépendant, à notre idée. Il développa le projet, dont il changea et étendit le concept, et lui donna son titre définitif : 'L'effet Larsen/Der Larsen Effekt'.

Les artistes invités à réaliser des œuvres spécialement pour l'exposition se sont dès le départ familiarisés avec les lieux et les contextes spécifiques des deux institutions lors de visites de travail. Par ailleurs, le travail de l'artiste Daniel Roth a été conçu comme une boucle de rétroaction directe entre Linz et Luxembourg. Sur le plan de l'organisation, les équipes de Linz et de Luxembourg ont accepté avec une même curiosité enthousiaste l'idée de déléguer une partie de leurs compétences au partenaire de collaboration respectif afin d'échanger, à divers niveaux, leur savoir-faire et leur expérience. Cette collaboration inédite a amené les deux équipes à côtoyer les pratiques de l'autre, à intégrer des façons de procéder nouvelles et à tenir compte d'usages établis, et à mettre en question des pratiques devenues routinières. Il n'y avait qu'à constater l'atmosphère amicale qui régnait lors de l'inauguration de l'exposition à Linz en décembre 2001 et à Luxembourg en mars 2002 pour se rendre compte du respect mutuel du travail de l'autre né de ce projet commun.

La présente publication participe de ce même état d'esprit d'équipe. Elle comprend des essais remarquables de Franz

lance curator Moritz Küng. He continued developing the project, prepared a new, extended concept and gave it the final title: 'The Larsen Effect'.

The artists who were invited to produce new works for the exhibition familiarised themselves in advance with the premises and the specific contexts of the two institutions during working visits. Moreover, Daniel Roth's work was conceived as a direct feedback loop between Luxembourg and Linz. With equal enthusiasm the Linz and Luxembourg teams welcomed the idea of transferring part of their organisational responsibilities to their opposite numbers so as to exchange know-how and experiences at various levels. This extraordinary way of co-operating helped the two teams familiarise themselves with the working methods of the respective other partner, which contributed to their considering and taking over various processes and standard procedures as well as to their questioning certain run-of-the-mill practices. We only have to think back on the atmosphere of friendship at the opening in Linz in December 2001 and in Luxembourg in March 2002 to be sure of the mutual appreciation for the work of the respective other partner as it developed in the course of the joint project.

The same team spirit made this publication materialise. It contains remarkable essays by Franz Xaver Baier and Geneviève Mosseray – a note of gratitude goes to them on this occasion –, a

Xaver Baier et de Geneviève Mosseray – que nous tenons d'ailleurs ici à remercier pour leur contribution –, un glossaire rédigé par Renate Plöchl, une introduction et des descriptions d'œuvres de Moritz Küng, et des photographies in situ des œuvres dans les deux lieux d'exposition. Ainsi, la conception, la réalisation, la présentation et la documentation de 'L'effet Larsen/Der Larsen Effekt' sont indissociables et constituent une expérience précieuse et pleine de promesses.

Nos remerciements les plus vifs vont aux artistes pour leur engagement et leur coopération, au curateur Moritz Küng pour avoir mené, dès le départ, cette expérience avec beaucoup de persuasion et de détermination, et à nos collaborateurs et collaboratrices pour, tout simplement, s'être laissés 'embarquer' dans cette aventure.

Diese Publikation ist mit dem gleichen Gemeinschaftsgeist entstanden. Sie beinhaltet bemerkenswerte Essays von Franz Xaver Baier und Geneviève Mosseray – bei denen wir uns bei dieser Gelegenheit für ihre Mitarbeit bedanken wollen –, ein von Renate Plöchl zusammengesetztes Glossar, einen von Moritz Küng verfassten Einleitungstext und Werkbeschreibungen sowie Fotografien der Werke in den beiden Ausstellungsorten. Somit sind Konzept, Realisierung, Präsentation und Dokumentation der Ausstellung 'L'effet Larsen/Der Larsen Effekt' voneinander untrennbar und eine maßgebliche und vielversprechende Erfahrungsbereicherung.

Wir bedanken uns ganz herzlich bei den Künstlern und Künstlerinnen für die kooperative Haltung, bei Moritz Küng, der als überzeugungskräftiger Kurator dieses Experiment von Anfang an mitgetragen hat, und bei unseren Mitarbeitern und Mitarbeiterinnen schlicht dafür, dass sie sich 'eingelassen' haben.

glossary compiled by Renate Plöchl, an introduction and work descriptions by Moritz Küng as well as photographs of the works at the two venues. Thus, the concept, realisation, presentation and documentation of the exhibition 'The Larsen Effect' are inseparably linked and represent a decisive, promising and enriching experience.

Our thanks go to the artists for their co-operative attitude, to Moritz Küng, a curator with a lot of persuasive power, for lending his support to this experiment from the very start, and to our staff simply for 'getting involved'.

EINLEITUNG

MORITZ KÜNG, KURATOR, BRÜSSEL

INTRODUCTION

MORITZ KÜNG, CURATEUR, BRUXELLES

INTRODUCTION

MORITZ KÜNG, CURATOR, BRUSSELS

À l'aube de ce nouveau millénaire, force est de constater que les sphères de la vie politique, culturelle, économique et sociale ne sont plus liées les unes aux autres de façon univoque et évidente. Si l'euphorique conception postmoderne des années 1990, en vertu de laquelle 'tout bouge', n'a rien perdu de sa légitimité, la question de savoir 'vers où' est toutefois devenue aujourd'hui d'autant plus urgente.

Le monde est déterminé par une multitude de mondes parallèles. Les frontières ont disparu, les cultures se sont mêlées, les marchés convergent dans une même dynamique, et le milieu social est de plus en plus défini par la communication virtuelle. Notre existence se situe dans un réseau imprévisible et infini, sur lequel nous ne pouvons souvent plus exercer aucune influence directe. À l'appel solitaire lancé dans la 'jungle du WWW' répondent aujourd'hui d'innombrables échos inconnus.

L'exposition 'L'effet Larsen / Der Larsen Effekt' traite de l'appropriation, de la réorganisation et du réagencement du monde matériel, au centre duquel chaque élément individuel représente une construction subjective du monde. Cette nouvelle définition est forgée, dans une large mesure, par le classement, la relation et la superposition de systèmes existants dont l'interaction mutuelle, souvent fortuite, engendre un nouveau système.

L'effet évoqué dans le titre doit son nom au physicien danois Sören Larsen

Am Anfang des angehenden Jahrtausends kann man feststellen, dass unsere politischen, kulturellen, ökonomischen und sozialen Lebenswelten nicht mehr eindeutig und aus einem Selbstverständnis heraus miteinander verbunden sind. Zwar hat die euphorische postmoderne Auffassung der 1990er Jahre – 'alles fließt' – noch immer ihre Berechtigung, doch ist heute die Frage nach dem 'wohin' desto dringlicher geworden.

Die Welt wird durch eine Vielzahl von parallelen Welten bestimmt. Grenzen haben sich aufgelöst, Kulturen haben sich vermischt, Märkte konvergieren auf dynamische Weise, und das soziale Umfeld wird vermehrt durch virtuelle Kommunikation definiert. Unsere Existenz befindet sich in einem unvorhersehbaren und endlosen Netzwerk, auf das man oft keinen direkten Einfluss mehr ausüben kann. Das einsame Rufen im 'WWW-Wald' wird heute durch unzählige und unbekannte Echos erwidert.

Die Ausstellung 'L'effet Larsen / Der Larsen Effekt' thematisiert die Aneignung, Reorganisation und Neuorganisation der materiellen Welt, in deren Mittelpunkt das Teil als eine subjektive Weltkonstruktion steht. Diese Neudefinition wird in hohem Maße geprägt durch die Zuordnung, Verbindung und Überlagerung existierender Systeme, die oft zufallsbestimmt aufeinander reagieren und demzufolge ein neues System hervorbringen.

Der im Titel angesprochene Effekt ist nach dem dänischen Physiker Sören Larsen

At the beginning of the new millennium we find that the political, cultural, economic and social environments we live in are no longer unambiguously and self-evidently linked with each other. The euphoric post-modern catch-phrase so popular in the 1990s – 'everything is in flux' – may still be justified today but the additional question 'where to?' has become all the more urgent.

The world is determined by a multiplicity of parallel worlds. Boundaries have disappeared, cultures have mixed, markets see dynamic convergence and the social environment is increasingly defined by virtual communication. Our existence is surrounded by an unpredictable and endless network which we are no longer able to influence today. Solitary calls in the 'WWW woods' are answered by innumerable and unknown echoes these days.

The exhibition 'The Larsen Effect' deals with the appropriation, re-organisation and re-structuring of the material world which centres on the part as a subjective construction of the world. This new definition is strongly characterised by the allocation, combination and superposition of existing systems which coincidentally react to each other and thus create a new system.

The effect described in the title is named after the Danish physicist Sören Larsen (1871-1957) and refers to the electro-acoustic phenomenon of feedback which every emcee or musician is famil-

(1871-1957) benannt und verweist auf das elektroakustische Phänomen des Feedbacks, mit dem jeder Conférencier oder Musiker vertraut ist. Hält man ein Mikrofon zu nahe an einen Lautsprecher, der seinerseits immer ein Rauschen produziert, verursacht dies eine Rückkopplung, welche das Rauschen reproduziert und gleichzeitig verstärkt. In diesem Aufschaukeln entsteht ein schriller Ton, der zum Zusammenbruch des Audiosystems führen kann. Im übertragenen Sinn handelt es sich beim Larsen Effekt um eine ‘positive Rückkopplung’, das heißt, um einen sekundären Effekt, der den ersten gewollten Effekt noch verstärkt. Der Larsen Effekt produziert eine Art Parasiten, eine selbsterzeugte Schwingung (Auto-Oszillation), welche zwischen zwei Systemen oder Bedingungen eine Interaktion hervorruft, die wiederum eine neue, dritte Bedingung schafft.

Diese Schwingung findet ihr philosophisches Pendant ansatzweise im Rhizom, einem wurzelartigen Gebilde, das Gilles Deleuze und Felix Guattari 1976 in ihrer rauschhaften Neuformulierung individueller und gesellschaftlicher Denk- und Handlungsformen als nicht-hierarchisches Netzwerk beschrieben haben: „Im Unterschied zu den Bäumen und ihren Wurzeln verbindet das Rhizom einen beliebigen Punkt mit einem anderen; jede seiner Linien verweist nicht zwangsläufig auf gleichartige Linien, sondern bringt sehr verschiedene Zeichensysteme ins Spiel. [...] Es besteht nicht aus Einheiten sondern aus Dimensionen. [...] Im Gegensatz zum Baum ist das Rhizom nicht

(1871-1957) et renvoie au phénomène électroacoustique du feed-back bien connu des conférenciers et musiciens. Un microphone tenu trop près d’un haut-parleur qui, pour sa part, produit toujours un bruit de fond, provoque une rétroaction qui reproduit le bruit de fond tout en l’amplifiant. Ces oscillations résonantes vont croissant jusqu’à engendrer un son strident pouvant entraîner l’effondrement du système sonore. Au sens figuré, l’effet Larsen représente une ‘rétroaction positive’, c’est-à-dire un effet secondaire qui amplifie l’effet premier recherché. L’effet Larsen produit un phénomène parasite, une auto-oscillation, qui provoque une interaction entre deux systèmes ou conditions, qui, à son tour, engendre une nouvelle et troisième condition.

On retrouve dans les grandes lignes le pendant philosophique de cette oscillation dans le rhizome, une tige émettant des racines adventices, que Gilles Deleuze et Félix Guattari ont décrit en 1976 comme un réseau non-hiérarchique dans leur reformulation grisante des formes de pensées et d’actions individuelles et sociales : « À la différence des arbres et de leurs racines, le rhizome relie un point quelconque à un autre ; chacune de ses lignes ne renvoie pas inévitablement à des lignes de même nature, mais fait au contraire intervenir des systèmes de signes très différents. [...] Il ne se compose pas d’unités mais de dimensions. [...] Contrairement à l’arbre, le rhizome ne participe pas de la reproduction : que ce soit

iar with. If you hold a microphone too close to a loudspeaker, which always produces noise, this leads to a feedback reproducing and amplifying the loudspeaker noise. This feedback builds up and causes an ear-splitting sound which may lead to the breakdown of the audio system. In a figurative sense, the Larsen effect is a ‘positive retroaction’, i.e. a secondary effect reinforcing the initial intended effect. The Larsen effect produces a kind of parasite, an auto-oscillation causing two systems or conditions to interact, thus creating a new third condition.

In philosophy a likeness of this oscillation can be found in the rhizome, a root-like structure which Gilles Deleuze and Felix Guattari described as a non-hierarchical network in their frenzied re-formulation of individual and societal ways of thinking and acting of 1976. “In contrast to trees and their roots, the rhizome connects any point with another one, its lines do not necessarily refer to other lines of the same kind but bring very different sign systems into play. [...] It does not consist of units but dimensions. [...] Contrary to the tree, the rhizome is not subject to reproduction, neither to exterior reproduction as an image of a tree nor interior reproduction as a tree structure. The rhizome is anti-genealogical. It comes into being by transformation, expansion, conquest, catching and biting. [...] It is solely defined by the circulation of states.” [1]

d'une reproduction extérieure comme image d'un arbre ou intérieure comme structure arborescente. Le rhizome est non-généalogique. Le rhizome se forme par transformation, propagation, conquête, prise et piqûre. [...] Il ne se définit que par la circulation des états. »[1]

En ce qui concerne l'exposition, il faut considérer l'effet Larsen non pas sur le plan acoustique mais phénoménologique. Ce n'est pas la catastrophe de la résonance en elle-même, mais le caractère vital et dynamique du processus et de son illustration qui est ici déterminant. Seize artistes internationaux représentant trois générations présentent des travaux, en partie inédits, qui, d'une façon ou d'une autre, définissent la rétroaction (altération, combinaison, compression, croisement, décalage, déformation, déviation, dispersion, échange, enchevêtrement, entrelacement, fusion, mélange, récupération...) comme un point de départ créatif et créateur. Le champ associatif s'ouvrant à l'observateur apparaît, sous l'effet d'existences parallèles, infini et contradictoire : de la simultanéité de réalités différentes (Pierre Bismuth, Dan Graham, Matt Mullican) à leur déconstruction (Dieter Kiessling, Ken Lum, Keith Tyson), leur démontage (Boris Rebetez, Mitja Tušek) et leur décalage (Daniela Keiser), en passant par la relativisation des états existants (Sven Augustijnen) et l'individualisation des réseaux (Manon de Boer, Gerhard Dirmoser, Margarete Jahrmann et Max Moswitzer),

Gegenstand der Reproduktion: weder einer äußeren Reproduktion als Bildbaum, noch einer inneren als Baumstruktur. Das Rhizom ist anti-genealogisch. Das Rhizom geht durch Wandlung, Ausdehnung, Eroberung, Fang und Stich hervor. [...] Es ist einzig und allein durch die Zirkulation der Zustände definiert."[1]

Hinsichtlich der Ausstellung ist der Larsen Effekt nicht akustisch, sondern vielmehr phänomenologisch zu verstehen. Nicht die Resonanzkatastrophe an sich, sondern der vitale und dynamische Charakter des Prozesses und dessen Bildfindung ist hier zentral. Sechzehn internationale Künstler und Künstlerinnen aus drei Generationen zeigen zum Teil neuproduzierte Arbeiten, in denen die Rückkopplung (Verbindung, Verdichtung, Verdrehung, Verfälschung, Verflechtung, Verformung, Vermischung, Verschiebung, Verschmelzung, Verschränkung, Vertauschung, Verwertung, Verwicklung, Verzettelung...) letztendlich als kreativer und kreierender Ausgangspunkt definiert wird. Dem/der BetrachterIn eröffnet sich ein assoziatives Feld, das durch parallele Existenzen endlos und widersprüchlich erscheint: von der Gleichzeitigkeit unterschiedlicher Realitäten (Pierre Bismuth, Dan Graham, Matt Mullican) bis hin zu deren Dekonstruktion (Dieter Kiessling, Ken Lum, Keith Tyson), Demontage (Boris Rebetez, Mitja Tušek) und Decalage (Daniela Keiser), über die Relativierung bestehender Seinszustände (Sven Augustijnen) und Subjektivierung von Netzwerken (Manon de Boer, Gerhard Dirmoser,

In the exhibition, the Larsen phenomenon should not be understood acoustically but phenomenologically. Instead of the resonance catastrophe, the vital and dynamic character of the process and the way it finds its images are the central ideas. Sixteen international artists spanning three generations show works – some of them newly produced – in which feedback (condensation, connection, deformation, dissipation, entanglement, exchange, exploitation, falsification, fusion, interlacing, intertwining, mixing, shifting, twisting...) is eventually defined as a point of departure for creativity and creation. An associative field that seems endless and contradictory is opening up to the beholder: from the simultaneity of different realities (Pierre Bismuth, Dan Graham, Matt Mullican) to their deconstruction (Dieter Kiessling, Ken Lum, Keith Tyson), dismantling (Boris Rebetez, Mitja Tušek) and *décalage* (Daniela Keiser), via the relativisation of existing states of being (Sven Augustijnen) and the introduction of subjectivity into networks (Manon de Boer, Gerhard Dirmoser, Margarete Jahrmann and Max Moswitzer) to the suspension of the site-specific (Daniel Roth, Simon Starling) and of context (Peter Zimmermann).

Due to their different points of departure (in terms of space, time or semantics), choice of media (audio and video installations, CD-ROMs, diagrams, documentary films, photographies, performances, sculptures, drawings), origin,

Margarete Jahrmann und Max Moswitzer) bis hin zur Aufhebung des Ortsspezifischen (Daniel Roth, Simon Starling) und des Kontextes (Peter Zimmermann).

Durch die unterschiedlichen Ausgangspunkte (räumlicher, zeitlicher oder semantischer Art), Medien (Audio- und Videoinstallation, CD-ROM, Diagramm, Dokumentarfilm, Fotografie, Performance, Skulptur, Zeichnung), Herkünfte, Bildfindungen und Strategien markieren die ausgewählten Arbeiten verschiedene Verlaufswidersprüche, Querbezüge aber auch Analogien in einem bildhaften Meta-Netzwerk.

Das speziell für die Ausstellung entworfene Typeface 'Larsen' der Amsterdamer Grafiker Armand Mevis und Linda van Deursen ist diesbezüglich ein stellvertretendes Beispiel. Die Grafiker haben sich die Schrift 'Letter Gothic' angeeignet und die einzelnen Buchstaben des Alphabets graduell der Reihenfolge nach von 'light' nach 'bold' verdichtet. Der wahre Charakter dieses vordergründig eleganten Schriftbildes offenbart sich aber erst in dessen Anwendung: es wirkt disharmonisch und fragmentiert und erinnert, obwohl mit Computerprogrammen gezeichnet, an das Schriftbild eines abgenutzten Schreibmaschinenkopfes. Auch die Anzeigenkampagne und die Gestaltung des Flyers widerspiegeln und produzieren ein Feedback, indem sich die unterschiedlichen Lay-outs teilweise überlagern. Die prozesshafte Resonanz zeigt sich hier erneut in einer anderen Form.

jusqu'à l'annulation de la spécificité du lieu (Daniel Roth, Simon Starling) et du contexte (Peter Zimmermann).

Par la diversité des approches (spatiales, temporelles, sémantiques), des médias employés (installations audio et vidéo, CD-ROM, diagrammes, films documentaires, photographies, performances, sculptures, dessins), des origines, des représentations et des stratégies, les travaux sélectionnés marquent des déroulements contradictoires, des références transversales, mais également des analogies au sein d'un méta-réseau figuré.

À ce titre, l'œil de caractère 'Larsen' spécialement conçu pour l'exposition par les graphistes hollandais Armand Mevis et Linda van Deursen (Amsterdam) est un exemple représentatif. Les graphistes se sont appropriés l'écriture 'Letter Gothic' pour en accentuer les différentes lettres par ordre alphabétique en passant progressivement des caractères 'fins' aux caractères 'gras'. Mais la véritable marque distinctive de cette typographie élégante de prime abord ne se révèle que dans son utilisation : elle apparaît discordante et fragmentée et rappelle, bien que dessinée avec des programmes informatiques, la typographie d'une tête de machine à écrire usée. La campagne d'affichage et la présentation graphique du dépliant reflètent et produisent également un feed-back avec la superposition partielle des différentes mises en page. Le processus de résonance prend ici encore une nouvelle forme.

imagery, and strategies, the works selected for the exhibition mark various contradictions in development, cross-references as well as analogies in a figurative meta-network.

The typeface 'Larsen,' which was specially developed by the Amsterdam-based graphic designers Armand Mevis and Linda van Deursen, is exemplary in this context. The graphic designers appropriated the typeface 'Letter Gothic,' gradually condensing the individual letters from 'light' to 'bold' in alphabetical order. The true character of the face, which seems rather elegant at first sight, only reveals itself when it is used: it looks disharmonious and fragmented, and even though it was created by means of computer software, it is reminiscent of the typeface of a well-worn golf-ball typewriter. The advertising campaign and the flyer design also reflect and produce feedback in that different layouts overlap partially. Processual resonance takes yet another shape here.

abcdefghijklmnopqrstuvwxyz
ABCDEFGHIJKLMNOPQRSTUVWXYZ

abcdefghijklmnopqrstuvwxyz
ABCDEFGHIJKLMNOPQRSTUVWXYZ

abcdefghijklmnopqrstuvwxyz
ABCDEFGHIJKLMNOPQRSTUVWXYZ

abcdefghijklmnopqrstuvwxyz
ABCDEFGHIJKLMNOPQRSTUVWXYZ

abcdefghijklmnopqrstuvwxyz
ABCDEFGHIJKLMNOPQRSTUVWXYZ

abcdefghijklmnopqrstuvwxyz
ABCDEFGHIJKLMNOPQRSTUVWXYZ

0123456789

Nombre des travaux présentés sont basés sur le hasard et l'imprévisible, phénomènes recherchés par la plupart des artistes, certes, mais non contrôlables. Les influences extérieures sur l'œuvre d'art finale, liées aux contextes géographiques, aux comportements sociaux, aux actions quotidiennes de tiers non impliqués ou aux critères de sélection individuels, prennent ici toute leur importance au même titre que le moment dynamique et vital lui-même, caractéristique de l'effet Larsen.

abcdefghijklmnopqrstuvwxyz
ABCDEFGHIJKLMNOPQRSTUVWXYZ

abcdefghijklmnopqrstuvwxyz
ABCDEFGHIJKLMNOPQRSTUVWXYZ

abcdefghijklmnopqrstuvwxyz
ABCDEFGHIJKLMNOPQRSTUVWXYZ

abcdefghijklmnopqrstuvwxyz
ABCDEFGHIJKLMNOPQRSTUVWXYZ

abcdefghijklmnopqrstuvwxyz
ABCDEFGHIJKLMNOPQRSTUVWXYZ

abcdefghijklmnopqrstuvwxyz
ABCDEFGHIJKLMNOPQRSTUVWXYZ

0123456789

Viele der präsentierten Arbeiten basieren auf einem unberechenbaren Zufallsmoment, das wohl von den meisten Künstlern und Künstlerinnen beabsichtigt wird, aber nicht kontrollierbar ist. Hier zeigt sich nicht nur die Bedeutung des äußeren Einflusses auf das finale Kunstwerk, sei es durch unterschiedliche Ortskontexte, soziales Verhalten, alltägliche Handlungen von unbeteiligten Dritten oder individuelle Auswahlkriterien, sondern auch ein dynamisches und vitales Moment, das den Larsen Effekt prägt.

abcdefghijklmnopqrstuvwxyz
ABCDEFGHIJKLMNOPQRSTUVWXYZ

abcdefghijklmnopqrstuvwxyz
ABCDEFGHIJKLMNOPQRSTUVWXYZ

abcdefghijklmnopqrstuvwxyz
ABCDEFGHIJKLMNOPQRSTUVWXYZ

abcdefghijklmnopqrstuvwxyz
ABCDEFGHIJKLMNOPQRSTUVWXYZ

abcdefghijklmnopqrstuvwxyz
ABCDEFGHIJKLMNOPQRSTUVWXYZ

abcdefghijklmnopqrstuvwxyz
ABCDEFGHIJKLMNOPQRSTUVWXYZ

0123456789

Many of the works on display are based on an incalculable momentum of coincidence which is certainly intended by most of the artists but cannot be controlled. Not only does the significance of exterior impacts on the final work of art reveal itself here – impacts that may comprise different local contexts, social behaviour, routine actions of innocent bystanders, or individual criteria of choice – but also the dynamic and vital momentum that is characteristic of the Larsen effect.

Stellvertretend für alle Arbeiten möchte ich an dieser Stelle auf die Textarbeit von Mitja Tušek verweisen, die das sprunghafte Wechselspiel des Ausstellungsthemas verdeutlichen soll. In beiden Institutionen standen den Besuchern Transitorradios zur Verfügung über die auf einer bestimmten Frequenz die Audioarbeit ‘Frühstück zu Linz/zu Luxemburg’ abgerufen werden konnte. Ausgangspunkt des Textes bildet ein Sampling populärer Sprichwörter, deren moralisierende Statements im Laufe der fünfminütigen Aufzählung so uminterpretiert und verdreht werden, dass das Spiel mit dem Ernst des Lebens zum ernsthaften Spiel mit dem Leben wird:

„[...] Mit dem Hut in der Hand hast du nichts auf dem Kopf.
Mit dem Hut auf dem Kopf hast du nichts in der Hand.
Mit der Hand in der Hose hast du nichts im Kopf.
Mit einem vollen Kopf hast du nichts in der Hose.
Mit einer leeren Hose kommst du nicht weit.
Mit einer vollen Hose kannst du nicht rennen.
Und Geld riecht nicht.
Verstanden?“

1. DELEUZE (GILLES) / GUATTARI (FÉLIX), ‘RHIZOM’, IN *TAUSEND PLATEAUS. KAPITALISMUS UND SCHIZOPHRENIE*, MERVE VERLAG, BERLIN 1977.

À ce propos, je voudrais renvoyer ici aux textes de Mitja Tušek, un travail représentatif de l’ensemble des travaux présentés et qui illustre bien la versatilité des effets interactifs suggérés par le thème des deux expositions. Les visiteurs pouvaient ainsi écouter, sur une fréquence déterminée et par le biais de transistors mis à leur disposition, le travail audio ‘Frühstück zu Linz/zu Luxemburg’. Au départ, un échantillonnage de proverbes populaires dont les déclarations moralisatrices sont déviées et déformées de telle sorte que, pendant les cinq minutes que dure leur énumération, le jeu avec les choses sérieuses de la vie finit par se muer en un jeu sérieux avec la vie :

« [...] Avec le chapeau dans la main, tu n'as rien sur la tête.
Avec le chapeau sur la tête, tu n'as rien dans la main.
Avec la main dans le froc, tu n'as rien dans la tête.
Avec la tête pleine, tu n'as rien dans la culotte.
Avec des poches vides, tu ne vas pas loin.
Plein le froc, tu ne peux pas courir.
Et l'argent n'a pas d'odeur.
N'est-ce pas? »

1. DELEUZE (GILLES) / GUATTARI (FÉLIX), ‘RHIZOME’, DANS *CAPITALISME ET SCHIZOPHRÉNIE (TOME 2) : MILLE PLATEAUX*, LES ÉDITIONS DE MINUIT, PARIS 1976.

Vicariously for all other works I would like to refer to Mitja Tušek’s text to illustrate the erratic interplay of the exhibition theme. At both institutions visitors had an opportunity to tune transistor radios to a certain frequency and listen to the audio work ‘Frühstück zu Linz/zu Luxemburg’. The text starts out sampling popular sayings; in the course of the five-minute run-down the moralising statements are re-interpreted and distorted until the play on the serious side of life becomes a serious play on life:

"[...] With a hat in your hand you have nothing on your head.
With a hat on your head you have nothing in your hand.
With your hand in your pants you have nothing in your head.
With a full head you have nothing in your pants.
With empty pants you won’t get very far.
With full pants you can’t run.
And money tells no tales.
Got it? "

1. DELEUZE (GILLES) / GUATTARI (FÉLIX), ‘RHIZOME’, IN *A THOUSAND PLATEAUS: CAPITALISM AND SCHIZOPHRENIA*, UNIVERSITY OF MINNESOTA PRESS, MINNEAPOLIS 1987.

21 L'EFFET LARSEN

21 DER LARSEN EFFEKT

THE LARSEN EFFECT 21

LEBEN IM INTERMEDIÄREN RAUM.

ÜBER ZUSAMMENHÄNGE UND WECHSELWIRKUNGEN, DIE WIRKEN, OHNE DASS WIR SIE VOLLSTÄNDIG ERFASSEN KÖNNEN.

FRANZ XAVER BAIER

VIVRE DANS L'ESPACE INTERMÉDIAIRE.

SUR LES CORRÉLATIONS ET LES INTERACTIONS QUI AGISSENT SANS QUE NOUS PUISSIONS ENTIÈREMENT LES SAISIR.

FRANZ XAVER BAIER

LIFE IN INTERMEDIARY SPACE.

ON CONNECTIONS AND INTERACTIONS WHICH ARE AT WORK WITHOUT US FULLY GRASPING THEM.

FRANZ XAVER BAIER

« QUAND NOUS COMMUNIQUONS, JE ME SENS COMME UN ÊTRE À PART ENTIÈRE. JE TE REMERCIE DE ME DONNER CE SENTIMENT. »
(Le Prince Haakon de Norvège à son épouse.)

Quelques exemples en guise d'introduction :

AOÛT 2001.

Avant de partir pour la Biennale de Venise, j'envoie un e-mail à Alissa – pour que notre fil ne rompe pas.

JUIN 2001.

Lors d'un symposium sur la qualité urbaine, Christoph Vitali, directeur de la Haus der Kunst à Munich, expose sa conception de l'art. D'après lui, seuls les tableaux et les sculptures relèvent à proprement parler de l'art – et devant eux, dit-il, nous devons « nous mettre à genoux ». Il se plaint aussi de plusieurs expériences malheureuses d'expositions récentes et le public émet des propositions d'exposition alternatives. Mais toute suggestion portant sur une perception expérimentale, qui assouplirait par exemple l'attitude immobile et verticale du regardeur/observateur pour la rendre plus dynamique, est rejetée. De même est rejetée la suggestion d'associer des éléments urbains, tels une station-service, à la Haus der Kunst. Quelque part, ça m'écœure. J'ai alors pensé à des commissaires d'expositions plus jeunes et plus enclins à l'expérimentation ; et c'est alors que Moritz Küng me téléphone et nous convenons de

„WENN WIR KOMMUNIZIEREN, FÜHLE ICH MICH WIE EIN GANZER MENSCH. DANKE, DASS DU MIR DIESES GEFÜHL GIBST."
(Prinz Haakon von Norwegen zu seiner Braut)

Ein paar Beispiele zu Beginn:

AUGUST 2001.

Bevor ich nach Venedig fahre zur Biennale, schicke ich Alissa eine E-Mail – damit unser Faden nicht reißt.

JUNI 2001.

Auf einem Symposion zur Qualität der Stadt erklärte Christoph Vitali, der Direktor des Hauses der Kunst in München, seine Auffassung von Kunst. Danach sind eigentlich nur Tafelbild und Skulptur kunstrelevant – und davor muss man „auf die Knie gehen", wie er sagte. Er beklagte sich auch über einige Flops der letzten Ausstellungspraxis und aus dem Publikum gab es ein paar Anregungen für andere Arten der Ausstellungspraxis. Anregungen zu einer experimentierenden Wahrnehmung, die zum Beispiel die Haltung des steifen senkrechten Betrachters lockern und beweglicher machen würde, wurden aber abgeschmettert. Ebenso die Anregung, städtische Elemente, wie etwa eine Tankstelle, mit dem Haus der Kunst zu verbinden. Mich machte das irgendwie krank. Also dachte ich an jüngere und experimentierfreudigere Ausstellungsmacher, und tatsächlich rief Moritz Küng an und wir vereinbarten diesen Textbeitrag. Das sind die morphogenetischen

"WHEN WE COMMUNICATE, I FEEL LIKE A WHOLE PERSON. THANK YOU FOR GIVING ME THAT FEELING."
(Prince Haakon of Norway to his wife).

A few examples by way of introduction:

AUGUST 2001.

Before I travelled to Venice for the Biennial, I had sent an e-mail to Alissa – so we don't lose touch.

JUNE 2001.

At a symposium on the quality of the city, Christoph Vitali, the director of the Haus der Kunst in Munich, explained his idea of art. In his opinion, easel painting and sculpture are the only categories relevant to art – "one must get down on one's knees" for them, as he said. He also complained about a few failures in most recent exhibition practices and people in the audience made some alternative suggestions. However, proposals for experimental perception, which would e.g. help the beholder in his stiff, vertical position to loosen up and become more flexible, were dismissed. The same happened to the idea of linking urban elements, such as a filling station, with the Haus der Kunst. It made me somewhat sick. So I thought of younger exhibition-makers who were more interested in experiments, and in fact, Moritz Küng called and we agreed that I would contribute with the present text. So much for Rupert Sheldrake's morphogenetic fields, I thought. They connect

Felder von Rupert Sheldrake, dachte ich. Die machen, dass Lebewesen derselben Art untereinander verbunden sind und auf einer geheimen Ebene miteinander kommunizieren: Die Felder werden durch jedes Individuum einer Art bereichert und umgekehrt ist jedes Individuum auch an dieses Gedächtnis angeschlossen.

SOMMER 2001.

Bei einem Freund fand ein Hauskonzert statt, und eigentlich ging Vieles daneben an dem Abend. Äußerlich. Denn gleichzeitig fand ein Straßenfest statt mit lauter Musik und so, und der Lärm löste fast die Wohnung auf. Es wurde außerdem zwischendurch falsch gespielt, und die ‘Mondscheinsonate’ von Beethoven musste abgebrochen werden, weil die Pianistin die Fassung verlor. Es herrschte eine sehr dichte, gemischte und geladene Stimmung, so dass man sich bemühen musste, die Hausmusik zu genießen. Aber genau dieses Bemühen und Herausfiltern-Müssen aus dieser Mischung machten die Sache für mich zu einem Genuss. Und auch durch die abgebrochene ‘Mondscheinsonate’ habe ich zum ersten Mal den Prozess des Herauskommens und Erklingens aus dem Wechselspiel von Arbeit, Technik und schwerer Substanz erlebt.

SOMMER 2001.

Monatelang war es in der Umgebung städtisch ruhig gewesen, und zum Sonnenbaden konnten Fenster geöffnet werden. Dann kam regelmäßig eine Störung in Form

ce texte. Voilà les champs morphogénétiques de Rupert Sheldrake, me suis-je dit. Ce sont eux qui relient entre eux les êtres d’une même espèce et leur permettent de communiquer entre eux à un niveau secret : les champs sont enrichis par chaque individu d’une espèce et, inversement, chaque individu est aussi rattaché à cette mémoire.

ÉTÉ 2001.

Un concert privé a lieu chez un ami et, en fait, bien des choses vont de travers ce soir-là. Vu de l’extérieur. Car en même temps une animation de rue a lieu, avec la musique qui joue à fond et tout ça, et le bruit fait presque exploser les murs de l’appartement. Par ailleurs, des fausses notes se glissent parfois dans le jeu des musiciens et il faut interrompre la ‘Sonate au clair de lune’ de Beethoven parce que la pianiste finit par perdre son sang-froid. L’ambiance est très lourde, mêlée et chargée, si bien qu’il faut faire de véritables efforts pour apprécier ce concert privé. Mais ce sont précisément ces efforts et cette obligation de filtrer à travers le mélange qui font que je prends véritablement plaisir à la chose. Avec l’interruption de la ‘Sonate au clair de lune’, j’expérimente pour la première fois le processus de distillation et de résonance résultant de l’interaction entre travail, technique et substance lourde.

ETÉ 2001.

Pendant des mois tout avait été calme (au sens urbain) dans mon quartier et on

beings of the same kind and enable them to communicate at a secret level: each individual of a kind enriches these fields and conversely, each individual is also hooked up to the same memory.

SUMMER 2001.

A friend had arranged a private concert and many things actually went wrong that evening. On the outside. There was a street party going on at the same time where they played loud music and all that, and the noise almost caused the house to collapse. In between, wrong notes were hit and the pianist had to interrupt Beethoven’s ‘Moonlight Sonata’ because she was completely thrown off kilter. The atmosphere was very dense, mixed and charged, and you had to make an effort to enjoy the music played at the private concert. However, it was precisely the effort, the need to filter the music out of the din that turned it into an enjoyable event for me. The interrupted ‘Moonlight Sonata’ made me experience the process of sound coming out and unfolding in the interaction of work, technique and complex substance for the first time.

SUMMER 2001.

For months, the surrounding area had been calm in an urban sense, and it was possible to open the windows for sunbathing. But then a TV set blasting away with the same trash entertainment for hours on end disturbed the peace at regular intervals. Gone were the sunshine

pouvait ouvrir les fenêtres pour prendre un bain de soleil. Puis une perturbation est survenue à intervalles réguliers, provoquée par une télévision passant les mêmes émissions débiles pendant des heures durant. Adieu soleil et silence. Un peu perplexe, j'ai d'abord essayé d'y remédier en mettant des fleurs sur les rebords de fenêtre, en criant très fort, etc. Ça a un peu servi. Plus efficaces étaient les épais cache-oreilles tels que les utilisent les ouvriers de chantier quand ils travaillent au marteau-piqueur dans la rue. Mais la situation s'est vraiment améliorée quand un nouvel élément est entré en jeu : à savoir plus de bruit encore, provoqué cette fois-ci par une musique assourdissante. Cette musique du groupe 'Massive Attack' était pour moi moins du bruit qu'une délivrance. Désormais on avait atteint une situation qui, non seulement, rendait de nouveau supportable le vacarme des bruits de vaisselle, des ventilateurs et des programmes télé ainsi que la funeste ambiance chrétienne des dimanches, mais comblait, pour ainsi dire, mon appartement de ville. D'un seul coup, il était empli de musique. De manière similaire, John Cage avait un jour constaté que le bruit de fond de son appartement près d'une cascade était proche de celui d'une des rues les plus animées de New York. Et il était parti vivre en ville.

ÉTÉ 2001.

Les architectes Herzog & de Meuron construisent des murs qui flirtent les uns avec les autres. L'un des murs présente

eines stundenlang laufenden Fernsehers mit immer dem gleichen Unterhaltungsmüll. Der Sonnenschein und die Ruhe waren dahin. Zunächst etwas ratlos, probierte ich es mit Blumen auf einer Fensterbank, mit lautem Schreien usw. Es half ein bisschen. Besser waren die dicken Ohrenschützer, wie sie von Baustellenarbeitern verwendet werden, wenn sie mit Presslufthammern die Straße aufreißen. Richtig gut wurde es aber, als ein neues Element hinzukam: nämlich noch mehr Lärm in Form von sehr lauter Musik. Sie war von 'Massive Attack', und ich hörte diese Musik eigentlich nicht als Lärm, sondern als etwas Befreiendes. Nun war eine Mischung der Situation erreicht, die mir das Getöse aus Geschirrklappern, Lüftergebläsen, TV-Dramatik sowie sonntäglich christlicher Grabesstimmung nicht nur wieder erträglich machte, vielmehr meiner Stadtwohnung geradezu ihre Erfüllung gab. Plötzlich war da Musik drin. In ähnlicher Weise hatte John Cage einmal festgestellt, dass die Geräuschkulisse seiner Wohnung am Wasserfall verwandt war mit einer der belebtesten Straßen von New York. Und so zog er in die Stadt.

SOMMER 2001.

Die Architekten Herzog & de Meuron bauen Wände, die miteinander flirten. Eine Wand hat Punkte und die gegenüberliegende hat Löcher. So taucht man ein in etwas Mediales, Flirrendes, Bewegtes, ein Zwischen. Betrachtet man die Wände einzeln und aus dem Gegenstand, dann sieht man nicht viel. Aber lässt man

and the quiet. At first I was a little helpless, trying out flowers on the window-sill, yelling loudly etc. It helped a little. Earmuffs like the ones worn by construction workers when they use pneumatic hammers to tear up the road surface worked better. However, the situation improved greatly when a new element was introduced: even more noise in the shape of very loud music. It was music by 'Massive Attack' and to me, it was more liberating than noisy. The situation was characterised by a mixture that not only made the pandemonium of clattering dishes, ventilation fans, TV drama and the atmosphere of a Christian cemetery on a Sunday bearable again, it was actual fulfilment for my city flat. Suddenly, there was music in the air. In a similar vein, John Cage once found that the background noise in his apartment near a waterfall was similar to that of one of the busiest streets in New York. And so he moved to the city.

SUMMER 2001.

The architects Herzog & de Meuron build walls flirting which each other. One wall has dots, the opposite wall has holes. This way you delve into something media-like, scintillating, moving, an in-between. If you look at the walls separately and from inside the object, you will not be able to see much. However, if you allow yourself to be drawn into the interaction, you will feel light and easy, and you will notice that we are primarily three-dimensional beings and only secondarily embodied bodies.

sich auf das Zusammenwirken ein, dann wird man leicht und gelöst, und man merkt, dass wir primär räumlich ausgedehnte Wesen sind und erst dann verkörperte Körper.

SOMMER 2001.

Der norwegische Kronprinz Haakon sagte in seiner öffentlichen Liebeserklärung an seine Frau: „Liebe Mette-Marit, in deiner Seele lodert es. [...] Du bist empfindsam, leicht zu begeistern, achtest auf Details, bist ganz und gar nicht initiativlos, aber brennend engagiert, temperamentvoll, mutig, unergründlich, kannst ein bisschen unsicher sein, aber auch ein starkes Rückgrat zeigen. Du hast viel Humor und ein warmes, großes Herz. Mit anderen Worten bist du ein fantastisch komplexer Mensch. Ich glaube, ich war noch nie so voller Liebe wie mit dir. Du hast das ganze Spektrum in dir. Wenn wir kommunizieren, fühle ich mich wie ein ganzer Mensch. Danke, dass du mir dieses Gefühl gibst.“ [1]

SOMMER 2001.

Ich schaue und höre die MTV WebCharts und lese zugleich als Gegenpol ein Buch über Zen und meine göttliche Wesensexistenz, die Fülle, die ich immer mal wieder nicht zulasse. Die Musiker in den MTV Charts stellen sich hauptsächlich selbst in den Mittelpunkt und lassen die Welt um sich kreisen, als wäre sie dazu da, nur ein paar wenige Auserwählte zu erleuchten. Sie orientieren sich hauptsächlich an Größen wie Madonna, Michael

des points, celui d'en face des trous. On plonge ainsi dans quelque chose d'intermédiaire, de vacillant, de mouvant, un 'entre-deux'. Si l'on regarde les murs séparément et de l'intérieur, on ne voit pas grand-chose. Mais si l'on s'abandonne à la concomitance, on devient léger et détaché, et nous nous rendons compte que nous sommes principalement des êtres prolongés dans l'espace avant d'être des corps incarnés.

ÉTÉ 2001.

Dans sa déclaration d'amour publique à son épouse, Haakon le prince héritier de Norvège, dit : « Chère Mette-Marit, dans ton âme tout flamboie. [...] Tu es sensible, tu te laisses facilement gagner par l'enthousiasme, tu prêtes attention aux détails, tu as de l'initiative, tu es vivement engagée, pleine de tempérament, courageuse, mystérieuse, tu peux parfois manquer d'assurance, mais aussi montrer une grande force de caractère. Tu as beaucoup d'humour, un grand cœur et tu es chaleureuse. En d'autres termes, tu es un être merveilleusement complexe. Je crois n'avoir jamais été aussi comblé d'amour qu'avec toi. Tu as en toi le spectre tout entier. Quand nous communiquons, je me sens comme un être à part entière. Je te remercie de me donner ce sentiment. » [1]

ÉTÉ 2001.

Je regarde et j'écoute les MTV WebCharts et lis en même temps, comme contrepoint, un livre sur le zen et mon existence

SUMMER 2001.

When he publicly declared his love to his wife, the Norwegian crown prince Haakon said: "Dear Mette-Marit, a fire is burning in your soul. [...] You are sensitive, you become enthusiastic easily, you care for details, you are not at all devoid of initiative, on the contrary, you are highly committed, temperamental, courageous, unfathomable, you can be a little insecure but you also show that you have plenty of backbone. You have a great deal of humour and a big warm heart. In other words, you are a fantastically complex person. I think I have never been fuller of love than with you. You carry a whole spectrum inside. When we communicate I feel like a whole person. Thank you for giving me that feeling." [1]

SUMMER 2001.

I was watching and listening to the MTV WebCharts while, as a counterpoint, I read a book on Zen and my godly existence, an abundance which I refuse to admit again and again. The musicians on the MTV charts mainly focus on themselves, they want the world to revolve around them as if its purpose were to enlighten only some chosen few. They orient themselves on celebrities such as Madonna or Michael Jackson, anticipating in their video clips the riches they are out to get: big cars, swimming-pool, luxury, jewellery, and most of all power, a lot of power over everything around.

d'être divin, l'abondance que je m'interdis souvent. Les musiciens dans les hit-parades de MTV se placent essentiellement eux-mêmes au centre et laissent tourner le monde autour d'eux comme s'il n'était là que pour éclairer quelques rares élus. Ils se réfèrent surtout aux grands comme Madonna et Michael Jackson et n'hésitent pas à anticiper dans leurs clips vidéo la richesse à laquelle ils aspirent si manifestement : grosses voitures, piscine, luxe, bijoux et surtout, beaucoup, beaucoup de pouvoir sur tout ce qui les entoure.

Le 11 septembre 2001, alors que je rédige ce texte, le quotidien de notre hémisphère occidentale se retrouve en état de choc après un attentat terroriste. Des commandos suicide ont détourné plusieurs avions de ligne aux États-Unis et les ont précipités, dans une attaque ciblée, sur les deux tours jumelles du World Trade Center et sur le Pentagone. Il faut s'attendre à des milliers de morts et de blessés. Le World Trade Center s'effondre sur lui-même et avec lui disparaît un emblème de la liberté, du pouvoir, de la force, de la supériorité, voire de notre civilisation. Les experts parlent de la notion de sécurité qu'il faut entièrement repenser et de la guerre du 21e siècle essentiellement conduite par l'intermédiaire d'infrastructures. La catastrophe est également considérée comme l'expression de tensions sociales, de très profonds clivages culturels et religieux ainsi que de la pauvreté et de la faim dans le monde. On perçoit comme un effet secondaire

Jackson und antizipieren in ihren Videoclips den Reichtum, auf den sie es so offensichtlich abgesehen haben: also dicke Autos, Swimmingpool, Luxus, Schmuck und vor allem viel, viel Macht über alles in der Umgebung.

Am 11. September 2001, während ich an diesem Text schreibe, wird der Alltag unserer westlichen Hemisphäre durch ein Terrorattentat geschockt. Todeskommandos entführten in Amerika mehrere Passagierflugzeuge und lenkten sie in gezieltem Angriff in die Twin Towers des World Trade Centers sowie in das Pentagon. Es muss mit tausenden Toten und Verletzten gerechnet werden. Das World Trade Center bricht in sich zusammen und damit ein Wahrzeichen für Freiheit, Macht, Kraft, Überlegenheit, ja für unsere Zivilisation überhaupt. Experten sprechen von der Sicherheitsidentität, die völlig neu durchdacht werden muss, und vom Krieg des 21. Jahrhunderts, der hauptsächlich über Infrastrukturen geführt wird. Die Katastrophe wird auch als Ausdruck sozialer Spannungen, abgrundtiefer kultureller und religiöser Unterschiede sowie von Armut und Hunger gewertet. Als positive Begleiterscheinung der ersten Stunden nach dem Anschlag wird gesehen, dass Menschen wieder näher zusammenrücken, dass die westliche Zivilisation sich noch besser koordiniert und organisiert, und dass sogar die konkurrierenden Fernsehsender sich für eine Weile synchron schalten. Viele Veranstaltungen und Events wurden abgesagt und auch ich habe eine Menge Text wieder gestrichen, weil er mir lächerlich kleinkariert vor-

On September 11, 2001, while I was writing this text, the everyday life of the Western hemisphere was shaken by a terrorist attack. Suicide commandos hijacked several passenger planes in the United States and directed them against the Twin Towers of the World Trade Center and the Pentagon. Thousands of people had to be presumed dead or injured. The World Trade Center collapsed – a landmark standing for freedom, power, force, superiority, actually for our civilisation as such. Experts had talked about a necessity to re-think the concept of security, and about the war of the 21st century, which will mainly be waged via infrastructures. The disaster was also seen as an expression of social tension, radical cultural and religious differences, poverty and hunger. The facts that people stood together again, that the Western world improved the co-ordination and organisation of its actions, and that even competing TV stations synchronised their programmes for a while were considered positive side-effects of the first few hours after the attack. Many events had been cancelled and I deleted a lot of text because it seemed ridiculously irrelevant in view of the new situation turning everything upside down. One of the quotes heard most often during these hours was: "The world will never be the same again!"

It is a well-known fact that our existence is made of a permanent and radical state of interrelatedness taking the shape of interactions with environments

kam angesichts der neuen Lage, die alles übersteigt. Einer der am häufigst zitierten Sätze dieser Stunden hieß: „Die Welt ist nicht mehr, wie sie war!“

Es ist hinreichend bekannt, dass unsere Existenz aus einem permanenten und radikalen In-Beziehung-Sein gewirkt ist. In Wechselprozessen mit Umgebungen und als Einkörperung in Umgebungen. Radikal heißt hier: wir sind nicht zuerst schon Menschen und verhalten uns dann zu Umgebungen, sondern wir sind zuerst in Wechselprozessen und müssen uns darin erst irgendwie und immer wieder finden. Das Primäre ist also Verstrickung, Vermischung und jene nicht zu beherrschenden Zustände, die immer wieder zu Missverständnissen, Unruhe, Unklarheit führen und die der Klärung bedürfen. Vergegenwärtigt man sich nur einmal ein paar häufig genannte Ursachen für irgendeinen Unfall, so ist neben Viren, Materialermüdung, fehlender Aufmerksamkeit oder mangelndem Selbstvertrauen selten eine einzige Ursache relevant, sondern ein auf Zusammenwirken aufgebauter Wechselprozess, dessen Wirkungen und Nebenwirkungen eben nicht vollständig durchschaut wurden.

Ähnlich wie beim Kochen, Kuchenbacken und in der DJ-Culture kommt es auch in unserer Existenz auf das richtige Rezept, auf die richtigen Zutaten, die richtigen Mischungen an, und Leben ist dann die Kunst des Lenkens, Synchronisierens von Prozessen, in denen wir durch Einschwingen, Aufladung, Aufschaukeln die bestmögliche Verfassung ansteuern.

positif des premières heures suivant l'attentat le fait que les gens se rapprochent de nouveau les uns des autres, que la civilisation occidentale améliore la coordination et l'organisation de ses actions, et que même les chaînes de télévision concurrentes se synchronisent pendant un moment. Nombre de manifestations et d'événements ont été annulés, et moi-même j'ai rayé beaucoup de texte parce qu'il me semblait ridiculement borné face à cette nouvelle situation dépassant tout. L'une des phrases les plus souvent citées pendant ces heures-là fut : « Le monde n'est plus ce qu'il était ! »

Il est bien connu que notre existence est sous l'effet d'une mise en relation permanente et radicale provoquée par les interactions avec le monde qui nous entoure et notre propre incorporation dans cet environnement. Radical signifie ici que nous ne sommes pas avant tout des êtres humains qui se comportent en fonction de ce qui nous entoure, mais que nous sommes d'abord impliqués dans des processus d'interaction, au sein desquels nous devons en permanence trouver nos repères, d'une façon ou d'une autre. L'état primaire est donc l'implication, le mélange et ces états incontrôlables qui engendrent sans cesse malentendus, agitation, confusion et demandent un éclaircissement. Si l'on pense, par exemple, à quelques-unes des causes les plus souvent citées pour un accident donné, il est rare, outre les virus, l'usure, le manque d'attention ou de confiance en soi, qu'une cause soit

and the integration of bodies in environments. In this context, radical should be taken to mean that we are not human beings first and then interact with environments but that we are involved in the processes of interaction in the first place and somehow have to find ourselves in those again and again. Entanglement, mixing and the states which cannot be controlled and thus lead to misunderstandings, unrest, lack of clarity and a need for clarification over and over again — they are what comes first. If we just look at frequent causes of accidents, we will find that apart from viruses, material fatigue, lack of attention or lack of self-confidence, there is hardly one single cause but usually an interaction the effects and side-effects of which cannot be fully understood.

Just like cooking, baking cakes and DJ culture, our existence requires the right recipe, the right ingredients, the right mixtures, and life is then the art of controlling, synchronising processes through which we aim to reach the best possible state as we build up resonances, charge up, trigger off impulses.

Interactive processes can only be perceived if one steps in and grasps reality through them. It means mixing and mingling. After all, 'life' is a mixed bag of things and we can only realise ourselves when we mingle, mix and interfere. Interaction is 'interest'. It contains a certain dynamism. If we are interested in one another in personal

seule pertinente. On a, au contraire, affaire à un processus d'interactions dont on n'a pas entièrement compris les effets primaires et secondaires.

Dans notre existence, comme dans la cuisine, la pâtisserie ou la culture DJ, ce qui importe, c'est d'avoir la bonne recette, les bons ingrédients et les bons mélanges ; vivre devient alors la capacité à diriger et synchroniser des processus dans lesquels nous visons le meilleur état possible par mise en vibration, chargement et accroissement de la résonance.

On ne peut percevoir des processus d'interaction que lorsque l'on se met entre eux et que l'on saisit la réalité à travers soi. Donc lorsque l'on se mêle. Car 'la vie' est un mélange et nous ne pouvons nous réaliser que si nous nous mêlons, entremêlons et mélangeons. Se placer entre, c'est être 'intéressé'. On y retrouve un certain nombre de dynamiques. Quand nous nous intéressons les uns aux autres, dans les rapports personnels par exemple, nous passons alors des états obscurs de l'inconscience à la clarté que nous appelons existence. Et ce n'est que lorsque nous nous intéressons les uns aux autres que cette dynamique se met en marche. Des personnalités influentes entretiennent de nombreuses relations. C'est aussi du travail relationnel. Car une relation n'existe pas simplement ; il faut se référer aux autres, soigner et entretenir ces relations. C'est pour cela qu'il existe aujourd'hui des professionnels de la

Wechselprozesse kann man nur wahrnehmen, wenn man sich dazwischen bringt und Wirklichkeit durch sich hindurch erfasst. Wenn man sich also einmischt. Denn 'Leben' ist gemischt und wir können uns nur verwirklichen, wenn wir einmischen, mitmischen und aufmischen. Sich dazwischen bringen ist 'Interesse'. Darin liegen jeweils Dynamiken. Wenn wir uns im persönlichen Umgang beispielsweise füreinander interessieren, dann rufen wir uns aus den Dämmerzuständen der Bewusstlosigkeit heraus in die Helle, die wir Dasein nennen. Und nur wenn wir uns füreinander interessieren, wird diese Dynamik in Gang gesetzt. Einflussreiche Persönlichkeiten unterhalten viele Beziehungen. Das ist auch Beziehungsarbeit. Denn man hat nicht einfach Beziehung, sondern bezieht sich, pflegt und leistet. Deshalb gibt es heute professionelle Beziehungsmanager und -händler, die viel Geld damit machen, dass sie Beziehungen herstellen.

Existieren heißt Sein-im-Anderen. Unsere Existenz entsteht in einer Wechselbedingtheit, die ursprünglicher ist als wir selbst. Nicht die Reduktion auf einzelne Elemente erbringt den Boden der Tatsachen, vielmehr die virulente, schwingende und zitternde Interaktion. Wechselwirkungen sind die 'Grundbausteine' des Lebens.

Michel Friedmann, der Vizepräsident des Zentralrats der Juden in Deutschland, wurde von einem rechtsgerichteten Republikaner als 'Zigeunerjude' beschimpft.

relations e.g., we arouse ourselves from a state of slumber, a state of unconsciousness, moving towards the light we call existence. This dynamism will only be triggered off if we are interested in one another. Influential people maintain lots of relations. Relationships involve hard work. You do not simply have a relationship, you relate actively, you maintain and work on the relationship. For this reason, there are professional people who manage and broker relations, making a lot of money from establishing connections between people.

Existing means being-in-the-other. Our existence emerges from an interdependence which is older than us. It is not the reduction to individual elements that creates the facts of life but their urgent, resonating and trembling interaction. Mutual effects are the 'fundamental modules' of life.

A follower of the right-wing 'Republikaner' movement called Michel Friedmann, the vice-president of the Central Council of Jews in Germany, a 'gypsy Jew'. A court acquitted the man, stating as a reason that the words 'gypsy' and 'Jew' would be 'neutral in value' and that the expression 'gypsy' only referred to the fact that Mr. Friedmann travelled around a lot. It is clear that nobody would call a newly-wed couple on their honeymoon, or the Minister of Foreign Affairs on his many official visits, or a sought-after conductor on tour a gypsy. The fatal thing about this line of arguments is the ana-

Ein Gericht sprach den Mann frei mit der Begründung, dass die Worte ‘Zigeuner’ und ‘Jude’ ‘wertneutral’ seien und dass er mit dem Wort ‘Zigeuner’ ja eigentlich nur das Umherreisen von Herrn Friedmann meinte. Dabei ist klar, dass kein Mensch das frisch vermählte Brautpaar auf Hochzeitsreise oder den Außenminister auf seinen vielen Dienstreisen oder einen vielbeschäftigten Dirigenten als Zigeuner bezeichnen würde. Das Fatale an der Argumentation ist die analytische Lebenseinstellung, welche Kontexte und Zusammenhänge zerschneidet bzw. ausblendet, um auf scheinbar neutrale Elemente zu kommen. Genau das geht nicht. Denn Beziehung, Relation, Vernetzung, Kontext sind viel zu leichte Begriffe für die tatsächliche Lebensdynamik und Lebensbedeutung, die in solchen Lebensnetzen zirkuliert. Diese Zirkulation, diese Lebendigkeit lässt sich eben nur erfahren, wenn man selber darin und lebendig ist. Das ist der entscheidende Punkt, an dem so viel scheitert. Im Einzelnen und statisch gesehen, ist es korrekt und richtig. Aber als Gesamtes ist es verachtend und perfide.

Nach Humberto Maturana ist Kommunikation „nicht eine Übermittlung von Information, sondern vielmehr eine ‘Verhaltenskoordination’ zwischen lebenden Organismen durch wechselseitige strukturelle Kopplung. Eine derartige wechselseitige Verhaltenskoordination ist die Schlüsseleigenschaft der Kommunikation bei allen lebenden Organismen, ob mit oder ohne Nervensystem. Bei zunehmend komplexeren

gestion et du commerce de relations, qui gagnent beaucoup d’argent en établissant des connexions.

Exister signifie être dans l’autre. Notre existence naît d’une dépendance mutuelle qui est antérieure à nous-mêmes. Ce n’est pas par la fragmentation en éléments particuliers que l’on touche le fond des choses, mais dans une interaction virulente, vibrante et tremblante. Les interactions sont les ‘constituants fondamentaux’ de la vie.

Michel Friedmann, vice-président du Conseil central des Juifs en Allemagne, a été traité de ‘juif tzigane’ par un militant du parti d’extrême droite des ‘Republikaner’. Un tribunal a déclaré l’homme non coupable en motivant son jugement par le fait que les termes ‘tzigane’ et ‘juif’ étaient ‘de valeur neutre’ et que l’emploi du mot ‘tzigane’ n’était qu’une allusion aux fréquents déplacements de M. Friedmann. Il est pourtant clair que personne ne qualifierait de tzigane les jeunes mariés en voyage de noces ou le ministre des Affaires étrangères lors de ses nombreux déplacements professionnels ou un chef d’orchestre très occupé. Ce qui est fatal dans cette argumentation, c’est la conception analytique de la vie qui découpe ou cache les contextes et les corrélations pour obtenir des éléments apparemment neutres. Mais c’est précisément ce qui ne va pas. Car rapport, relation, interconnexion, contexte sont des termes qui ne font pas le poids face à la véritable dynamique de la vie et au

lytical attitude to life which cuts through contexts and connections or leaves out parts to arrive at seemingly neutral elements. This is precisely what should not be done. After all, relation, networking, or context are words which are too light-weight to define the actual dynamism and meaning of life circulating in such networks of life. This process of circulation, this inherent vitality can only be experienced when you are part of the process and alive yourself. This is the decisive point that causes many things to fail. Considered on an individual and static basis, things may be correct and right. However, taken as a whole, they are derogatory and perfidious.

According to Humberto Maturana, communication is “not equivalent to the transfer of information but the ‘co-ordination of behaviour’ among living organisms by mutual structural coupling. This kind of mutual co-ordination of behaviour is the key quality of communication in all living organisms, regardless of whether they have a nervous system or not. Co-ordination becomes ever more subtle and sophisticated the more complex a nervous system is.” [2]

The co-ordination of behaviour is not defined by meanings but the dynamism and choreography of coupling. “In conversations between people, our interior worlds of concepts and ideas, our emotions and physical movements are closely linked in a complex choreography of behavioural co-ordination.” From a radical

sens de la vie circulant dans de tels réseaux existentiels. Cette circulation, cette vivacité, on ne peut en faire l'expérience que si l'on en fait pleinement partie et que l'on est vivant. C'est précisément à ce point que tant de choses échouent. Vu de manière individuelle et statique, cela est correct et juste. Toutefois, placé dans une approche holistique, cela est méprisant et perfide.

Selon Humberto Maturana, la communication « n'est pas une transmission d'informations, mais plutôt une 'coordination des comportements' entre des organismes vivants par un couplage structurel réciproque. Une telle coordination réciproque des comportements est la caractéristique déterminante de la communication chez tous les organismes vivants, qu'ils soient pourvus d'un système nerveux ou non. Plus les systèmes nerveux sont complexes, plus cette coordination devient subtile et ingénieuse. »[2]

La coordination des comportements n'est pas définie par des sens, mais par la dynamique et la chorégraphie du couplage. « Quand nous communiquons avec quelqu'un, notre monde intérieur de notions et d'idées, nos émotions et nos mouvements corporels sont étroitement liés dans une chorégraphie complexe de coordination des comportements. » D'un point de vue radical, nous allons même jusqu'à coupler et organiser notre existence entière dans la communication.

'Toujours', 'jamais', 'chaque fois' — voici des termes exprimant une interpré-

Nervensystemen wird diese Koordination immer subtiler und ausgeklügelter."[2]

Die Verhaltenskoordination ist nicht durch Bedeutungen definiert, sondern durch die Dynamik und Choreographie der Kopplung. „Im Gespräch zwischen Menschen werden unsere Innenwelt der Begriffe und Ideen, unsere Emotionen und unsere Körperbewegungen in einer komplexen Choreographie der Verhaltenskoordination eng miteinander verknüpft." Radikal gesehen, koppeln und organisieren wir in der Kommunikation sogar unsere gesamte Lebenssituation.

'Immer', 'nie', 'jedesmal' — das sind Begriffe, die eine lineare, sture Auslegung von Wirklichkeit ausdrücken. Die Menschen zu diesen Ausdrücken sind stur, inflexibel und unfähig zu lebhaften Begegnungen. Aber unsere Lebenswirklichkeit baut sich genau aus völlig konkreten Beziehungen und Lebensvollzügen auf. Deshalb müssen diese Begriffe, und mit ihnen die existentielle Haltung, auf aktuale Situationen hin verwandelt werden. Also 'jetzt', 'im Moment', 'diesmal'.

Es gibt noch eine Angst vor verknüpften Werken. Was zählt, ist eher die Einzelausstellung, der Einzelne, das Einzelne und Hervorgehobene, das Besondere und Gesonderte. Religiös gesehen wäre das die Sünde als Absonderung.

Im Taxi zur Aufführung der 'Königsmesse' drehte mir der Taxifahrer eine selbstproduzierte CD mit indischer Musik an.

point of view, we even couple and organise the situation of our entire life in communication.

'Always', 'never', 'every time' — these are concepts reflecting a linear, rigid interpretation of reality. The people who go with these concepts are pigheaded, inflexible and incapable of any vital encounters. However, concrete relationships and acts of implementation are precisely what constitutes the reality of our lives. For this reason, these concepts, and the existential attitude that comes with them have to be transformed into actual situations. 'Now', 'at the moment', 'this time'.

People are still scared of works connected with one another. What counts are individual exhibitions, individual persons, individual things, highlighting what is special and separate. In a religious sense, this would be tantamount to sin qua dissociation.

When I took a taxi to a performance of the 'Coronation Mass', the driver sold me a CD with Indian music he had produced himself. The cover depicted a mandala. When I listened to it later on, I found that the music differed from the 'Coronation Mass', which rises brightly on the outside, in that its impact on me was subcutaneous in a certain way. It got under my skin and did not rise gloriously around me. It is the kind of music that does not start with preludes or introductions, you are drawn into it directly. That was also what happened

Auf dem Cover ist ein Mandala abgebildet. Nach späterem Anhören merke ich, dass die Musik im Gegensatz zur hell und außen emporsteigenden 'Königsmesse' eher subkutan ist. Also unter die Haut geht und nicht glorios außerhalb aufsteigt. Die Musik fängt nicht mit Vorspielen, Auftakten und dergleichen an, sondern man ist unvermittelt drin. So war es ja auch, als ich in das Taxi stieg. Unter die Haut, das heißt: ich bin drin in einem Ozean und darin breitet sich etwas aus, verschieben sich Werte und unsichtbare 'Kontinente'. Allein durch eine Berührung zum Beispiel verschieben sich innen und außen und die ganze Disposition des Daseins. In 'Dies ist nicht meine ganze Geschichte' von Alissa Walser fragt die Ich-Erzählerin nach den Berührungen mit dem Geliebten: „Habe ich mich verändert? Irgendwo im Körper hat sich etwas verschoben wie so eine Erdplatte in Kalifornien, nur ohne Beben, geheimnisvoll, und, wie ich finde, ohne Grund. Die Zeichnung sehe ich nicht.“ [3]

Auch die Forschungen zur 'emotionalen Intelligenz' laufen darauf hinaus, dass wir im Inneren der Wirklichkeit unterwegs sind und nicht nur mit Auto, Flugzeug und so weiter. Wir leben primär in wirkenden Feldern, wirkenden Dynamiken und wirkenden Konsequenzen. Diese Einsicht kann man sich auf verschiedene Weise zunutze machen. Zum Beispiel in der Therapie. Der Familientherapeut Bert Hellinger sagt: „Wenn ich jemanden in seiner Familie sehe, mit Vater, Mutter und Geschwistern und den Verstorbenen,

tation linéaire et bornée de la réalité. Ceux qui les expriment sont bornés, rigides et incapables de rencontres animées. Mais les réalités de la vie s'élaborent précisément à partir de relations et mises en œuvre très concrètes. C'est pour cette raison qu'il convient de transformer ces termes, et avec eux l'attitude existentielle, en fonction des situations actuelles. Donc 'maintenant', 'à l'instant', 'cette fois'.

Les œuvres associées entre elles font encore peur. Ce qui compte, c'est plutôt l'exposition individuelle, l'individu, l'individuel, la mise en évidence de ce qui est particulier et séparé. D'un point de vue religieux, ce serait le péché en tant qu'isolement.

Alors que je me rends en taxi à la représentation de la 'Messe royale', le chauffeur de taxi finit par me vendre un CD de musique indienne qu'il a produit lui-même. Il y a un mandala sur la couverture. Lorsque je l'écoute plus tard, je remarque que, contrairement à la 'Messe royale' qui s'élève clairement vers l'extérieur, la musique ici est plutôt sous-cutanée. Elle m'atteint donc au plus profond de moi et ne s'élève pas glorieusement vers l'extérieur. La musique ne commence pas par des préludes ou des ouvertures, on se retrouve en fait directement en plein dedans. C'est d'ailleurs précisément ce qui s'est passé lorsque je suis monté dans le taxi. Sous la peau, cela signifie : je suis au fond d'un océan et quelque chose s'y déploie, des valeurs et des 'conti-

when I got into the cab. Under my skin: it means that I find myself amidst an ocean where something is spreading, where values and invisible 'continents' are drifting. One touch alone may for example shift what is inside and outside, the whole set-up of our existence. After touching and being touched by her lover in 'Dies ist nicht meine ganze Geschichte' by Alissa Walser, the first-person narrator asks: "Did I change? Somewhere inside my body something moved like a shelf in California, without causing a quake, though, strangely and as I see it, without any reason. I don't see the drawing." [3]

Research into 'emotional intelligence' also shows that we are travelling inside reality, not only by car, plane etc. Primarily, we live inside fields, dynamics and consequences that have effects. This is an insight we can use in various ways. In therapy, for example. Bert Hellinger, a family therapist, said: "When I see someone in the context of his or her family, including the father, mother, siblings, and the deceased, I have a much larger picture of him or her. I'm aware of much more. Because I'm looking at something greater, I see the person more completely." [4]

Allowing for things that are different, excluded, normally inadmissible and repressed will lead to a state much bigger than the I.

Today, there are many works which actually complement each other, meaning the

nents' invisibles y dérivent. Il suffit d'un simple contact pour que se déplacent l'intérieur et l'extérieur et par là même toute la disposition de l'existence. Dans '...et ce n'est pas toute mon histoire' d'Alissa Walser, la narratrice à la première personne se demande après les contacts avec son amant : « Ai-je changé ? Quelque part dans mon corps, quelque chose s'est déplacé comme une plaque tectonique en Californie, seulement, il n'y a pas eu de tremblement de terre, tout s'est passé secrètement, sans fondement, me semble-t-il. Le dessin, je ne le vois pas. » [3]

Les recherches sur 'l'intelligence émotionnelle' débouchent également sur le fait que nous nous déplaçons à l'intérieur de la réalité et pas seulement en voiture, en avion, etc. Nous vivons d'abord dans des champs, des dynamiques et des conséquences qui nous affectent. On peut tirer profit de cet état des choses de diverses manières. Par exemple, dans le domaine de la thérapie. Le thérapeute de la constellation familiale, Bert Hellinger, dit : « Quand je vois quelqu'un dans sa famille avec son père, sa mère, ses frères et sœurs et ceux qui ont disparu, je le perçois d'une façon infiniment plus complète. Je regarde quelque chose de plus vaste et l'appréhende plus profondément. » [4]

En autorisant ce qui est différent, exclu, normalement inadmissible et réprimé, émerge un état bien plus grand que le Moi.

nehme ich viel mehr von ihm wahr, sehr viel mehr. Ich schaue auf etwas Größeres und sehe ihn auf diese Weise viel umfassender." [4]

Indem man Verschiedenes, Ausgeschlossenes, normalerweise Unzulässiges und Unterdrücktes zulässt, entsteht eine Verfassung, die weit größer ist als das Ich.

Es gibt heute eine Menge Werke, die sich eigentlich ergänzen, die dasselbe meinen oder eine 'Familienähnlichkeit' haben, wie Wittgenstein sagen würde. Zwar hat jedes Werk sein eigenes Sprachspiel, aber dennoch kann man die verschiedenen Werke zu einem bestimmten Thema befragen. Man erhält so ein Spektrum des Themas, das reicher ist.

Es ist also uninteressant, wie etwas an sich ist, vielmehr ist wichtig, wie es sich mit anderen verhält und welcher Sinn, welcher Drive, welche Konsequenzen und wie viel Leben in den Verhältnissen stecken.

Wenn heute über Linearität und Nichtlinearität geschrieben wird, dann meistens in der Form einer Vorstellung, so, als würde man ein Objekt beschreiben. Das Rhizom wird dann beispielsweise so vorgestellt, als würde sich etwas ausbreiten, zwar rhizomatisch, aber doch ist da wieder ein Etwas, das sich ausbreitet. Das Bild wird so oft verwendet und völlig gedankenlos. In einer nichthierarchischen Gemeinschaft und auf mehrere Kulturen angewendet, kann es

same thing, or being connected by 'family resemblance', as Wittgenstein would call it. While each work has its own language, you can still question different works in respect of a certain topic. Thus you can cover the topic more widely than would otherwise be the case.

Thus the interesting point is not what something is like per se but what it is like in relation to other things, and how much meaning, drive, consequences and life are contained in the relationships.

When people write about linearity and non-linearity today, they usually do it in the shape of an idea, as if they were describing an object. A rhizome will e.g. be defined as if something was spreading, albeit rhizomatically, but still as a something that expands. The image is used quite often and without thinking twice. However, applied in a non-hierarchical community and to several cultures, there cannot be any rhizome as a something that encompasses the diversity of encounters.

Every relationship has potential. This potential is something of primary significance in our existence. Relationships are shaped out of that potential. The Larsen effect is a case in point.

Many theories suggest that reality is homogeneous. However, in everyday life we have to jump back and forth between entirely different realities all the time, adopt different identities, states

kein Rhizom geben als etwas, das wieder die Vielfalt der Begegnungen enthält.

In jeder Beziehung steckt ein Potenzial. Dieses Potenzial ist etwas Primäres in unserer Existenz. Die Beziehungen werden aus dem Potenzial geformt. Das zeigt auch der Larsen Effekt.

Viele Theorien suggerieren eine homogene Wirklichkeit. Im Alltag müssen wir dagegen permanent zwischen grundverschiedenen Wirklichkeiten hin und her springen und verschiedene Identitäten, Verfassungen und Verhaltensmuster einnehmen, auch solche, die man vielleicht noch gar nicht leben kann.

Am Anfang steht also eigentlich nicht die Beziehung, die 'Dyade' (Sloterdijk), sondern vielmehr die beziehungsreichen und eigendynamischen Situationen.

Beziehungen werden in der Theorie viel zu abstrakt behandelt und vorgestellt. Geradezu geometrisch und zweidimensional, mit einem Blickpunkt, der außerhalb liegt. Aber radikal gesehen, radikal gespürt, radikal geschmeckt, radikal gerochen – also gelebt –, verbirgt sich in den Beziehungen ein 'Spektrum', das, wie bei Haakon und Mette-Marit, zur Lebensgrundlage überhaupt werden kann. Der 'Faden' als mögliche Kontinuität unserer Lebensgeschichte wird also nicht durch Befolgen von Regeln, Gesetzen oder Weltformeln erzeugt, sondern durch die immer wieder zu leistende Nähe, Fühlung, Beachtung der Konsequenzen von jeweiligen Beziehungen.

Il existe aujourd'hui de nombreuses œuvres qui sont en fait complémentaires, qui parlent de la même chose ou ont un 'air de famille' comme dirait Wittgenstein. Certes, chaque œuvre a son langage propre, ce qui n'empêche toutefois pas de regrouper différentes œuvres autour d'un thème déterminé. On obtient ainsi un spectre bien plus riche du sujet.

Il est donc moins intéressant de connaître la nature même d'une chose que les relations qu'elle entretient avec d'autres ainsi que le sens, la dynamique, les conséquences et la vigueur qui sous-tendent ces rapports.

Aujourd'hui, les écrits sur la linéarité et la non-linéarité prennent le plus souvent la forme d'une idée, comme si l'on décrivait un objet. Ainsi, le rhizome est représenté comme quelque chose qui s'étend, certes sur le mode des rhizomes, mais quand même comme quelque chose en expansion. L'image est si souvent utilisée sans que l'on y réfléchisse vraiment. Appliqué à une communauté non-hiérarchique et à plusieurs cultures, le rhizome ne peut se présenter comme quelque chose contenant à son tour une diversité de rencontres.

Toute relation renferme un potentiel. Ce potentiel est quelque chose de fondamental dans notre existence. Les relations se forment à partir du potentiel. C'est ce que nous démontre aussi l'effet Larsen.

Nombre de théories suggèrent une réalité homogène. Toutefois, dans la vie quoti-

and behavioural patterns, including some which we may not even be able to live in yet.

Actually, the beginning is not marked by a relation, a 'dyad' (Sloterdijk) but by situations rich in relations and dynamisms of their own.

In theory, relationships are treated and presented in much too abstract terms. They are seen as something geometrical and two-dimensional, from a point of view that lies outside. However, if seen radically, felt radically, tasted radically, smelled radically – i.e. if lived –, relationships will be found to conceal a 'spectrum' that may become a basis of life as such, as is the case with Haakon and Mette-Marit. The 'thread' which stands for potential continuity in the stories of our lives will not be created by adhering to rules, laws or universal formulas but by showing a permanent proximity, feel and attention to the consequences of the actual relationships.

If there is one fundamental insight to be gained from the behaviour of mankind in the 21st century, it is the fact that we have done a lot of damage so far because we have looked at things in a static beholder or observer mode too much – i.e. because we perceive everything from the outside. The view from the outside isolates things and only shows a fracture of the reality actually at work. For this reason, it must be complemented by a view from the inside,

dienne nous devons en permanence aller et venir entre des réalités fondamentalement différentes et adopter différentes identités, différents états et modèles de comportements, dont certains qui restent, peut-être, encore invivables pour l'instant.

Au commencement n'est donc pas la relation, la 'dyade' (Sloterdijk), mais plutôt les situations riches en relations et en dynamiques internes.

En théorie, on traite et on présente les relations de manière beaucoup trop abstraite. Elles sont considérées tout simplement comme étant géométriques et bidimensionnelles, par un regard porté de l'extérieur. Mais si on les voit radicalement, si on les touche radicalement, si on les goûte radicalement, si on les sent radicalement – si on les vit donc –, il se cache dans les relations un 'spectre' qui, comme chez Haakon et Mette-Marit, peut vraiment constituer une base de vie. Le 'fil' en tant que continuité potentielle de l'histoire de notre vie n'est donc pas instauré en suivant des règles, des lois ou des formules universelles, mais par la proximité continuelle, le contact, le respect des conséquences des relations du moment.

S'il existe une connaissance fondamentale des modes comportementaux du 21e siècle, c'est bien celle d'avoir causé beaucoup de dégâts jusqu'à présent pour avoir trop abordé les choses dans le mode statique du contemplateur/observateur, –

Wenn es eine grundlegende Erkenntnis in den Verhaltensweisen des 21. Jahrhunderts gibt, dann ist es die, dass wir bisher viel Schaden angerichtet haben, weil wir die Dinge zu sehr im statischen Betrachter- und Beobachtermodus angegangen sind – also von außen auf alles geschaut haben. Die Außensicht isoliert die Dinge und zeigt nur einen Bruchteil der tatsächlichen wirkenden Wirklichkeit. Deshalb muss eine Innensicht hinzukommen, ein Verhalten, das in die Dinge und Zusammenhänge hineingeht, sie von innen, durch sie durch erlebt und erkennt. Das bedeutet auch Erkennen und Mitgehen mit den Dynamiken. Dann merkt man, wie sehr unsere ganze Existenz auf Wirkungen aufgebaut ist, deren Komplexität wir niemals überblicken.

Auch Kunstwerken wird man nicht durch eine bloße Betrachtung gerecht, vielmehr dadurch, dass wir hineingehen und sie von innen her erfassen. Hier gilt: „Wir können ein Bild nur so erfassen, dass wir von Moment zu Moment übergehen und die Proportionen in den konkreten Übergängen verfolgen. Wir spielen das Bild gleichsam durch. Es zeigt sich keinesfalls in einem simultanen Totalblick, in globaler Anschauung, sondern nur im 'Betrachten', das ein lebendiges 'Hin- und Hergehen' im Bildraum ist, ein Beziehungsgeschehen, durch das alles mit allem nacheinander und sehr konkret in Beziehung gesetzt wird. Analysieren wir diesen Vorgang genauer, so zeigt sich, dass dabei die Gewichte der Einzelmomente in ständiger Veränderung begriffen sind und jede Einzelheit immer

a way of behaving that has to do with getting into things and relations, experiencing, feeling and recognising them from within and through them. This also means to recognise and follow the dynamics. Only then will we be able to identify the degree to which our whole existence is built upon causes and effects the complexity of which we will never grasp in their entirety.

In the same way, we will not do justice to works of art by only gazing at them; we will have to enter them and grasp them from inside. The following applies: "We can only grasp a painting by proceeding from one moment to the other and tracing the proportions at the specific points of transition. It is as if we were playing the painting through. It will not reveal itself in a simultaneous overall view, as a global totality, but only in the process of 'gazing', which is defined as a dynamic 'walking back and forth' through the space of the picture, by developing a relationship in which all of this is associated with everything else in a very specific way and sequence. If we analyse this process in more detail, we will see that the weights attached to individual moments are changing constantly and each aspect is experienced in a different visual way from a different angle. None of the visual meanings, none of the aesthetic weightings remain the same, they are all in flux. It is the never-ending process of being driven in a vortex of meanings that gives us the impression of vitality. This is what accounts for the difference

wieder anders optisch erlebt wird, wenn man aus einer anderen Bezugsrichtung auf sie stößt. Keine der optischen Bedeutungen, keines der ästhetischen Gewichte bleibt stehen, sondern es vollzieht sich ständig Veränderung. Dieses nicht endenwollende Umhergetriebensein eines Bedeutungsstromes ist es, das uns den Eindruck von Lebendigkeit gibt. Darin unterscheidet sich das Kunstwerk von einem bloßen Zeichen, einem Verkehrszeichen etwa. Ein Zeichen wird im 'Draufschauen' mit einem Schlag, ein Kunstwerk nur in sukzessivem Erleben erfasst.“ [5]

Dieses 'Umhergetriebensein eines Bedeutungsstromes' gilt auch für unsere Lebenssituation, wenn man bedenkt, was wir in unseren Situationen so alles machen müssen, erfüllen müssen, bedienen müssen, befolgen müssen, um sie aufrecht zu erhalten. Hierbei sind soziale Konsequenzen ebenso wichtig wie Geld, Versicherungen, Ernährung, Kleidung und so weiter. Wir müssen das Viele irgendwie und gleichzeitig besorgen. Und nur dadurch erhalten wir die Ausspannung unserer Lebenssituationen aufrecht.

Die Frage der Zukunft ist: Wie können wir für Lebewesen, gleich welcher Art, gemeinsame Räume erzeugen, die nicht von zentralen Organen beherrscht werden?

Die Biennale 2001 in Venedig hatte den Anspruch, ein 'Plateau der Menschheit' zu sein. Die Veranstaltung hat aber auch gezeigt, dass sich die 'Menschheit' – diese immer wieder absurde und gedanken-

donc parce que nous avons tout considéré de l'extérieur. La vue extérieure isole les choses et ne montre qu'une fraction de la réalité qui nous affecte vraiment. C'est pourquoi il faut la compléter d'une vue intérieure, d'un comportement qui pénètre au fond des choses et des relations, qui les vive de l'intérieur, les ressente et les reconnaisse à travers elles. Cela signifie également reconnaître et suivre les dynamiques. C'est alors qu'on remarque à quel point toute notre existence est organisée autour de causes et d'effets d'une complexité dont nous ne mesurerons jamais la pleine ampleur.

De même, on ne saurait apprécier les œuvres d'art à leur juste valeur en les contemplant purement et simplement. Il faut plutôt les pénétrer et les saisir de l'intérieur. On peut dire ici : « Nous ne pouvons saisir un tableau qu'en passant d'un moment à un autre et en suivant les proportions dans les moments de transitions concrètes. On se repasse le tableau pour ainsi dire. Il ne se montre aucunement dans une vision d'ensemble directe, dans une vision globale totale, mais seulement à travers la 'contemplation', sous forme 'd'allées et venues' animées à travers l'espace du tableau, une relation qui met tout en relation avec tout, de manière successive et très concrète. Si on analyse ce processus plus en détail, on remarque que les poids des moments individuels sont en mutation constante et que chaque détail est sans cesse perçu différemment sur le plan visuel d'après l'angle à

between a work of art and a mere sign, such as a traffic sign for instance. A sign can be grasped at once, just 'one look is enough', whereas a work of art has to be experienced step by step.” [5]

Being driven around in a vortex of meanings' also applies to our life when we consider all the things we have to do, meet, serve, and observe in our respective situations just to maintain these. Social consequences are as important in this context as money, insurance policies, food, clothing etc. We must arrange for a great many things somehow and simultaneously. It is the only way in which we can keep our situations up to their full extent.

The question of the future is: how can we create common spaces for living beings of any kind whatsoever, spaces which are not dominated by central bodies?

The 2001 Venice Biennial claimed to be a 'plateau of mankind'. However, the event showed at the same time that 'mankind' – a word that again and again strikes one as absurd and thoughtlessly levelling – cannot be assembled on a common plateau. Nor on a thousand plateaus, for that matter. Behind this, there is still the presumptuous idea that one can create a meta-horizon as a platform for everyone and define a common concept of humanity. That's an error. Much rather, we can safely assume that every civilisation has its own concept of humanity and reality. Even the coercion to unify what

partir duquel il est abordé. Aucun sens visuel, aucun poids esthétique ne reste tel quel : il s'accomplit un changement perpétuel. C'est ce déplacement continu dans un courant de sens qui semble ne jamais vouloir en finir, qui crée une impression de vie. Et c'est là que l'œuvre d'art se distingue d'un simple signe, d'un panneau de signalisation, par exemple. On peut saisir un signe 'd'un seul coup d'œil', mais on ne saisit une œuvre d'art qu'en l'abordant par phases successives. » [5]

Ce 'déplacement continu dans un courant de sens' vaut aussi pour notre existence quand on pense à tout ce qu'il nous faut faire, satisfaire, accomplir et observer dans nos situations de vie pour les maintenir. À cet égard, les conséquences sociales sont tout aussi importantes que l'argent, les assurances, la nourriture, les vêtements, etc. Nous devons nous procurer toutes ces choses d'une manière ou d'une autre et simultanément. Et ce n'est qu'ainsi que nous pouvons vivre nos situations pleinement.

La question à l'avenir sera : Comment pouvons-nous créer des espaces communs pour des êtres vivants quels qu'ils soient, qui ne soient pas dominés par des organes centraux ?

La Biennale de Venise en 2001 se voulait un 'plateau de l'humanité'. Mais la manifestation a également montré que 'l'humanité' – cette formule si absurde et distraitement nivelante – ne peut pas être ramenée à un plateau commun. Ni

los gleichmachende Formulierung – eben nicht auf ein gemeinsames Plateau bringen lässt. Auch nicht auf tausend. Dahinter steckt immer noch die Anmaßung, dass man selbst einen Meta-Horizont als Plattform für alle schaffen sowie einen einheitlichen Begriff von Menschlichkeit formulieren könnte. Das ist ein Irrtum. Wir können vielmehr davon ausgehen, dass jede Kultur ihren eigenen Begriff von Menschlichkeit und Wirklichkeit hat. Auch der Zwang zur Einheit des Verschiedenen ist letztlich Ausdruck von reaktiven Kräften, die das Andere begrenzen und umgreifen wollen. Hätte mich ein Freund, der Haiti und Voodoo von 'innen' kennt, nicht in einige Riten und Gebräuche eingeweiht, so hätte ich entsprechende Fotografien völlig missverstanden.

Dinge und Menschen werden oft aus den Wechselwirkungen ihrer Situationen herausgerissen und isoliert. Damit verlieren sie aber jenen Nährboden, jene Kontaktfähigkeit und jene Tragweite, die sie in ihrer Situation mit dem Rest der Welt verbunden hat. Die Journalistin Ira Mazzoni bringt das treffend auf den Punkt, wenn sie über die Ausstellung 'Altäre' im neuen Düsseldorfer 'Kunstpalast' schreibt: „Global Player möchte die Stiftung Museum Kunstpalast im Ausstellungsgeschäft werden, [...] kämpft für eine Gleichstellung aller Kulturen auf dem universalen Boden der Kunst und wünscht sich nichts sehnlicher als ein 'lebendiges Museum' zu sein. Lauter fromme Wünsche, die sich auf perfide Weise in das Gegenteil des Beab-

is different is eventually a reflection of reactive forces seeking to delimit and embrace the Other. Had a friend who knows Haiti and voodoo 'from within' not explained some rituals and customs to me, I would have misunderstood the respective photographs.

Things and people are often taken out of the interactions at work in their situations and isolated from them. Thus they lose their substrate, the ability to be in touch and the latitude that linked them with the rest of the world. In a report about the exhibition 'Altäre' [Altars] at the new Kunstpalast in Düsseldorf, journalist Ira Mazzoni raised a good point when she wrote: "The Museum Kunstpalast foundation wants to become a global player in the exhibition business, [...] to fight for equal rights for all civilisations in the universal arena of the arts and has no greater wish than to be 'a living museum'. Wishful thinking which turns into the exact opposite of what was intended in a perfidious way. After all, the museum is the enemy of the authentic. Glowing incense sticks, rotting fruit, wilting flowers and bleeding pigs' heads have no business there. Exhibited in the white void of the art space, the altars, and possibly their priests become tourist attractions. [...] Cultic sites are bound to locations, they thrive on the community of believers. It would be impudent to export them and have them consecrated for the sake of appearance. 'Catch the spirit' – that is the neo-Romantic exploitation of spiritual

sichtigten verkehren. Denn das Museum ist ein Feind des Authentischen. Schwelende Räucherstäbchen, faulende Früchte, welkende Blumen und blutige Schweinsköpfe haben dort nichts zu suchen. Ausgestellt im weißen Nichts des Kunstraums werden die Altäre und gegebenenfalls auch ihre Priester zu touristischen Attraktionen. [...] Kultstätten sind ortsgebunden, sie leben aus der Gemeinschaft der Gläubigen. Es ist vermessen, sie zu exportieren und pro forma weihen zu lassen. 'Catch the spirit' – das ist neoromantische Ausbeutung spiritueller Kräfte, die in einem säkularisierten Europa kaum noch manifest sind. Andererseits bedeutet die Rezeption dieser rituellen Arrangements als zeitgenössische Environments die Nivellierung kultureller Differenzen. Die Totalität des Altars wird auf die reizvolle Oberfläche reduziert, die Ähnlichkeiten mit aktuellen Produkten westeuropäischer Künstler aufweist. Ästhetik total global." [6]

Wirklichkeit wird häufig über Objekte aufgebaut. Dabei sind lebendige Beziehungen, Situationen bis hin zu den vielen Klimas, in denen wir uns befinden, viel wichtiger. Im Umgang mit Natur, mit Freunden, mit Tieren und den banalen Dingen des Lebens wird unsere Existenz und seine Geräumigkeit sinnvoll aufgebaut. Wenn wir diese Wechselprozesse einschränken, entsteht Depression und Sinnlosigkeit. Man kann folgern: „Erzeugen von Wirklichkeit und Erzeugen von Gesundheit gehen Hand in Hand; Gesundsein vollzieht sich als ständiger

d'ailleurs à mille. Derrière cela se cache encore la prétention de pouvoir créer soi-même un méta-horizon servant de plate-forme commune et de formuler une notion uniforme de l'humanité. C'est faux. En revanche, il serait plus juste de supposer que toute culture possède sa propre notion de l'humanité et de la réalité. Même la contrainte d'unité de ce qui est différent n'est, en fin de compte, rien d'autre qu'une force réactive servant à limiter et à affecter l'autre. Si un ami, qui connaît Haïti et le vaudou de 'l'intérieur', ne m'avait pas initié à certains rites et usages, je n'aurais absolument pas compris les photographies s'y rapportant.

Les choses et les hommes sont souvent arrachés aux interactions de leurs situations et isolés. Ils perdent ainsi leur milieu de culture, leur aptitude à entrer en contact et leur portée qui, dans leur situation, les reliaient au reste du monde. La journaliste Ira Mazzoni l'a très bien compris quand elle écrit à propos de l'exposition 'Altäre' [Autels] au nouveau 'Kunstpalast' de Düsseldorf : « La fondation Museum Kunstpalast souhaiterait devenir un acteur mondial dans le domaine des expositions, [...] se battre pour une égalité de toutes les cultures sur le sol universel de l'art, et n'a de vœu plus ardent que d'être un 'musée vivant'. Vœux pieux qui se retournent de manière perfide contre ce qui était envisagé. Car le musée est un ennemi de l'authentique. Des bâtonnets d'encens se consumant, des fruits pourrissant, des fleurs

forces hardly manifest in a secularised Europe any longer. Moreover, the reception of these ritual arrangements as contemporary environments is tantamount to levelling out cultural differences. The totality of the altar is reduced to the attractive surface which resembles current products by Western European artists. Totally globalised aesthetics." [6]

Reality is often established through objects. However, living relationships, situations, and the many climates we find ourselves in are much more important. Our existence and its wide spaces are established in a meaningful way when we engage with nature, friends, animals and the simple things of life. If we restrict these interactive processes, depression and lack of meaning will ensue. We might therefore infer: "The creation of reality and health go hand in hand; health is constituted from the constant establishment of and change in specific relations between living beings and their environment, thus enabling the satisfaction of vital needs. Hence, the sum total of successful relations between a living being and its environment (i.e. the relations which enable the fulfilment of needs and self-realisation) accounts for satisfactory individual realities for human beings." [7]

What does all of this mean for art? Well, art can create experimental setups involving human beings, animals, plants, things, processes, civilisations, religions and their mutual interactions better than has been the case so

se flétrissant et des têtes de porc ensanglantées n'ont pas leur place ici. Exposés dans le néant blanc de l'espace artistique, les autels et, le cas échéant, leurs prêtres, deviennent des attractions touristiques. [...] Les lieux de culte sont liés aux lieux, ils subsistent grâce à la communauté des croyants. Il est présomptueux de les exporter et de les consacrer pour la forme. 'Catch the spirit' – voilà une exploitation néoromantique des forces spirituelles qui ne sont presque plus manifestes dans une Europe sécularisée. Par ailleurs, la réception de ces arrangements rituels en tant qu'environnements contemporains signifie le nivellement des différences culturelles. La totalité de l'autel est réduite à l'attrayante apparence qui présente des similitudes avec des produits actuels d'artistes d'Europe occidentale. Une esthétique totale et globale.» [6]

La réalité se construit souvent sur des objets. En même temps, les relations dynamiques, les situations, voire les différents climats sous lesquels nous vivons, sont bien plus importants. Notre existence et ses vastes espaces sont construits de façon sensée dans nos rapports à la nature, aux amis, aux animaux et aux choses banales de la vie. Si nous limitons ces processus d'interaction, il en résulte dépression et absurdité. On peut en conclure : « Créer la réalité et la santé vont main dans la main; la santé est le résultat de l'établissement et des changements permanents des relations spécifiques entre les êtres

Auf- und Umbau der konkreten Beziehungen zwischen Lebewesen und Umgebung, welche die Befriedigung der vitalen Bedürfnisse ermöglichen. Daher stellt die Summe der geglückten Beziehungen zwischen einem Lebewesen und seiner Umgebung (das heißt, der Beziehungen, die Bedürfnisbefriedigung und Selbstverwirklichung ermöglichen) eine befriedigende individuelle Wirklichkeit für den Menschen dar." [7]

Was bedeutet das nun alles für die Kunst? Nun, die Kunst kann, viel mehr als bisher, Versuchsanordnungen schaffen, in die sie Menschen, Tiere, Pflanzen, Dinge, Prozesse, Kulturen, Religionen und deren Wechselwirkungen mit einbezieht. Das wären Sachen nicht im Sinne von Objekten, die man in distanzierter und gespreizter Haltung betrachtet, sondern vielmehr kommunikative Infrastrukturen, infiltrierende Elemente und 'intermediäre Spielbereiche', die darauf hinauslaufen, dass es 'eine gemeinsame Welt' nur geben kann, wenn wir sie durch 'Kopplung' im Miteinander selbst erzeugen. Als Motto könnte dienen, was Gilles Deleuze über Nietzsches Willen zur Macht sagt: „Der Wille zur Macht besteht weder darin, heftig zu begehren, noch auch darin, zu nehmen, sondern darin, zu schaffen und zu schenken. Das Mächtige am Willen zur Macht ist nicht das, was der Wille will. Der Wille zur Macht ist das differentielle Element, aus dem die vorhandenen Kräfte und deren wechselseitige Beziehung entspringen. Er ist immer gegenwärtig als bewegliches, ätherisches und vielzähliges Element." [8]

far. In this context, 'things' should not be taken to mean objects gazed at with a detached and pompous attitude, the word should rather be understood as denoting communicative infrastructures, infiltrating elements and 'intermediary areas for play' which result in the fact that 'a common world' can only exist if we create it ourselves by 'coupling' and co-operation. What Gilles Deleuze said about Nietzsche's will to power could very well serve as a motto here: "The will to power neither consists in strong desire nor in taking but in creating and giving. What is powerful about the will to power is not what the will wills. The will to power is the differential element which existing forces and their mutual relations stem from. It is always present as a moving, ethereal and multifarious element." [8]

FRANZ XAVER BAIER IS AN ART THEORIST AND PROFESSOR OF ARCHITECTURE IN MUNICH. HE IS THE AUTHOR OF A GREAT MANY PUBLICATIONS ON THE AESTHETICS OF LIFE SITUATIONS, INCLUDING: 'DER RAUM / PROLEGOMENA ZU EINER ARCHITEKTUR DES GELEBTEN RAUMES', COLOGNE 2000.

1. TZ [GERMAN DAILY], MUNICH 27.8.2001.

2. CAPRA (FRITJOF), *THE WEB OF LIFE*, HARPER COLLINS, LONDON 1996.

3. WALSER (ALISSA), *DIES IST NICHT MEINE GANZE GESCHICHTE*, ROWOHLT, REINBEK BEI HAMBURG 1994, P. 31.

4. HELLINGER (BERT), TEN HÖVEL (GABRIELE), *ACKNOWLEDGING WHAT IS*, ZEIG, TUCKER & THEISSEN INC., PHOENIX 1999, P. 71.

5. ROMBACH (HEINRICH), *STRUKTURONTOLOGIE*, ALBER, FREIBURG/MUNICH 1971, P. 86.

<u>FRANZ XAVER BAIER</u> IST KUNSTTHEORETIKER UND PROFESSOR FÜR ARCHITEKTUR IN MÜNCHEN. ER IST DER AUTOR ZAHLREICHER PUBLIKATIONEN ZUR ÄSTHETIK DER LEBENSSITUATIONEN. U.A. : 'DER RAUM / PROLEGOMENA ZU EINER ARCHITEKTUR DES GELEBTEN RAUMES', KÖLN 2000.

1. TZ, MÜNCHEN 27.8.2001.

2. CAPRA (FRITJOF), *LEBENSNETZ*, SCHERZ, WIEN 1996, S. 325.

3. WALSER (ALISSA), *DIES IST NICHT MEINE GANZE GESCHICHTE*, ROWOHLT, REINBEK BEI HAMBURG 1994, S. 31.

4. HELLINGER (BERT), TEN HÖVEL (GABRIELE), *ANERKENNEN, WAS IST*, KÖSEL, MÜNCHEN 1999, S. 92.

5. ROMBACH (HEINRICH), *STRUKTURONTOLOGIE*, ALBER, FREIBURG/MÜNCHEN 1971, S. 86.

6. SÜDDEUTSCHE ZEITUNG, MÜNCHEN 3.9.2001.

7. VON UEXKÜLL (THURE), WESIACK (WOLFGANG), *THEORIE DER HUMANMEDIZIN*, URBAN & FISCHER, MÜNCHEN 1988, S. 303.

8. DELEUZE (GILLES), *NIETZSCHE*, MERVE VERLAG, BERLIN 1979, S. 26.

vivants et leur environnement qui permettent ainsi de répondre aux besoins vitaux. Ainsi la somme des relations réussies entre un être vivant et son environnement (c'est-à-dire les relations qui permettent de répondre aux besoins et à l'épanouissement personnel) accorde aux êtres vivants une réalité individuelle satisfaisante. »[7]

Mais qu'est-ce que cela signifie finalement pour l'art ? Eh bien, l'art peut créer, bien mieux qu'auparavant, des dispositions expérimentales auxquelles il associe les hommes, les animaux, les plantes, les choses, les processus, les cultures, les religions et leurs interactions réciproques. Il s'agirait de choses non pas dans le sens d'objets que l'on considérerait de manière distante et affectée, mais plutôt d'infrastructures communicatives, d'éléments infiltrants et 'd'espaces de jeu intermédiaires' qui déboucheraient sur le fait qu'il ne peut y avoir 'un monde commun' que si nous le créons nous-mêmes par coopération et 'couplage'. Ce que Gilles Deleuze a dit de la volonté de pouvoir de Nietzsche pourrait ici servir de devise : « Vouloir le pouvoir ne consiste pas à désirer de toutes ses forces ni à prendre, mais à créer et à donner. Ce qui est puissant dans la volonté de pouvoir, ce n'est pas ce que la volonté veut. La volonté de pouvoir est l'élément différentiel dont jaillissent les forces existantes et leurs relations réciproques. Elle est toujours présente comme un élément mobile, éthéré et multiple. »[8]

6. SÜDDEUTSCHE ZEITUNG [GERMAN DAILY], MUNICH 3.9.2001.

7. VON UEXKÜLL (THURE), WESIACK (WOLFGANG), *THEORIE DER HUMANMEDIZIN*, URBAN & FISCHER, MUNICH 1988, P. 303.

8. DELEUZE (GILLES), *NIETZSCHE*, COLUMBIA UNIVERSITY PRESS, NEW YORK 1983.

FRANZ XAVER BAIER EST THÉORICIEN DE L'ART ET PROFESSEUR D'ARCHITECTURE À MUNICH. IL EST L'AUTEUR DE NOMBREUSES PUBLICATIONS SUR L'ESTHÉTIQUE DES SITUATIONS DE VIE DONT E.A. 'DER RAUM / PROLEGOMENA ZU EINER ARCHITEKTUR DES GELEBTEN RAUMES', COLOGNE 2000.

1. TZ [QUOTIDIEN ALLEMAND], MUNICH 27.8.2001.

2. CAPRA (FRITJOF), *THE WEB OF LIFE*, HARPER COLLINS, LONDRES 1996.

3. WALSER (ALISSA), *...ET CE N'EST PAS TOUTE MON HISTOIRE*, ROBERT LAFFONT, PARIS 1995, P. 34.

4. HELLINGER (BERT), TEN HÖVEL (GABRIELE), *CONSTELLATIONS FAMILIALES : PROPOS HORS DU COMMUN*, LE SOUFFLE D'OR, BARRET-SUR-MÉOUGE 2001, P. 100-101.

5. ROMBACH (HEINRICH), *STRUKTURONTOLOGIE*, ALBER, FRIBOURG/MUNICH 1971, P. 86.

6. SÜDDEUTSCHE ZEITUNG [QUOTIDIEN ALLEMAND], MUNICH 3.9.2001.

7. VON UEXKÜLL (THURE), WESIACK (WOLFGANG), *THEORIE DER HUMANMEDIZIN*, URBAN & FISCHER, MUNICH 1988, P. 303.

8. DELEUZE (GILLES), *NIETZSCHE*, PUF - PRESSES UNIVERSITAIRES DE FRANCE (PHILOSOPHES), PARIS 1999.

„DER KLANG KEHRT ZUM SCHLAFEN NICHT IN DIE FLÖTE ZURÜCK“, SAGTE EIN DICHTER ...

GENEVIÈVE MOSSERAY

« LE SON NE RENTRE PAS DORMIR DANS LA FLÛTE », A DIT UN POÈTE...

GENEVIÈVE MOSSERAY

“SOUND DOES NOT GO BACK TO SLEEP IN THE FLUTE”, A POET ONCE SAID...

GENEVIÈVE MOSSERAY

« LE SON NE RENTRE PAS DORMIR DANS LA FLÛTE », A DIT UN POÈTE...

La physique acoustique ne l'entend pas de cette oreille, ou plutôt l'accord entre la vérité poétique et la vérité scientifique peut se faire sur le mode du paradoxe.

Avec l'effet Larsen, assurément, nous avons affaire à un son qui réintègre sa source, non pour s'y assoupir mais pour en ressortir, amplifié. En quoi consiste au juste ce curieux effet ? Quelles résonances peut-il, au-delà de sa matérialité propre, évoquer dans les sphères de la vie psychique, sociale et culturelle ?

C'est le physicien danois Sören Larsen (1871-1957) qui a découvert et nommé cet effet : apparition de bruit parasite causé par des oscillations résonantes s'établissant entre un microphone et un haut-parleur : le bruit aléatoire reçu au niveau du micro est amplifié et restitué par le haut-parleur, puis réamplifié jusqu'à saturation (rétroaction positive).

Un haut-parleur diffuse toujours un léger bruit de fond. Si le microphone est proche du haut-parleur, il capte ce bruit, c'est-à-dire qu'il entre en vibration ; ces vibrations donnent naissance à des signaux électriques que le haut-parleur retransforme, en les amplifiant, en ondes sonores. Le microphone va recapter ces ondes... Le bruit devient vite infernal. On supprime ce phénomène parasite en réduisant au maximum

„DER KLANG KEHRT ZUM SCHLAFEN NICHT IN DIE FLÖTE ZURÜCK", SAGTE EIN DICHTER ...

Die Physik der Schallverhältnisse will davon nichts hören, oder anders gesagt, dichterische Wahrheit und wissenschaftliche Wahrheit können nur durch ein Paradoxon miteinander in Einklang gebracht werden.

Beim Larsen Effekt haben wir es sicher mit einem Klang zu tun, der in seine Quelle zurückkehrt, jedoch nicht, um dort zu verstummen, sondern vielmehr, um daraus wieder verstärkt hervorzukommen. Woraus besteht eigentlich dieses eigenartige Phänomen? Und welche Resonanz kann es über seine eigentliche Materialität hinaus im Bereich des psychischen, sozialen und kulturellen Lebens entstehen lassen?

Der dänische Physiker Sören Larsen (1871-1957) entdeckte dieses Phänomen und gab ihm seinen Namen: es handelt sich um das Auftreten von Störgeräuschen, die durch Resonanzschwingungen verursacht werden, die zwischen einem Mikrofon und einem Lautsprecher entstehen; das am Mikrofon wahrnehmbare Rauschen wird durch den Lautsprecher verstärkt und wiedergegeben, und schließlich weiter bis zur Sättigung verstärkt (positive Rückkopplung).

Ein Lautsprecher verbreitet immer ein leichtes Hintergrundgeräusch. Befindet sich das Mikrofon in der Nähe des Lautsprechers, nimmt es dieses Geräusch auf, d.h., es beginnt zu schwingen; aus

"SOUND DOES NOT GO BACK TO SLEEP IN THE FLUTE", A POET ONCE SAID...

Acoustics do not understand it quite like that, or rather the harmony between poetic truth and scientific truth is created through a paradox.

Certainly, with the Larsen effect, we are dealing with a sound that returns to its source, not to rest there, but to emerge, amplified, from it. What precisely is this curious effect? Beyond its literal materiality, what resonance can it summon up in the spheres of psychological, social and cultural life?

It was the Danish physicist Sören Larsen (1871-1957) who discovered and gave his name to this phenomenon: the emergence of parasitic noise caused by the resonant oscillations taking place between a microphone and a loudspeaker; the random noise received at the microphone's level is amplified and sent back by the loudspeaker, then re-amplified until its saturation (a positive retroaction).

A loudspeaker always transmits a slight background noise. If the mike is close to the speaker, it captures this noise, i.e. it starts to vibrate; these vibrations engender electrical signals, which the loudspeaker will transform again, by amplifying them, into sound waves. The microphone will again capture these waves... The noise can soon become unbearable. This parasitic noise can be suppressed by reducing as much as possible the coupling between the entrance and

diesen Schwingungen entstehen elektrische Signale, die wiederum durch den Lautsprecher verstärkt und in Schallwellen umgewandelt werden. Das Mikrofon nimmt diese Wellen wieder auf... Das Geräusch wird bald unerträglich. Diese Störgeräusche werden unterdrückt, indem die Kopplung zwischen Eingang und Ausgang des Verstärkers so weit wie möglich reduziert wird: Man verwendet hierfür Richtmikrofone und schwingungsdämpfende Träger.

Natürlich kann man dieses Phänomen bewusst spielen lassen: Manche Rocksänger tun dies; sie gehen sogar so weit, dass sie den Verstärker wie einen Bogen auf den Saiten ihrer elektrischen Gitarre verwenden, um den Klang bis zur äußersten Intensität zu treiben. Außerdem hatte ein physikbegeisterter Jugendlicher im Rahmen der Veranstaltung 'Ose la science' [Wage die Wissenschaft] (Namur, 1998) die Idee, unter Anwendung des Prinzips der akustischen Rückkopplung eine geniale Alarmanlage (Türöffnungskontrolle) zu konstruieren.

Eine Anmerkung zur Sprache: Dieses Phänomen betrifft die Welt des Hörens, während sich unsere Sprache bei den meisten Begriffen des Wortschatzes des Bereichs 'Sehen' bedient: Wir reden von Aspekt, Figur, Ansicht, Aussehen, Perspektive ...; von sehen, in Betracht ziehen, anschauen, betrachten, sich vorstellen... Diese Denk- und Ausdrucksweise stellt das Sehen über das Hören und zeigt wahrscheinlich auch, wie man unbewusst dem Raum vor der Zeit den

le couplage entre l'entrée et la sortie du système amplificateur : pratiquement, en recourant à des micros directionnels et à des supports anti-vibratoires.

Bien sûr, cet effet peut être délibérément recherché : certains chanteurs de musique rock le font, allant même jusqu'à user de l'amplificateur comme d'un archet sur les cordes de leur guitare électrique pour pousser le son jusqu'à une intensité extrême. Par ailleurs, un adolescent féru de physique a eu l'idée, dans le cadre de 'Ose la science' (Namur, 1998), de construire un ingénieux dispositif d'alarme (mécanisme de contrôle de l'ouverture d'une porte) qui utilise l'effet Larsen.

Une remarque à propos des mots : ce phénomène concerne le domaine de l'audition, alors que notre langage emprunte la plupart de ses termes au vocabulaire de la vision : nous parlons d'aspect, de figure, de point de vue, d'apparence, de perspective... ; de voir, d'envisager, de regarder, de considérer, d'imaginer... Cette manière de penser et de dire, qui privilégie le sens de la vue par rapport à l'ouïe, est sans doute également une manière inconsciente de privilégier l'espace par rapport au temps (les deux « formes a priori de notre sensibilité », comme l'a bien montré Kant dans 'Critique de la raison pure'), alors que, curieusement, c'est l'importance acquise par la dimension temps qui a révolutionné les sciences contemporaines, qu'il s'agisse de l'évolution des vivants ou de l'irréversibi-

the emergence of the amplifying system: in particular, by employing directional microphones and anti-vibrating supports.

Naturally, this effect can be deliberately sought out: some rock singers do it, going so far as to use the amplifier like a bow on the strings of their electric guitars to push sound to an extreme intensity. Furthermore, a young man passionate about physics had the idea, in the framework of 'Ose la science' [Dare the sciences] (Namur, 1998), to design an alarm system (controlling the opening of a door) using the Larsen effect.

A quick note regarding the words: this phenomenon takes place in the field of listening, whereas our language takes most of its terms from the vocabulary of 'sight': we speak of aspect, figure, point of view, appearance, perspective...; of seeing, envisaging, looking at, considering, imagining... This manner of thinking and of speaking, putting the emphasis on sight rather than on hearing, is probably also an unconscious way of giving precedence to space over time (the two "basic forms of our awareness", as Kant explained so well in 'Critique of Pure Reason'), whereas curiously, the importance acquired by the timely dimension revolutionised contemporary sciences, whether it be the evolution of living beings, or the irreversibility of the physical phenomena with thermodynamics and the entropy principle... Therefore, the terms used here are perforce almost constantly 'out of step' with the subject... Good or bad luck?...

lité des phénomènes physiques avec la thermodynamique et le principe d'entropie... La terminologie employée ici est donc par la force des choses en 'décalage' presque constant avec le sujet... Bonne ou mauvaise fortune ?...

Si l'on considère de manière objective l'effet Larsen dans ce qui fait sa singularité, c'est d'abord qu'il est une rétroaction – terme forgé grâce au préfixe 'rétro', abréviation de 'rétrograde', qui dénote un retour dans le passé (cf. la mode rétro !) –, c'est-à-dire une action qui agit en retour sur le phénomène qui se trouve à sa source.

Dans la nature, le phénomène de retour constitue l'un des processus les plus fondamentaux : on le trouve dans presque tous les systèmes dynamiques, y compris ceux qui résident dans l'organisme même de l'homme, par exemple le réglage de la transpiration ou de la température du corps.

L'image est celle de la boucle, qu'Edgar Morin a fort bien décrite et étudiée dans le tome intitulé 'La Nature de la Nature' de son vaste ouvrage 'La Méthode', en particulier à propos des moteurs sauvages que constituent tourbillons et remous : « Le tourbillon est boucle, non seulement parce que sa forme se referme sur elle-même, mais parce que cette forme bouclante est rétroactive, c'est-à-dire constitue la rétroaction du tout en tant que tout sur les moments et éléments particuliers dont elle est issue. Le circuit rétroagit sur le circuit, lui

Vorrang gibt (die beiden „Formen unserer inneren Anschauung a priori", wie sie von Kant in 'Kritik der reinen Vernunft' dargestellt wurden). Und dabei war es doch merkwürdigerweise gerade die steigende Bedeutung der Dimension Zeit, die die Wissenschaften der Gegenwart revolutionierte, ob nun in der Entwicklung der Lebewesen oder, im Bereich der Thermodynamik und des Entropie-Prinzips, in der Irreversibilität physikalischer Phänomene. Es gibt also zwangsläufig fast permanent eine 'Verschiebung' zwischen der hier verwendeten Terminologie und dem Thema... Glücklicher oder unglücklicher Zufall?...

Betrachtet man objektiv die Besonderheit des Larsen Effekts, handelt es sich in erster Linie um eine Rückkopplung – dieser zusammengesetzte Begriff besteht aus der Vorsilbe 'rück', der Abkürzung für 'rückläufig', wodurch wiederum eine Rückkehr in die Vergangenheit ausgedrückt wird –, d.h., es handelt sich um eine Wirkung, die auf das Phänomen rückwirkt, das sie ausgelöst hat.

In der Natur stellt die Rückkopplung einen der grundlegendsten Prozesse dar: Man findet sie in fast allen dynamischen Systemen wieder, einschließlich jener im menschlichen Organismus, zum Beispiel bei der Regulierung der Transpiration oder der Körpertemperatur.

Bildlich gesprochen handelt es sich um eine Schleife, wie sie Edgar Morin in 'La Nature de la Nature', einem Band seines umfangreichen Werks 'La Méthode',

Objectively, the Larsen effect, and what makes it so special, is first of all, that it is a retro-action – a term created thanks to the prefix 'retro', an abbreviation for 'retrograde', which marks a return to the past (see retro fashions!) –, i.e. an action turning back upon the phenomenon which is its source.

In nature, the feedback phenomenon makes up one of the most basic processes: it is found in practically all the dynamic systems, including those in man's own organism, for instance the regulation of sweat, or of the body's temperature.

The image is that of the loop, which Edgar Morin described and studied so very well in the volume entitled 'La Nature de la Nature', in his important work 'La Méthode', particularly concerning the uncontrollable energies made up of whirlwinds and undercurrents: "The whirlwind is a loop, not only because its shape closes upon itself, but because this looping form is retroactive, i.e. it makes up the retroaction of the whole as the whole, on the moments and specific elements from which it arises. The circuit acts retroactively on the circuit, renews its strength and its form, by acting on the elements/events which would otherwise immediately become specific and divergent. [...] The idea of the loop means that the end process feeds its beginning, the final state becoming somehow the initial state while remaining final, the initial

sehr gut beschrieben und untersucht hat, vor allem in Bezug auf natürliche Auslöser wie Strudel und Wirbel: „Der Strudel ist eine Schleife, nicht nur, weil sich seine Form wieder in sich schließt, sondern auch, weil diese schleifenartige Form rückwirkend ist, d.h., sie ist die Rückkopplung des Ganzen als Ganzes auf die besonderen Momente und Elemente, die sie ausgelöst haben. Der Kreislauf wirkt auf den Kreislauf zurück, erneuert dessen Kraft und Form, indem er auf Elemente/Ereignisse einwirkt, die ansonsten schnell eigenartig und abweichend werden würden. [...] Die Metapher von der Schleife bedeutet, dass das Ende des Prozesses dessen Anfang nährt. So wird gewissermaßen der Endzustand zum Erstzustand und bleibt dabei dennoch Endzustand, und der Erstzustand wird zum Endzustand und bleibt dabei dennoch Erstzustand: D.h., die Schleife ist gleichermaßen rekursiv und rückwirkend.“ [1]

Eine Rückkopplung kann positiv oder negativ sein. In den meisten Fällen, sowohl bei Naturerscheinungen als auch bei durch den Menschen hergestellten Maschinen haben wir es mit negativer Rückkopplung zu tun, d.h., dass das System zum Gleichgewicht strebt: Viele Systeme, die mehr oder weniger natürlichen Prozessen nachempfunden sind, funktionieren so, wie zum Beispiel das thermostatische Ventil oder das Autopilotsystem für Flugzeuge.

Im Falle einer positiven Rückkopplung wie beim Larsen Effekt ist die Schleife

renouvelle sa force et sa forme, en agissant sur les éléments/événements qui sinon deviendraient aussitôt particuliers et divergents. [...] L'idée de boucle signifie que la fin du processus en nourrit le début, l'état final devenant en quelque sorte l'état initial tout en demeurant final, l'état initial devenant final tout en demeurant initial : c'est dire que la boucle est récursive autant que rétroactive. » [1]

Une rétroaction peut être positive ou négative. Dans la majorité des cas, qu'il s'agisse de phénomènes naturels ou de machines fabriquées par l'homme, la rétroaction est négative, c'est-à-dire que le système tend vers l'équilibre : de nombreux appareils, plus ou moins calqués sur des processus naturels, l'utilisent, comme par exemple la vanne thermostatique ou le pilotage automatique d'avions.

Dans le cas d'une rétroaction positive, comme l'effet Larsen, la mise en boucle provoque au contraire une instabilité croissante. La rétroaction positive, écrit Morin, signifie que les forces de désorganisation qui se mettent en mouvement vont s'accélérer, s'accentuer, s'amplifier d'elles-mêmes, se déchaîner jusqu'à briser toute mesure ('ubris'), déferler ('runaway'), pour finalement désintégrer et disperser. Et il en donne pour exemples l'explosion d'une supernova ou d'une bombe à hydrogène.

Cette notion de rétroaction positive offre un grand intérêt dans l'étude du

state becoming final while remaining initial: that means the loop is as much recursive as it is retroactive". [1]

A retroaction can be positive or negative. In the majority of cases, whether it concerns natural phenomena or man-made machines, retroaction is negative, i.e. the system tends towards balance: many tools, more or less based on natural processes, use it, like for instance the thermostatic valve or planes' automatic piloting.

In the instance of a positive retroaction, like the Larsen effect, the looping provides, on the contrary, an increasing instability. Morin writes that positive retroaction means that the forces of disorganisation which are set in motion will increase, accentuate, amplify by themselves, lose control so far as to break down every measure ('ubris'), overwhelm ('runaway'), to finally disintegrate and scatter. He cites as examples a supernova's explosion, or that of a hydrogen bomb.

This notion of positive retroaction is very interesting for the study of human behaviour, be it on the social or individual level, because it can be applied to many phenomena by analogy. It is mentioned in the works of the philosopher René Girard, which wants to be simultaneously a fundamental anthropology, an interpretation of myths and religions as well as a new psychology. His key concepts are those of mimeticism and violence. In 'La violence et le sacré' Girard pro-

comportement humain, que ce soit sur le plan social ou individuel, car elle peut s'y appliquer analogiquement à de nombreux phénomènes. On la rencontre dans l'œuvre du philosophe René Girard, qui se veut à la fois une anthropologie fondamentale, une interprétation des mythes et des religions ainsi qu'une nouvelle psychologie. Ses concepts-clés sont ceux de mimétisme et de violence.

Dans 'La violence et le sacré', Girard offre une interprétation du religieux primitif et plus particulièrement du sacrifice – le rite sacrificiel étant omniprésent dans les religions. Girard en donne une explication sociologique : le sacrifice selon lui n'est pas une médiation entre les hommes et leur divinité, mais une substitution, un détournement de la violence qui sévit ou menace de sévir dans le groupe sur une victime de remplacement, un bouc émissaire. Le sacrifice est la deuxième étape du 'mécanisme fondateur' qui permet à un groupe social de subsister et de s'organiser. La troisième étape sera la sacralisation de la victime ; la violence, pour s'être concentrée sur un seul, est comme exorcisée, purifiée (catharsis) : le poison est devenu remède. Le rite sacrificiel est instauré pour prolonger l'événement fondateur et empêcher la violence de se déchaîner à nouveau en l'utilisant à petite dose (homéopathie !), d'une manière contrôlée.

La première étape du 'mécanisme fondateur', celle qui intéresse notre sujet, était la crise mimétique. Dans une

hingegen für eine wachsende Instabilität verantwortlich. Laut Morin bedeutet positive Rückkopplung, dass die sich in Bewegung setzenden Desorganisationskräfte sich von selbst beschleunigen, vorantreiben und verstärken und sich über alle Maße ('ubris') entfesseln und toben ('Runaway'), bis zur endgültigen Auflösung und Verstreuung. Als Beispiele führt er die Explosion einer Supernova oder einer Wasserstoffbombe an.

Dieser Begriff der positiven Rückkopplung ist beim Studium des menschlichen Verhaltens innerhalb der Gesellschaft oder auf individueller Ebene von großem Interesse, denn er kann analog hierzu auf viele Phänomene übertragen werden. Man findet ihn im Werk des Philosophen René Girard, das sich gleichzeitig als grundlegende Anthropologie, als Deutung von Mythen und Religionen und auch als neue Psychologie versteht. Seine Schlüsselkonzepte sind die der Nachahmung und der Gewalt.

In 'La violence et le sacré' gibt Girard eine Deutung der Ursprünge der Religion und vor allem der Opferung und des Opfers – der Opferritus ist in allen Religionen allgegenwärtig. Girard liefert dafür eine soziologische Erklärung: Die Opferung spielt für ihn keine Vermittlerrolle zwischen den Menschen und deren Gottheit, sondern ist vielmehr ein Surrogat, eine Abwendung der innerhalb der Gruppe herrschenden bzw. drohenden Gewalt auf ein Ersatzopfer, einen Sündenbock. Die Opferung ist die zweite Stufe des 'Gründungsmechanismus', ohne den eine

vides us with an interpretation of the primitive religiosity and more especially of sacrifice – the sacrificial rite being omnipresent in all religions. Girard gives us a sociological explanation: according to him, sacrifice is not a mediation between men and their divinities, but a substitution, a turning away of violence which is prevailing or threatens to rage within the group on an expiatory victim, a scapegoat. Sacrifice is the second stage in the 'founding mechanism' which enables a social group to survive and to organise itself. The third stage will be the sacralisation of the victim: violence, having been concentrated on a single individual, is, so to speak, exorcised, purified (catharsis): the poison has become the cure. The sacrificial rite was set up to prolong the founding event and to prevent violence from getting loose again by using it in small (homeopathic!) doses, in a controlled manner.

The first stage of the 'founding mechanism', the one which interests our subject, was the mimetic crisis. In a primitive society, 'culture' consists chiefly in a system of differences: each one is given a role, and peace reigns as long as each one keeps to his place and plays his appointed role. Violence comes from the erasing of differences: it begins with imitation which soon turns to antagonism, and spreads like a disease throughout the whole social body which is then threatened with chaos.

gesellschaftliche Gruppe nicht überleben und sich nicht organisieren könnte. Die dritte Stufe ist die Heiligung des Opfers; da die Gewalt auf einen Einzelnen fokussiert wurde, ist sie wie exorziert, gereinigt (Katharsis): Das Gift wird zum Heilmittel. Der Opferritus wird eingeführt, um das Gründungsereignis fortzusetzen und um zu vermeiden, dass sich die Gewalt erneut entfesselt, indem man sie in niedrigen Dosierungen (Homöopathie!) und kontrollierter Weise einsetzt.

Die erste Stufe des 'Gründungsmechanismus', die für unser Thema von Interesse ist, war die Nachahmungskrise. In einer primitiven Gesellschaft besteht 'Kultur' vor allem aus einem auf Unterscheidung basierenden System: Jedem Einzelnen wird eine Rolle zugeteilt, und es herrscht Frieden, solange jeder an seinem Platz bleibt und seine Rolle wahrnimmt. Gewalt tritt auf, wenn die Unterscheidung aufgehoben wird; sie beginnt mit Nachahmung, welche sehr schnell zum Antagonismus wird, und breitet sich wie eine Krankheit in der gesamten Gesellschaft aus, die dann durch das Chaos bedroht wird.

Vielsagend ist die Tatsache, dass Girard sich sehr für die Arbeiten des amerikanischen Forschers Gregory Bateson, Psychiater und Informationstheoretiker, dem wir den Begriff 'double bind' verdanken, interessierte. Im dritten Teil seines Werks 'Des choses cachées depuis la fondation du monde' spricht Girard von der bemerkenswerten Rolle, die das Prinzip des 'Feedbacks' in dieser

société primitive, la 'culture' consiste essentiellement en un système de différences : à chacun est assigné un rôle, et la paix règne lorsque chacun reste à sa place et assume son rôle. La violence vient de l'effacement des différences ; elle commence par l'imitation qui tourne rapidement à l'antagonisme, et se propage comme une maladie dans tout le corps social, qui est alors menacé par le chaos.

Fait significatif, Girard s'est beaucoup intéressé aux travaux du chercheur américain Gregory Bateson, psychiatre et théoricien de l'information, auquel on doit la notion de 'double bind'. Dans la troisième partie de son ouvrage 'Des choses cachées depuis la fondation du monde', Girard parle du rôle remarquable que joue dans cette théorie le principe du 'feed-back' : alors que dans le déterminisme classique la causalité est linéaire, la chaîne cybernétique est circulaire. Un événement 'A' déclenche un événement 'B' qui déclenche un autre événement qui fait retour sur 'A' et réagit sur lui. « La chaîne cybernétique est bouclée sur elle-même. Le feed-back est négatif si tous les écarts se produisent en sens inverse des écarts précédents et, par conséquent, les corrigent de façon à toujours maintenir le système en équilibre. Le feed-back est positif, en revanche, si les écarts se produisent dans le même sens et ne cessent de s'amplifier ; le système, alors, tend au 'runaway' ou à l'emballement qui aboutit à sa disruption complète et à sa destruction. » Et Girard poursuit en

It is a significant factor that Girard took a great interest in the American researcher Gregory Bateson, a psychiatrist and information theoretician, to whom we owe the concept of the 'double bind'. In the third part of his book 'Des choses cachées depuis la fondation du monde', Girard talks of the remarkable role played by the 'feedback' principle in this theory: whereas in classical determinism, causality is linear, the cybernetic chain is circular. Event 'A' sets off event 'B' which sets off another event which goes back to 'A' and reacts upon it. "The cybernetic chain is enclosed upon itself. The feedback is negative if all the discrepancies occur in the opposite way to the previous discrepancies and, therefore, correct them in such a way as to always keep the system balanced. However, the feedback is positive if the discrepancies occur in the same way and never cease to grow; then the system tends towards the 'runaway' which leads to its complete disruption and to its destruction". And Girard ends by concluding that the "mimetic crisis constitutes a kind of 'runaway'".[2]

Even if one has reserves in the face of Girard's totalling explanatory ambition we can retain the interest accorded to the notion of positive retroaction, and observe, for our part, that it can indeed be applied to many human behavioural patterns, be they individual or collective.

Emotional phenomena give us an evident illustration: cheerfulness or anger,

concluant que « la crise mimétique constitue une espèce de 'runaway'. » [2]

Même si l'on a des réserves face à l'ambition explicative totalisante de Girard, on peut retenir l'intérêt porté à la notion de rétroaction positive et observer pour notre part qu'elle peut effectivement s'appliquer à de nombreux comportements humains, qu'il s'agisse du domaine individuel ou collectif.

Les phénomènes émotionnels en offrent une illustration évidente : la gaieté ou la colère, le fou rire ou la crise de larmes, une fois déclenchés, très couramment s'auto-entretiennent et vont en s'amplifiant. Il est frappant de noter que le même mot d''emballement' ('runaway') appartient à la fois au vocabulaire de la cybernétique et de la passion amoureuse... Plus évidents encore, les cas de la jalousie ou du délire de persécution : le processus une fois enclenché 'fait flèche de tout bois', le moindre indice contribue à renforcer le soupçon, qui cherchera et trouvera de nouveaux indices, en fera des preuves... on entre dans un cycle infernal. Comme dans l'effet Larsen, un point de départ fortuit, ténu, peut atteindre une ampleur énorme.

Le stress est un effet de la résonance du monde sur nous. Mais chacun de nous fait partie intégrante du monde, de sorte que le stress de chacun se répercute sur l'ensemble de la communauté, générant davantage le stress, lequel se répercutera sur chacun...

Theorie spielt: Während die Kausalität im klassischen Determinismus linear ist, ist die kybernetische Folge kreisförmig. Ein Ereignis 'A' verursacht ein Ereignis 'B', das wiederum ein weiteres Ereignis verursacht, welches auf 'A' zurückkommt und sich darauf auswirkt. „Die kybernetische Folge bildet einen in sich geschlossenen Kreis. Das Feedback ist negativ, wenn alle Abweichungen in entgegengesetzter Richtung zu den vorherigen Abweichungen auftreten und diese folglich korrigieren, so dass das Gleichgewicht des Systems immer beibehalten wird. Das Feedback ist hingegen positiv, wenn die Abweichungen in gleicher Richtung stattfinden und kontinuierlich stärker werden; das System nähert sich dann dem 'Runaway' bzw. geht durch, was schließlich zu seiner vollständigen Disruption und Zerstörung führt." Und Girard zieht abschließend den Schluss, dass „die Nachahmungskrise eine Art 'Runaway' darstellt." [2]

Auch wenn man gegenüber dem Ehrgeiz von Girard, für alles eine Erklärung finden zu wollen, Vorbehalte hat, kann man das Interesse für den Begriff der positiven Rückkopplung festhalten, und wir können für uns feststellen, dass diese tatsächlich auf viele menschliche Verhaltensmuster angewandt werden kann, sei es auf individueller oder auf kollektiver Ebene.

Bei Gefühlsregungen zeigt sich dies ganz offensichtlich: Ob Heiterkeit oder Wut, ob Lachanfall oder Weinkrampf, sobald sie einmal ausgelöst sind, unterhalten sie sich sehr oft von selbst und werden

shouts of laughter or storms of tears, once they are underway, are very often self-perpetuating and go on increasing. It is striking to note that the same word 'runaway' belongs both to the vocabulary of cybernetics and to that of amorous passion... Even more obvious are the cases of jealousy or of a persecution complex: once the process has been set off it 'fires on all cylinders', the slightest clue serving to reinforce suspicion, which will seek and find new clues, and turn them into proofs... we are inside a vicious circle. Like in the Larsen effect, a tiny accidental point of departure can reach huge dimensions.

Stress is an effect of the world's resonance upon us. However, each one of us is an integral part of the world, so that each one's stress reverberates on the community as a whole, producing further stress, which will in turn affect everyone in particular...

The manifestations of violence, aggression, or war often follow the same escalating procedure: once the conflict is lit, it is self-perpetuating and in so doing, is strengthened until it reaches a paroxysm, in which the antagonists themselves can no longer say 'how it all started', i.e. how the loop has been looped. We speak of a 'spiral of violence'.

On the collective scale, the media play a powerful amplifying role in our societies. A worrisome 'rumour' on a stock exchange can grow to provoke general panic in the financial world. The media

immer stärker. Es ist auffallend, dass das eine Wort 'Durchgehen' ('Runaway') gleichzeitig dem Wortschatz der Kybernetik und dem der leidenschaftlichen Liebe (wenn die Gefühle durchgehen) entstammt ... Noch offensichtlicher zeigt sich dies bei der Eifersucht oder dem Verfolgungswahn: Sobald der Prozess eingeleitet ist, sind alle Mittel recht, die ihn weiter nähren; das kleinste Zeichen verstärkt den Verdacht, der neue Zeichen sucht und findet, und daraus Beweise macht ... man tritt in einen Teufelskreis ein. Wie bei der akustischen Rückkopplung (Larsen Effekt) kann ein zufälliger, schwacher Ausgangspunkt eine unglaubliche Reichweite erlangen.

Stress ist eine Auswirkung der Weltresonanz auf uns. Aber jeder von uns ist integraler Bestandteil der Welt, so dass sich der Stress jedes Einzelnen auf die gesamte Gemeinschaft auswirkt und so noch mehr Stress generiert, der sich wiederum auf jeden Einzelnen auswirkt...

Der Eskalationsprozess folgt beim Auftreten von Gewalt, Aggressionen oder Kriegen oft demselben Muster: Wenn sich der Konflikt einmal entzündet hat, unterhält er sich von selbst und wird dadurch immer stärker, bis er den Höhepunkt erreicht, auf dem die Krieger selbst nicht mehr sagen können, 'wie das alles angefangen hat', d.h., wie der Kreis sich geschlossen hat. Man spricht von einer 'Spirale der Gewalt'.

Auf kollektiver Ebene spielen die Medien in unseren Gesellschaften eine mächtige

Les manifestations de violence, agression ou guerre suivent souvent le même processus d'escalade : le conflit une fois allumé s'auto-alimente et, ce faisant, se renforce jusqu'à atteindre le paroxysme où les belligérants eux-mêmes ne savent plus dire 'comment cela a commencé', c'est-à-dire comment la boucle s'est bouclée. On parle de 'spirale de la violence'.

À l'échelle collective, les médias jouent dans nos sociétés un puissant rôle d'amplificateur. Un 'bruit' inquiétant sur une place boursière peut s'enfler jusqu'à provoquer une panique générale dans le monde financier. Les médias offrent aussi à la société un miroir dans lequel elle peut s'observer ; les comportements observés sont aussitôt reproduits, et il en résulte un renforcement de ces comportements. Cela est particulièrement frappant dans le domaine de la mode, où la diffusion rapide et massive de stéréotypes entraîne — puisque la raison d'être de la mode est le changement — une course à la nouveauté de plus en plus effrénée à mesure que le nouveau devient plus éphémère et une consommation toujours accélérée des stéréotypes : on peut dire que la mode se dévore elle-même.

L'observation de tous ces exemples amène à se poser une question qui relève autant du domaine de l'éthique que de la psychologie ou de la théorie de la communication : jusqu'où est-on porteur du message que l'on émet ? quel contrôle

also provide the world with a mirror in which it can watch itself: the observed behaviour is instantly reproduced and this in turn leads to an enforcing of this behaviour. It is especially striking in the fashion world, where the swift and huge distribution of stereotypes leads — since fashion's 'raison d'être' is change — to a more and more frenzied race after the new, as the new becomes more ephemeral, and to an ever-increasing consumption of stereotypes: one could say that fashion devours itself.

Observing all these examples leads one to put a question which has as much to do with ethics as with psychology or the theory of communication: up to what point are we the bearer of the message we send out? What control do we have over it? The question remains, in practical terms, without an answer...

From a more speculative point of view, this image of the loop, of the circle closing upon itself, joins one of the most universal archetypes of symbolic and mythical thought: it is present in many cultures in the guise of Ouroboros, the serpent biting, or swallowing its own tail, and is a symbol of an evolutionary cycle enclosed upon itself. This symbol contains, simultaneously, the notions of movement, continuity, self-fertilization, and of an everlasting return: a new start coincides with an ending, the end of a way and its beginning are one and the same thing...
The interpretation of this symbol can go in two opposite directions: either the

exerce-t-on sur lui ? L'interrogation est, pratiquement, sans réponse...

D'un point de vue plus spéculatif, cette image de la boucle, du cercle qui se referme, rejoint l'un des archétypes les plus universels de la pensée symbolique et mythique ; elle est présente dans de nombreuses cultures sous la forme de l'Ouroboros, le serpent qui se mord ou qui avale sa queue, et symbolise un cycle d'évolution refermée sur elle-même. Ce symbole renferme en même temps les idées de mouvement, de continuité, d'autofécondation et d'éternel retour : un nouveau début coïncide avec une fin, la fin d'une voie et son début sont une seule et même chose...

L'interprétation de ce symbole peut aller dans deux sens opposés : soit le serpent qui se mord la queue, en dessinant une forme circulaire, émerge à un niveau d'être supérieur, spiritualisé : il transcende le niveau de l'animalité pour s'avancer dans le sens de la plus fondamentale pulsion de vie ; soit il s'agit d'un phénomène de simple répétition, le cercle indéfini des renaissances lié à la pulsion de mort, et tout finit par retourner au chaos. – « Eh bien, Hamlet, où est Polonius ? », demande le roi. – « À souper. [...] Non pas où il mange, mais où il est mangé. Il n'est que le ver pour faire chère de roi. [...] Un homme peut pêcher avec un ver qui a mangé d'un roi, et manger du poisson qui s'est nourri de ce ver... » [3]

Verstärkerrolle. Ein beunruhigendes Gerücht an einem Börsenplatz kann so weit anschwellen, dass in der gesamten Finanzwelt regelrechte Panik ausbricht. Außerdem bieten Medien der Gesellschaft einen Spiegel an, in dem diese sich beobachten kann; das beobachtete Verhalten wird sofort nachgemacht, und somit entsteht eine verstärkte Form dieses Verhaltens. Dies ist besonders auffallend im Bereich der Mode: Da die Daseinsberechtigung der Mode die Veränderung ist, löst hier die schnelle und massive Verbreitung von Stereotypen einen mit zunehmender Kurzlebigkeit des Neuen immer zügelloser werdenden Wettstreit um die Neuheit sowie einen immer schnelleren Konsum dieser Stereotypen aus: Man kann sagen, dass die Mode sich selbst verschlingt.

Aus der Beobachtung all dieser Beispiele ergibt sich eine Frage, die sowohl in den Bereich der Ethik als auch der Psychologie oder der Kommunikationstheorie fällt: Bis zu welchem Grad ist man Träger der Botschaft, die man selbst sendet? Welche Kontrolle übt man über sie aus? Diese Frage ist praktisch nicht zu beantworten...

Unter einem spekulativeren Gesichtspunkt betrachtet, entspricht dieses Bild der Schleife des sich schließenden Kreises einem der universellsten Archetypen des symbolischen und mythischen Denkens; man findet sie in vielen Kulturen in Form des Uroboros, der Schlange, die sich in den Schwanz beißt bzw. ihn verschlingt; sie symbolisiert einen in sich

serpent by biting his tail, by drawing a circular form, emerges to a higher degree of existence, spiritualised: he transcends the level of animality to go forward in the direction of the most fundamental pulsion of life; or it is a simple repetitive phenomenon, the indefinite circle of rebirth linked to the death wish, and everything ends by going back to chaos: -"Now Hamlet, where's Polonius?", asked the king. - "At supper. [...] Not where he eats, but where he is eaten... Your worm is your only emperor for diet. [...] A man may fish with the worm that hath eaten of a king, and eat of the fish that hath fed of that worm..." [3]

REPRESENTATION OF OUROBOROS WITH, AT THE CENTRE, THE NATURAL SPIRITS.
ARABIC MINIATURE, 18TH CENTURY.

geschlossenen Entwicklungszyklus. Dieses Symbol beinhaltet gleichzeitig die Vorstellungen von Bewegung, Kontinuität, Selbstbefruchtung und ewiger Wiederkehr: Ein neuer Anfang fällt mit einem Ende zusammen, das Ende und der Anfang eines Weges sind ein und dieselbe Sache...

DARSTELLUNG DES UROBOROS MIT IN DER MITTE DEN NATURGEISTERN.
ARABISCHE MINIATUR, 18. JAHRHUNDERT.

Dieses Symbol kann auf zwei entgegengesetzte Weisen interpretiert werden: Entweder gelangt die sich in den Schwanz beißende Schlange, indem sie einen Kreis zeichnet, zu einer höheren, spiritualisierten Daseinsebene: Sie überschreitet die Ebene der Animalität und nähert sich so dem grundlegendsten Lebenstrieb; oder es handelt sich um einen einfachen

REPRÉSENTATION DE L'OUROBOROS AVEC, AU CENTRE, LES ESPRITS NATURELS.
MINITATURE ARABE, 18E SIÈCLE.

Une seconde idée a inspiré le projet des concepteurs de cette exposition, empruntée non plus au domaine de l'acoustique, mais à celui de la botanique : le rhizome, « tige souterraine des plantes vivaces qui pousse des bourgeons au-dehors et émet des racines adventices à sa partie inférieure. » [4] Ici l'image n'est plus celle d'un cercle qui se referme, mais de filaments qui se tendent, se ramifient, se relient entre eux, pour former un réseau horizontal de plus en plus étendu.

Avec le rhizome, on a affaire à une multiplication végétative naturelle, sans

The makers of this exhibition had a second idea as regards the project, taken not from the acoustic field this time, but from the botanical one: the rhizome, "an underground root-like stem bearing both roots and shoots". [4] Here the image is no longer one of a circle closing in upon itself, but that of filaments which spread out, branch out, interlink, so as to form an ever-growing horizontal network.

With the rhizome we are dealing with a natural vegetal multiplication, without the intervention of sexual cells, i.e... with cloning. In the rhizome plants, like the iris or couchgrass, the oldest parts of the rhizomes end up by disintegrating and dying, thus freeing new roots. A very large ground can be invaded with amazing speed, each 'speck of rhizome' producing a new plant.

Horticultural technique uses the faculty that some plants have of spreading and self-propagating in this way, without need for a seed: layering consists in digging a twig into the soil, which develops spreading roots. When these are sufficiently developed, the new plant is separated: it is the weaning of the layering.

This is a striking image and immediately suggests analogies. At the end of the 19th century, the philosopher Marcel Blondel, speaking of the influence of Leibniz's system and his thesis regarding the 'vinculum substantiale' on his own thinking, wrote: "Philosophy 'traces'

intervention des cellules sexuelles, c'est-à-dire... à un clonage. Chez des plantes à rhizomes comme l'iris ou le chiendent, les parties les plus anciennes des rhizomes finissent par se désagréger et mourir, libérant ainsi de nouveaux pieds. Un vaste terrain peut être envahi avec une étonnante rapidité, 'chaque éclat de rhizome' produisant une nouvelle plante.

La technique horticole exploite cette propriété qu'ont certains végétaux de se répandre et de prospérer de la sorte, sans faire recours à la graine : le marcottage consiste à enfouir dans le sol un rameau qui développe en terre des racines adventices. Lorsque ces dernières sont suffisamment développées, on sépare le nouveau pied : c'est le sevrage de la marcotte.

L'image est extrêmement parlante et suggère d'emblée les analogies. À la fin du 19e siècle, le philosophe Marcel Blondel, évoquant l'influence du système de Leibniz et sa thèse du 'vinculum substantiale' sur sa propre pensée, écrivait : « La philosophie 'trace' comme les fraisiers et se propage par marcottage. On commence par prendre racine dans l'esprit d'un autre et par se nourrir de sa substance ; et puis on pousse un rejeton qui va s'implanter un peu plus loin et l'on finit par se détacher complètement de la tige primitive. » [5]

Si l'on compare cette image avec celle qu'offre l'effet Larsen, on peut dire qu'elles apparaissent opposées et com-

Wiederholungsprozess, den unendlichen, mit dem Todestrieb verbundenen Kreis der Wiedergeburten, und alles geht schließlich ins Chaos zurück. – „Nun, Hamlet, wo ist Polonius?", fragt der König. – „Beim Nachtmahl. [...] Nicht wo er speist, sondern wo er gespeist wird. So 'n Wurm ist Euch der einzige Kaiser, was die Tafel betrifft. [...] Jemand könnte mit dem Wurm fischen, der von einem König gegessen hat, und von dem Fisch essen, der den Wurm verzehrte..." [3]

Die Planer dieses Ausstellungsprojekts wurden von einem zweiten Gedanken inspiriert, diesmal nicht aus dem Bereich der Akustik, sondern dem der Botanik: Das Rhizom, „ein unter der Erde wachsender Spross, von dem nach unten die eigentlichen Wurzeln, nach oben die Blatttriebe ausgehen." [4] Hier hat man nicht mehr das Bild eines sich schließenden Kreises, sondern ein Bild von Fäden, die sich spannen, verzweigen, miteinander verbinden, um ein horizontales, immer breiter werdendes Netz zu bilden.

Beim Rhizom haben wir es mit einer natürlichen vegetativen Vermehrung zu tun ohne Mitwirkung der Keimzellen, d.h. ... mit Klonen. Bei Rhizompflanzen wie der Iris oder der Quecke zum Beispiel zerfallen schließlich die ältesten Teile der Wurzelstöcke und sterben ab und setzen dadurch neue Stöcke frei. Ein weiträumiges Gelände kann in einer erstaunlichen Geschwindigkeit überwuchert werden, indem 'jeder Rhizomsplitter' eine neue Pflanze generiert.

like strawberry plants and increases through layering. One starts by taking root in another's mind and by feeding off his substance; then one grows a shoot which grows elsewhere and finally one is completely detached from the primitive root". [5]

If this image is compared to that suggested by the Larsen effect, we might say they seem to be complementary and opposite: circularity has given way to linearity, the influence is no longer recursive but spreads from one to another. Let us look at them as metaphors in the medical field: self-intoxication, and the pathologies in which the infection in a body feeds upon itself, in other words what is generally known as 'auto-immune' diseases, can be compared to the Larsen effect; as for the rhizome it suggests notions of contagion, contamination and epidemics which spreads: it is no surprise that one talks of 'eradicating' (= cutting off the root!) the evil. However, neither the individual body nor the social body being watertight, it is obvious that both should join up and be complementary. For instance, when one is faced with a rumour invading a group, could we not say that we are looking at a phenomenon which is both self-perpetuating and spreading?

In the text of that name in which Gilles Deleuze and Félix Guattari describe the 'Rhizome' phenomenon (a text taken up in A Thousand Plateaus: Capitalism and Schizophrenia'), they insist on its un-

Die Gartenbautechnik nutzt diese Eigenschaft mancher Pflanzen, sich ohne Samen auszubreiten und zu gedeihen: Das Absenken besteht darin, einen Zweig, der in der Erde Adventivwurzeln schlägt, im Boden zu vergraben. Sobald sich diese neuen Wurzeln weit genug entwickelt haben, wird der neue Stock abgetrennt: Man spricht von der Abtrennung des Senkers.

Dies ist ein sehr anschauliches Bild, das auf Anhieb Analogien hervorruft. Am Ende des 19. Jahrhunderts schrieb der Philosoph Marcel Blondel, als er den Einfluss schilderte, den das System von Leibniz und dessen These über das 'vinculum substantiale' auf seine eigene Lehre ausübte: „Wie Erdbeerpflanzen 'bahnt' sich die Philosophie einen Weg und vermehrt sich durch Absenkung. Es fängt damit an, dass man im Geist einer anderen Person Wurzeln schlägt und sich von deren Substanz ernährt; dann treibt ein Sprössling, der sich etwas weiter weg 'niederlässt', und zum Schluss trennt man sich vollständig vom ursprünglichen Stock.“ [5]

Vergleicht man dieses Bild mit dem der akustischen Rückkopplung (Larsen Effek), stehen sie zugleich im Gegensatz zueinander und ergänzen sich gegenseitig: Die Linearität weicht der Kreisform, die Wirkung ist nicht mehr rekursiv, sondern verbreitet sich nach und nach. Betrachten wir sie als Metaphern im medizinischen Bereich: Der akustischen Rückkopplung ähneln die Autointoxikation, die Pathologien, bei denen sich die Infektion in einem Organismus selbst

plémentaires : à la circularité fait place la linéarité, l'influence n'est plus récursive mais se propage de proche en proche. Prenons-les comme métaphores dans le domaine médical : à l'effet Larsen s'apparentent l'auto-intoxication, les pathologies où l'infection dans un organisme s'autonourrit, bref ce qu'on désigne de façon générale du terme de 'maladies auto-immunes' ; le rhizome, quant à lui, suggère les phénomènes de contagion, de contamination et d'épidémie qui se propage ; il n'est pas étonnant qu'on parle d''éradiquer' (= couper la racine !) le mal. Toutefois, ni le corps individuel ni le corps social n'étant étanches, il est banal que les deux se rejoignent et se conjuguent. Ne peut-on dire par exemple que dans le cas où une rumeur envahit un groupe, on est en présence d'un phénomène qui à la fois s'auto-alimente et se diffuse ?

Dans l'ouvrage homonyme où Gilles Deleuze et Félix Guattari décrivent le phénomène 'Rhizome' (texte repris dans 'Capitalisme et schizophrénie : Mille plateaux'), ils insistent sur son caractère non-centré, non-généalogique et non-hiérarchique. Ils opposent avec force le rhizome à l'arbre : structure pyramidale, rigoureusement hiérarchisée, d'une part et, de l'autre, horizontalité, permutation des rôles et imprévisibilité. Dans le rhizome, il n'existe pas de canaux de transmission préétablis, la communication passe de proche en proche, émetteurs et récepteurs sont interchangeables, chacun se définissant seulement par sa position à un moment donné sur le réseau.

centred, un-genealogical and non-hierarchical character. They strongly contrast the rhizome with the tree: its pyramidal structure, strongly hierarchised on the one hand, and horizontality, permutations of roles and unpredictability on the other. The rhizome does not contain any pre-established transmission channels, the communication goes from one to the next, both senders and receivers are interchangeable, each one defined only by its position at a given moment on the network.

Strangely enough, Guattari and Deleuze in that book develop a critique as regards computers, which "attribute all the power to a central memory or central organ"; further, when they speak of hierarchy, they speak of it as founded on logic, which is that of data-processing, the '1' and the '0': "Binary logic is the spiritual reality of the tree", they write.

Naturally, one could discuss the notion as to whether a personal computer is or not a centred system and therefore hierarchical; but if we think about Internet, we are getting very close to what our authors described as a rhizomatical system. It is interesting to recall that Internet was born in the 1960s, in the context of the cold war. Electronic engineers thought it up in the American Ministry of Defence, with the aim of preventing the Soviet Union from capturing or destroying American communications in the case of a nuclear war. They designed a cybernetic archi-

Curieusement, Deleuze et Guattari dans ce livre développent une critique à l'encontre des ordinateurs, qui « accordent tout pouvoir à une mémoire ou à un organe central » ; en outre, lorsqu'ils parlent d'hiérarchie, ils la décrivent comme fondée sur la logique, qui est celle de l'informatique, des '1' et des '0' : « La logique binaire est la réalité spirituelle de l'arbre », écrivent-ils.

Certes, on peut discuter de la question de savoir si un ordinateur personnel est ou non un système centré et donc hiérarchique ; mais si l'on songe à l'Internet, on est fort proche de ce que nos auteurs ont décrit comme étant un système rhizomatique. Il est intéressant de rappeler qu'Internet est né dans les années 1960, dans le contexte de la guerre froide. Ce sont des électroniciens du ministère américain de la Défense qui l'imaginèrent, dans le but d'empêcher l'Union soviétique de capter ou de détruire les communications américaines en cas de guerre nucléaire. Ils élaborèrent une architecture cybernétique 'ne pouvant être contrôlée à partir d'aucun centre' et composée de milliers de réseaux informatiques indépendants : cette tactique de dispersion était une sorte de guérilla électronique. Par la suite, ce dispositif, Arpanet, se transforma en un système de communications horizontal et planétaire, regroupant des milliers de réseaux informatiques avec un nombre d'utilisateurs en croissance exponentielle.

Cette diffusion massive de l'Internet participe de ce que le sociologue Manuel

ernährt, kurz gesagt all das, was man allgemein mit dem Begriff 'Autoimmunkrankheiten' bezeichnet; das Rhizom wiederum lässt an Ansteckung, Kontamination und eine sich ausbreitende Epidemie denken; es ist also nicht verwunderlich, dass man von 'Eradikation' (= Abschneiden der Wurzel!), also dem Ausrotten des Übels spricht. Da aber weder der einzelne Körper noch die Gesellschaft als Ganzes (sozusagen als 'kollektiver Körper') undurchlässig sind, ist es ganz normal, dass beide aufeinandertreffen und sich vereinigen. Kann man zum Beispiel nicht sagen, dass, wenn eine Gruppe von einem Gerücht befallen wird, man es mit einem Phänomen zu tun hat, das sich zugleich selbst ernährt und sich ausbreitet?

Im gleich lautenden Werk, in dem Gilles Deleuze und Félix Guattari das Phänomen des 'Rhizoms' beschreiben (der Text wurde in 'Tausend Plateaus. Kapitalismus und Schizophrenie' übernommen), betonen sie dessen nicht-zentrierten, nicht-genealogischen und nicht-hierarchischen Charakter. Mit Nachdruck vergleichen sie das Rhizom mit dem Baum: eine pyramidenförmige, streng hierarchisierte Struktur einerseits und Horizontalität, Rollentausch und Unvorhersehbarkeit andererseits. Im Rhizom gibt es keine vorher festgelegten Übertragungskanäle; die Kommunikation erfolgt nach und nach, Sender und Empfänger sind austauschbar, denn jeder wird nur durch seine Position im Netz zu einem gegebenen Zeitpunkt bestimmt.

tecture 'that could not be controlled by any one centre', and made up of thousands of independent computer networks: this dispersion tactic was a kind of electronic guerrilla. Later, that system, Arpanet, was transformed into a system of horizontal and global communications, including thousands of computing networks with an ever-increasing number of users.

This massive diffusion of Internet belongs to what the sociologist Manuel Castells called 'the network era'. This notion of networks ('Netz' in German) which at first belonged to the textile field and meant a work made out of interwoven threads, metaphorically spread, from the 18th century, to the field of medicine where its primitive topographical layout was enlarged by the notion of circulation: the body is fed by the circulatory flux of the blood network as well as the nervous network.

The word was then used for a whole series of collective services: roads, railway lines, postal networks etc. In the 19th century, it was at the core of Saint-Simon's thinking and his school, for whom the organisational vision of the network, with its dual principle of multiplication of relationships and of circulation, generated a great many ideas and projects, which were more or less utopian: theoretically everything can be put in relation with everything else, and would lead to a movement of circulation of people, goods, and ideas. Saint-Simon based himself on the con-

Merkwürdigerweise kritisieren Deleuze und Guattari in diesem Buch die Computer, weil sie „einem Speicher bzw. einer zentralen Einheit unbeschränkte Befugnisse erteilen“; sie beschreiben außerdem, wenn sie von Hierarchie sprechen, eine auf der Logik der Informatik (mit '1' und '0') basierende Hierarchie: „Die binäre Logik stellt die spirituelle Realität des Baums dar“, schreiben sie.

Gewiss kann man darüber reden, ob ein PC ein zentriertes und daher hierarchisches System ist oder nicht; denkt man aber ans Internet, herrscht hier große Ähnlichkeit mit dem, was unsere Autoren als Rhizomsystem beschrieben haben. Es ist interessant, daran zu erinnern, dass das Internet in den 1960er Jahren, noch während des Kalten Krieges entstanden ist. Es wurde von Informatikern des US-Verteidigungsministeriums erdacht, um im Falle eines Atomkriegs die Sowjetunion daran zu hindern, den amerikanischen Informationsfluss anzuzapfen bzw. zu zerstören. Sie entwarfen eine kybernetische Architektur, 'die von keinem Zentrum aus kontrolliert werden konnte' und die aus tausenden unabhängigen Computernetzwerken bestand: Diese Verstreuungstaktik entsprach einer Art von elektronischem Guerillakrieg. Dieses System, Arpanet, wurde später in ein horizontales, weltweites Kommunikationssystem umgewandelt, das tausende von Computernetzwerken mit exponentiell anwachsenden Benutzerzahlen umfasste.

Diese massive Verbreitung des Internets weist einige Merkmale dessen auf, was

Castells a baptisé l''ère des réseaux'. Cette notion de 'réseau' ('network' en anglais, 'Netz' en allemand), qui au départ appartient au domaine textile et désigne un ouvrage fait d'un entrelacement de fils, s'est étendue métaphoriquement, à partir du 18ᵉ siècle, au domaine de la médecine où sa simple portée topographique première s'enrichit de la notion fonctionnelle de circulation : le corps est irrigué par le flux circulatoire du réseau sanguin ainsi que du réseau nerveux.

Le terme s'appliqua ensuite à toute une série de services collectifs : réseau routier, ferroviaire, postal, etc. Au 19ᵉ siècle, il est au cœur de la penseé de Saint-Simon et de son école, pour qui la vision organiciste du réseau, avec son double principe de multiplication des relations et de circulation, génère une foule d'idées et de projets plus ou moins utopiques : tout peut en principe être mis en relation avec tout, et engendrer un mouvement de circulation des personnes, des biens, des idées. Saint-Simon s'appuie sur le contraste entre 'solide' et 'fluide' qui assurent, l'un, la structure organique, l'autre le mouvement incessant indispensable à la vie. Le réseau, chez ce penseur, n'est plus seulement un concept opératoire ; il véhicule toute une philosophie et même une mystique de communication généralisée.

La notion a effectué depuis quelques décennies un retour en force, enrichie d'une connotation supplémentaire et capitale : celle d''information', l'in-

trast between 'solid' and 'fluid' that ensures, one, the organic structure, the other the indispensable motion of life. For this thinker, the network was not only an operating concept; it contained a whole philosophy and even a mysticism of generalised communication.

In the course of the past few decades, this concept has come back to the fore, enriched by an extra and outstanding connotation: that of 'information', information which can now be dealt with in great quantities and at great speed by computers joined via a network. The original meaning of the word is taken up: it is the 'net', a textile metaphor for the cyberspace in which each one can be connected with the other, each 'knot' of the weave being, like the rhizome, a new departure point and possible bifurcation, within an indefinite movement of exchange and of creativity.

In his recent opus, 'The Rise of the Network Society', Manuel Castells explains that the common denominator for the various types of changes which are currently transforming the world, is replacing centralised structures through networks. "The centres reigned for a long while: no State without its capital, no business without a central directorate. Information, merchandises, decisions, had to come from a single point, or pass by it, or go back to it. [...] Nowadays, networks, i.e. groups of interconnected knots, make up the main shape, within the political sphere (the European Union), the financial sphere

formation pouvant être traitée en grande quantité et à grande vitesse par des machines informatiques mises en réseaux. Le sens premier du terme est réinvesti : c'est la 'toile', métaphore textile de l'espace cybernétique sur lequel chacun peut être connecté avec chacun, chaque 'nœud' du maillage étant, comme dans le rhizome, nouveau point de départ et bifurcation possible dans un mouvement d'échange et de création indéfini.

Dans son récent ouvrage 'La société en réseaux', Manuel Castells explique que le dénominateur commun aux divers registres de changements qui transforment actuellement le monde, est le remplacement des structures centralisées par les réseaux. « Longtemps régnèrent les centres : pas d'État sans capitale, pas d'entreprise sans direction centrale. Informations, marchandises, décisions, devaient provenir d'un point unique, ou y passer, ou y faire retour. [...] Aujourd'hui, des réseaux, c'est-à-dire des ensembles de nœuds interconnectés, constituent la forme principale dans la sphère politique (l'Union européenne), dans la sphère financière (les places boursières), dans les médias (chaînes télévisées, câbles, satellites). » [6]

Dans cette nouvelle configuration éclatée, quantité de choses changent de nature : le travail contraint à une mobilité et une réorganisation permanentes ; le pouvoir consiste de plus en plus dans la capacité à organiser des jonctions d'un réseau à l'autre ; l'espace est gommé par la virtualisation ; le

der Soziologe Manuel Castells als das 'Netzwerkzeitalter' bezeichnet hat. Dieser Begriff des 'Netzes' bzw. 'Netzwerkes' ('Network' auf Englisch) kommt ursprünglich aus dem Textilbereich und bezeichnet ein aus ineinander verschlungenen Fäden bestehendes Werk; er wurde ab dem 18. Jahrhundert von der Medizin als Metapher entliehen. Seine ursprüngliche, einfache topographische Reichweite wurde durch den funktionalen Begriff des Kreislaufs bereichert: Der Körper wird durch den Kreislauf des Blutes und des Nervennetzes mit Blut versorgt.

Danach wurde der Begriff auf zahlreiche gemeinschaftliche Einrichtungen angewandt: Straßen-, Bahn-, Postnetz usw. Im 19. Jahrhundert liegt er der Lehre von Saint-Simon und dessen Schule zugrunde, für den die organismische Anschauung des Netzes mit dem Doppelprinzip der Vermehrung der Verbindungen und des Kreislaufs zahlreiche, mehr oder weniger utopische Vorstellungen und Projekte generiert: Im Prinzip kann alles mit allem in Verbindung gesetzt werden und eine Kreislaufsdynamik auslösen, wie z.B. Personenverkehr, Warenverkehr oder Gedankenaustausch. Saint-Simon stützt sich auf den Gegensatz zwischen 'fest' und 'flüssig', wobei das eine die organische Struktur, das andere die für das Leben unentbehrliche stetige Bewegung sichert. Für diesen Denker ist das Netz nicht nur ein funktionelles Konzept, sondern auch der Vermittler einer Philosophie, sogar einer Mystik der verallgemeinerten Kommunikation.

(the stock exchanges), in the media (TV channels, cable, satellites)". [6]

Within this new widespread configuration many things have changed their nature: work has become submitted to a permanent mobility and reorganisation; power increasingly and frequently now involves the capacity to organise junctions from one network to another; space has become wiped out by virtualisation; time is turning into a strange mixture of the eternal and the ephemeral. This permanent access to all kinds of information, all cultures, all works, provides an effect of immediacy, of instantaneity, which seems to hold back time, but this immobility is accompanied by an unending succession of new combinations of images and sounds, immediately replaced by newer ones...

Pierre Lévy, reflecting on the multiple implications of this revolution, notes in 'L'intelligence collective', that the emergence of cyberspace brings even more acutely to the fore the questions concerning art since the end of the 19th century. Previously, and for a very long time, the artist was the one who produced (a transmission role or pole) an object or a specific message directed to the public (a receiver role or pole). Nowadays, the new configuration of the technical and cultural world brings forth the emergence of unexpected art forms, in which the distinction between transmitter and receiver is blurred. The 'open works' had already started this mutation by inviting the viewer to a

Der Begriff trat vor ein paar Jahrzehnten, um eine zusätzliche und wesentliche Konnotation bereichert, wieder verstärkt auf: die Konnotation der 'Information', wobei Information massiv und schnell durch vernetzte Computer bearbeitet werden kann. Der ursprüngliche Sinn des Begriffs wird wieder belegt: Es ist das 'Netz', die textile Metapher des kybernetischen Raums, in dem jeder mit jedem verbunden werden kann, wobei jeder 'Knoten' des Netzes in einem unbegrenzten Austausch- und Schöpfungsprozess wie beim Rhizom einen neuen Anfangspunkt und eine mögliche Abzweigung darstellt.

In seinem jüngsten Werk 'La société en réseaux' [The Rise of the Network Society] erklärt Manuel Castells, dass der gemeinsame Nenner für die verschiedenen Veränderungsspektren, die zur Zeit die Welt verändern, das Ersetzen von zentralisierten Strukturen durch Netzwerke ist. „Lange Zeit herrschten die Zentren: kein Staat ohne Hauptstadt, kein Unternehmen ohne zentrale Leitung. Informationen, Waren, Entscheidungen mussten aus einem einzigen Punkt stammen bzw. über diesen Punkt kommen oder zu diesem Punkt zurückkehren. [...] Heute findet man hauptsächlich Netze, d.h. miteinander verbundene Knoteneinheiten in der Politik (Europäische Union), in der Finanzwelt (Börsen), in den Medien (Fernsehsender, Kabel, Satelliten)." [6]

In dieser neuen, verstreuten Umgebung verändert sich vieles: Die Arbeit zwingt zur ständigen Mobilität und Reorgani-

temps se transforme en un étrange alliage d'éternel et d'éphémère. L'accès permanent à toutes les informations, toutes les cultures, toutes les œuvres, produit un effet d'immédiateté, d'instantanéité, qui semble arrêter le temps, mais cette immobilité s'accompagne d'une succession incessante de nouvelles combinaisons d'images et de sons, aussitôt chassées par de nouvelles...

Réfléchissant aux multiples implications de cette révolution, Pierre Lévy remarque dans 'L'intelligence collective' que l'émergence du cyberespace repose avec plus d'acuité les questions posées à propos de l'art depuis la fin du 19e siècle. Autrefois, et pendant très longtemps, l'artiste était celui qui produisait (pôle ou rôle émetteur) un objet ou un message singulier en direction d'un public (pôle ou rôle récepteur). Actuellement, la nouvelle configuration du monde technique et culturel suscite l'apparition de formes d'art inédites, dans lesquelles s'estompe la distinction entre émetteur et récepteur. Les 'œuvres ouvertes' avaient déjà amorcé cette mutation, en invitant le spectateur à une libre interprétation de l'œuvre. Mais désormais les herméneutes sont transformés en acteurs, l'artiste se bornant à susciter des processus, à suggérer des voies, à constituer un milieu « qui implique les destinataires et [...] mette l'interprétation en boucle avec l'action. »

L'interprétation en boucle avec l'action et donc une rétroaction cumulative de

free interpretation of the work. But today the hermeneutics have become the actors, while the artist just limits himself to provoking processes, to suggesting ways, to making up a place "which implicates the viewers and [...] puts interpretation in a loop with action".

Interpretation in a loop with action, and therefore a cumulative retroaction of one upon the other: do we not see, in this remarkable expression, both our themes joining up and holding hands?...

GENEVIÈVE MOSSERAY, HOLDER OF A DEGREE IN PHILOSOPHY AND CLASSICAL LETTERS FROM THE CATHOLIC UNIVERSITY OF LOUVAIN (BELGIUM), HAS HELD EPISTEMOLOGY SEMINARS IN THE LAW FACULTY OF THE UNIVERSITY OF NAMUR, AND CLASSES IN CULTURAL ANTHROPOLOGY IN THE ÉCOLE SUPÉRIEURE DE SERVICE SOCIAL IN CHARLEROI. SHE IS CURRENTLY ARCHIVIST IN THE CENTRE OF ARCHIVES OF FRENCH PHILOSOPHY (19TH-20TH CENTURIES) IN THE FACULTY OF PHILOSOPHY OF THE CATHOLIC UNIVERSITY OF LOUVAIN. SHE IS ALSO THE AUTHOR OF MANY ARTICLES AND REVIEWS.

1. MORIN (EDGAR), 'LA MÉTHODE', IN *LA NATURE DE LA NATURE*, SEUIL, PARIS, P. 1983-184.

2. GIRARD (RENÉ), *DES CHOSES CACHÉES DEPUIS LA FONDATION DU MONDE*, GRASSET, PARIS, P. 317.

3. SHAKESPEARE (WILLIAM), *HAMLET*, ACT IV, SCENE 3.

4. THE OXFORD DICTIONARY OF ENGLISH.

5. *LETTRES PHILOSOPHIQUES DE MAURICE BLONDEL*, AUBIER-MONTAIGNE, PARIS, LETTER DATED 6 MAY 1889.

6. CASTELLS (MANUEL), 'LA SOCIÉTÉ EN RÉSEAUX', IN *L'ÈRE DE L'INFORMATION*, FAYARD, PARIS, P. 22.

l'une sur l'autre : ne voyons-nous pas, dans cette expression remarquable, nos deux thèmes se rejoindre et se donner la main ?...

GENEVIÈVE MOSSERAY, LICENCIÉE EN PHILOSOPHIE ET LETTRES CLASSIQUES À L'UNIVERSITÉ CATHOLIQUE DE LOUVAIN (BELGIQUE), A DONNÉ DES SÉMINAIRES D'ÉPISTÉMOLOGIE À LA FACULTÉ DE DROIT DES FACULTÉS UNIVERSITAIRES DE NAMUR, ET DES COURS D'ANTHROPOLOGIE CULTURELLE À L'ÉCOLE SUPÉRIEURE DE SERVICE SOCIAL DE CHARLEROI. ELLE EST ACTUELLEMENT ARCHIVISTE AU CENTRE D'ARCHIVES DE PHILOSOPHIE FRANÇAISE (19E-20E SIÈCLES) DE LA FACULTÉ DE PHILOSOPHIE DE L'UNIVERSITÉ CATHOLIQUE DE LOUVAIN. ELLE EST ÉGALEMENT L'AUTEUR DE NOMBREUX ARTICLES ET COMPTES RENDUS.

1. MORIN (EDGAR), 'LA MÉTHODE', DANS *LA NATURE DE LA NATURE*, SEUIL, PARIS, P. 183-184.

2. GIRARD (RENÉ), *DES CHOSES CACHÉES DEPUIS LA FONDATION DU MONDE*, GRASSET, PARIS, P. 317.

3. SHAKESPEARE (WILLIAM), *HAMLET*, ACTE IV, SCÈNE 3.

4. LE PETIT ROBERT, DICTIONNAIRE DE LA LANGUE FRANÇAISE.

5. *LETTRES PHILOSOPHIQUES DE MAURICE BLONDEL*, AUBIER-MONTAIGNE, PARIS, LETTRE DU 6 MAI 1889.

6. CASTELLS (MANUEL), 'LA SOCIÉTÉ EN RÉSEAUX', DANS *L'ÈRE DE L'INFORMATION*, FAYARD, PARIS, P. 22.

sation; die Macht besteht immer mehr aus der Fähigkeit, Verbindungen zwischen Netzen herzustellen; der Raum wird durch Virtualisierung wegradiert; die Zeit verwandelt sich in eine merkwürdige Mischung aus Ewigem und Kurzlebigem. Der ständige Zugriff auf alle Informationen, alle Kulturen, alle Werke generiert eine Art Unmittelbarkeit und Augenblicklichkeit, die die Zeit scheinbar zum Stillstand bringt. Diese Starre geht jedoch unaufhörlich mit neuen Bild- und Klangkombinationen einher, die sofort wieder von neueren verdrängt werden...

Als Pierre Lévy in 'L'intelligence collective' über die vielfachen Folgen dieser Revolution nachdachte, stellte er fest, dass die Entstehung des Cyberspace seit Ende des 19. Jahrhunderts in Bezug auf die Kunst gestellte Fragen verschärft wieder stellt. Früher und sehr lange Zeit war der Künstler derjenige, der für ein Publikum (Empfängerpol bzw. Empfängerrolle) einen außergewöhnlichen Gegenstand bzw. eine außergewöhnliche Botschaft produzierte (Sendepol bzw. Senderrolle). Heute entstehen durch die Neugestaltung der technischen und kulturellen Welt ganz neue Kunstformen, bei denen sich die Unterscheidung zwischen Sender und Empfänger verwischt. Die 'offenen Werke' hatten diesen Umbruch bereits eingeleitet, indem der Zuschauer die Werke frei interpretieren durfte. Hermeneutiker sind aber neuerdings zu Akteuren geworden, und der Künstler beschränkt sich darauf, Prozesse zu generieren, Wege vorzuschlagen, eine Umgebung zu schaffen, „welche die

Empfänger mit einbezieht und [...] in der die Deutung mit der Handlung eine Schleife bildet.“

Deutung und Handlung als eine Schleife, also eine gegenseitige kumulative Rückkopplung: Sehen wir nicht in diesem bemerkenswerten Ausdruck, wie unsere beiden Themen aufeinander treffen und sich die Hand geben? ...

GENEVIÈVE MOSSERAY HAT PHILOSOPHIE UND ALTPHILOLOGIE AN DER KATHOLISCHEN UNIVERSITÄT VON LEUVEN (BELGIEN) STUDIERT. SIE HIELT SEMINARE ÜBER EPISTEMOLOGIE AN DER JURISTISCHEN FAKULTÄT DER UNIVERSITÄT VON NAMUR UND GIBT HEUTE UNTERRICHT IN KULTURELLER ANTHROPOLOGIE AN DER ÉCOLE SUPÉRIEURE DE SERVICE SOCIAL VON CHARLEROI. SIE ARBEITET ZUR ZEIT ALS ARCHIVARIN IM ARCHIVZENTRUM FÜR FRANZÖSISCHE PHILOSOPHIE (19.-20. JAHRHUNDERT) DER PHILOSOPHISCHEN FAKULTÄT DER KATHOLISCHEN UNIVERSITÄT VON LEUVEN. SIE IST AUTORIN ZAHLREICHER ARTIKEL UND BERICHTE.

1. MORIN (EDGAR), 'LA MÉTHODE', IN *LA NATURE DE LA NATURE*, SEUIL, PARIS, S. 183-184.

2. GIRARD (RENÉ), *DES CHOSES CACHÉES DEPUIS LA FONDATION DU MONDE*, GRASSET, PARIS, S. 317.

3. SHAKESPEARE (WILLIAM), *HAMLET*, AKT IV, SZENE 3.

4. DUDEN, DEUTSCHES UNIVERSALWÖRTERBUCH.

5. *LETTRES PHILOSOPHIQUES DE MAURICE BLONDEL*, AUBIER-MONTAIGNE, PARIS, BRIEF VOM 6. MAI 1889.

6. CASTELLS (MANUEL), 'LA SOCIÉTÉ EN RÉSEAUX', IN *L'ÈRE DE L'INFORMATION*, FAYARD, PARIS, S. 22.

GLOSSAR

GLOSSAIRE

GLOSSARY

BOUCLE
Le problème résulte du fait que des sons reproduits par un haut-parleur sont simultanément absorbés par un microphone, que le microphone retourne immédiatement les sons au haut-parleur, créant ainsi une boucle. Cette boucle va croissant et génère ce fameux sifflement énervant.

HAWEL (Hubert), directeur du son à l'ORF (compagnie autrichienne de télévision et de radiodiffusion, studio régional de Haute-Autriche, dans une conférence sur le thème de l'effet Larsen le 10.12.2001.

BOUCLES DE RÉTROACTION
Tout est noué en [...] boucles de structures dynamiques : la transformation de la nourriture en énergie, la contraction musculaire, le réglage de la température corporelle, la répartition des hormones et des neurotransmetteurs, les réflexes tels la dilatation pupillaire en cas d'obscurité soudaine ou l'accélération des pulsations cardiaques en cas de danger. Les boucles de rétroaction négatives ont un effet de réglage, les positives un effet d'amplification. [...]
De manière similaire, nos pensées et nos sentiments les plus intimes sont le résultat de rétroactions permanentes provoquées par l'infiltration des pensées et des sentiments de tiers qui ont une influence sur nous. Notre individualité fait très résolument partie d'un processus collectif. À la racine de ce processus se trouvent des rétroactions.

BRIGGS (John), PEAT (F. David), Die Entdeckung des Chaos. Eine Reise durch die Chaos-Theorie, *Carl Hanser, Munich 1990, p. 229 et s.*

DIAGRAMME 1
Imaginons un diagramme en forme de réseau figurant dans ton espace de représentation. À un moment donné (le réseau représente l'état spécifique à chaque situation variable), il se compose d'une multitude de points (sommets) reliés les uns aux autres par une multitude de ramifications (chemins). Chaque point représente une thèse ou un élément clairement définissable d'une quantité empirique bien définie. Chaque chemin représente une connexion ou une relation entre deux thèses ou plus [...]. Toutefois, par définition, aucun point n'est privilégié par

BILD = BEWEGUNG
Tatsächlich befinden wir uns vor der Exposition einer Welt, in der BILD = BEWEGUNG ist. Nennen wir Bild die Menge dessen, was erscheint. Man kann nicht einmal sagen, dass ein Bild auf ein anderes einwirkt oder auf ein anderes reagiert. Es gibt nichts Bewegliches, das sich von der ausgeführten Bewegung unterschiede, es gibt nichts Bewegtes, das getrennt von der übertragenen Bewegung bestünde. Alle Dinge, das heißt alle Bilder fallen mit ihren Aktionen und Reaktionen zusammen: das ist die universelle Veränderlichkeit.

DELEUZE (Gilles), Das Bewegungs-Bild. Kino 1, Suhrkamp, stw 1288, Frankfurt 1989 (1997), S. 86.

DIAGRAMM 1
Stellen wir uns ein netzförmiges Diagramm vor, das in deinen Darstellungsraum eingezeichnet ist. Zu einem bestimmten Zeitpunkt (repräsentiert das Netz den je spezifischen Zustand einer veränderlichen Situation) besteht es aus einer Mehrzahl von Punkten (Gipfeln), die untereinander durch eine Mehrzahl von Verzweigungen (Wegen) verbunden sind. Jeder Punkt repräsentiert eine These oder ein eindeutig definierbares Element einer wohlbestimmten empirischen Menge. Jeder Weg steht für eine Verbindung oder Beziehung zwischen zwei oder mehreren Thesen [...]. Dabei ist per definitionem kein Punkt gegenüber einem anderen privilegiert, und keiner ist einseitig einem anderen untergeordnet; jeder Punkt hat seine eigene Kraft (die in der Zeit möglicherweise variiert), seinen eigenen Wirkungsbereich oder sein eigenes Determinationsvermögen.

Serres (Michel), 'Das Kommunikationsnetz: Penelope', in Kursbuch Medienkultur. Die maßgeblichen Theorien von Brecht bis Baudrillard. *Claus Pias, Joseph Vogl, Lorenz Engell, Oliver Fahle und Britta Neitzel (Hg), DVA Stuttgart 1999, S. 155.*

DIAGRAMM 2
Das Diagramm hat weder mit einer transzendenten Idee noch mit einer ideologischen Superstruktur etwas zu tun, weil es von jeder Aussage schon vorausgesetzt wird. [...]
Das Diagramm, das ist die Karte, die Kartographie. Es ist streng koextensiv zum gesamten

COINCIDENCE 1
At best, results of planning will show us ways that may in all probability, but never with total certainty, lead to attaining a goal. What might be represented as a determining process at the model level is possibly infiltrated stochastically in actual fact and 'truth'.
Coincidental changes in the course of processual sequences usually impair the amenability of things and events to planning. Planning seeks to limit outside determination and coincidental impacts on what has been planned: the irritating unity of necessity and coincidence denies access to thought.

ERNI (Peter), HUWILER (Martin), MARCHAND (Christophe), transfer. erkennen und bewirken, *Verlag Lars Müller, Baden 1999, p. 329.*

COINCIDENCE 2
We usually call events coincidental if we are unable to identify their causes. As causes are in turn events the causes of which give rise to speculation, chains of causes will appear and their beginnings will, in the final analysis, be shrouded in coincidence. Nothing happens without a cause - nihil fit sine causa. Since the days of antiquity this 'principle of causality' has made tempers of philosophers, scientists and gamblers run high. But does not 'coincidence' exist, too? Is it not possible that something happens without a cause? We must admit that things may happen without an identifiable cause, and we could say that our poor ability to identify causes is the reason why we thought up the excuse of coincidence.

SCHEID (Harald), Zufall. Kausalität und Chaos in Alltag und Wissenschaft, *BI Taschenbuchverlag, Mannheim, Leipzig, Vienna, Zurich, 1996 (Meyers Forum 36), p. 10.*

DIAGRAM 1
Let us imagine a net-shaped diagram mapped in your space of representation. At a certain point of time (the net represents the respective state of a situation subject to changes) it consists of a multiplicity of points (peaks) which are connected amongst themselves by a multiplicity of branches (paths). Each point represents a thesis or an unequivocally definable element in a well-determined empirical set. Each

gesellschaftlichen Feld, das es einer restlosen Parzellierung unterwirft. Es sichert das Wachstum, indem es einer Vielheit eine nützliche Größe entzieht, eine zusammengesetzte Kraft, die größer ist als die einer einfachen Summe. Es richtet überall Machtbeziehungen ein, streut sie aus, lässt sie 'nicht oberhalb, sondern innerhalb des Gefüges der Vielheit' spielen. Die Brennpunkte der Macht errichten sich nicht mehr bloß am Eingang und am Ausgang, sondern kontinuierlich und im Inneren.

DELEUZE (Gilles), FOUCAULT (Michel), Der Faden ist gerissen, *Merve Verlag, Berlin 1977, S. 117f.*

DIAGRAMM 3
Ein Diagramm funktioniert niemals als Repräsentation einer objektivierten Welt, es organisiert vielmehr einen neuen Typ von Realität. Das Diagramm ist keine Wissenschaft, sondern stets eine politische Angelegenheit. Es ist kein Subjekt der Geschichte, es ist nicht das, was die Geschichte überragt. Es macht Geschichte, indem es die vorangegangenen Realitäten und Bezeichnungen auflöst und im gleichen Zuge neue Auftritts- und Erfindungspunkte, unerwartete Zusammentreffen und unwahrscheinliche Kontinuen konstituiert.

DELEUZE (Gilles), FOUCAULT (Michel), Der Faden ist gerissen, *Merve Verlag, Berlin 1977, S. 128.*

ECHO
(WIDERHALL)
1. akustischer Widerhall entsteht bei Reflexion des Schalles an relativ großflächigen Hindernissen. Das Ohr braucht zur deutlichen Trennung zweier Schallimpulse etwa 0,2 Sekunden, der Abstand des Hindernisses muss also wenigstens etwa 33 Meter sein. Schneller aufeinanderfolgende mehrfache Echos, z.B. in Räumen mit parallelen Wänden, verschmelzen zu einem zusammenhängenden Eindruck, dem Nachhall.
2. durch Reflexion elektromagnetischer Wellen an Hindernissen (Inhomogenitäten) verursachte, dem akustischen Echo vergleichbare Erscheinung: Gegenüber dem direkten Signal gedämpfte und um die Laufzeit verzögerte Signale treffen am Empfangsort ein. Das Echo kann störend oder nützlich sein. [...]

Der Große Brockhaus, *Band 5 (Aktualisierte 18. Auflage in 26*

rapport à un autre, et aucun point n'est subordonné unilatéralement à un autre : chaque point possède sa propre force (qui peut éventuellement varier dans le temps), son propre champ d'action ou sa propre capacité de détermination.

SERRES (Michel), 'Das Kommunikationsnetz: Penelope', dans Kursbuch Medienkultur. Die maßgeblichen Theorien von Brecht bis Baudrillard. *Claus Pias, Joseph Vogl, Lorenz Engell, Oliver Fahle et Britta Neitzel (éd.), DVA Stuttgart 1999, p. 155.*

DIAGRAMME 2
Le diagramme n'a rien à voir avec une idée transcendante ou avec une superstructure idéologique parce qu'il est déjà supposé par toute déclaration. [...] Le diagramme, c'est la carte, la cartographie. Il est strictement coextensif à l'ensemble du champ social qu'il soumet à une parcellisation totale. Il assure la croissance en retirant à une multitude une grandeur utile, une force composite supérieure à celle d'une simple somme. Il établit partout des rapports de force, les dissémine, les fait jouer 'non pas au-dessus, mais à l'intérieur de la structure de la multitude'. Les centres du pouvoir ne s'établissent plus simplement à l'entrée et à la sortie, mais de manière continue et à l'intérieur.

DELEUZE (Gilles), FOUCAULT (Michel), Der Faden ist gerissen, *Merve Verlag, Berlin 1977, p. 117 et s.*

DIAGRAMME 3
Un diagramme ne fonctionne jamais comme la représentation d'un monde objectivé, mais organise plutôt un nouveau type de réalité. Le diagramme n'est pas une science, mais toujours une affaire politique. Ce n'est pas un sujet de l'histoire, ce n'est pas ce qui dépasse l'histoire. Il fait l'histoire en dissolvant les réalités et les désignations précédentes et en constituant, dans le même temps, de nouveaux points d'apparition et d'invention, des coïncidences fortuites et des continuums invraisemblables.

DELEUZE (Gilles), FOUCAULT (Michel), Der Faden ist gerissen, *Merve Verlag, Berlin 1977, p. 128.*

ÉCHO
(RÉFLEXION DU SON)
1. Émission acoustique provoquée par la

path stands for a link or relation between two or more theses [...]. By definition none of these points is more privileged than another one or unilaterally subordinate to another one; each point has its own force (which may vary over time), its own sphere of action or its own determinative ability.

SERRES (Michel), 'Das Kommunikationsnetz: Penelope', in Kursbuch Medienkultur. Die maßgeblichen Theorien von Brecht bis Baudrillard. *Claus Pias, Joseph Vogl, Lorenz Engell, Oliver Fahle and Britta Neitzel (eds.), DVA Stuttgart 1999, p. 155.*

Diagram 2
The diagram is neither to do with a transcendental idea nor with an ideological superstructure because it is always already a prerequisite of any statement. [...]
The diagram is the map, the cartography. It is in strict co-extension with the entire social field which it subjects to thorough division. It ensures growth by withdrawing a useful quantity from a multiplicity, a composite force which is larger than that of a simple sum total. It creates relations of power everywhere, disseminates them, allows them to play 'not above but within the structure of multiplicity.' The focuses of power do not establish themselves at the entry and exit any longer but continuously and within.

DELEUZE (Gilles), FOUCAULT (Michel), Der Faden ist gerissen, *Merve, Berlin 1977, p. 117 et seq.*

DIAGRAM 3
A diagram never functions as the representation of an objectified world; much rather, it organises a new type of reality. The diagram is not a science but always a political matter. It is not a subject of history, it is not what towers over history. It writes history by causing previous realities and denominations to disintegrate while at the same time constituting new points of appearance and invention, unexpected encounters and improbable continua.

DELEUZE (Gilles), FOUCAULT (Michel), Der Faden ist gerissen, *Merve, Berlin 1977, p. 128.*

ECHO
(REVERBERATION)
1) Acoustic reverberation, caused when sound

réflexion du son sur des obstacles de taille relativement importante. Il faut 0,2 secondes à l'oreille pour nettement distinguer la succession de deux ondes sonores : par conséquent, la distance séparant la source sonore de l'obstacle doit être de minimum 33 mètres environ. Des échos successifs et rapprochés se produisant p.ex. dans des salles aux murs parallèles, se fondent en un son persistant, la réverbération.
2. Phénomène provoqué par la réflexion d'ondes électromagnétiques sur des obstacles (manque d'homogénéité), comparable à l'écho acoustique : des signaux amortis par rapport au signal direct et retardés dans la durée de transmission atteignent le lieu de réception. L'écho peut être nuisible ou utile. [...]

Der Große Brockhaus, *vol. 5 (18e éd. mise à jour, 26 vol.), Brockhaus, Wiesbaden 1983.*

HASARD 1
Les résultats de ce qui est planifié démontrent tout au plus des voies, qui mènent à la réalisation d'un but avec une probabilité accrue mais jamais en toute fiabilité. Ce qui peut s'avérer un processus déterminant au niveau du modèle réduit est peut-être dans l'acte et dans la 'vérité' infiltré par un effet stochastique. Des changements fortuits qui interviennent dans les déroulements de processus influencent en règle générale la prévisibilité des choses et des événements. La planification tente d'endiguer la détermination extérieure et le caractère fortuit de l'événement planifié : l'unité irritante de la nécessité et du hasard échappe à la pensée.

ERNI (Peter), HUWILER (Martin), MARCHAND (Christophe), transfer. erkennen und bewirken, *Verlag Lars Müller, Baden 1999, p. 329.*

HASARD 2
On appelle fortuits des événements dont les causes ne sont pas reconnaissables. Les causes étant elles-mêmes des événements sur la causalité desquels on peut spéculer, on voit apparaître des chaînes de causes dont les débuts finissent par se fondre de nouveau dans le hasard. Toute chose a une cause – nihil fit sine causa. Depuis l'Antiquité ce 'principe de causalité' échauffe les esprits

Bänden), Brockhaus, Wiesbaden 1983.

GEGENKOPPLUNG
(NEGATIVE FEEDBACK, REVERSE FEEDBACK)
In einer elektronischen Schaltung eine negativ wirkende Rückkopplung, die das Eingangssignal abschwächt, im Gegensatz zur Mitkopplung, die es verstärkt.

Wörterbuch Physik, *Waloschek (Pedro), DTV, München 1998.*

INNEN UND AUßEN
Innen ist eine andere Wirklichkeit als Außen. Innen bedeutet, dass die Dinge zu uns gehören und organisiert sind. Die Dinge sind darin aufgeschlossen und sind mit uns verbunden. Dadurch befindet sich der Raum im Zustand eines virulenten Austausches. Wir sind darin empfindlich und störanfälliger, aber auch reagibler. Das Innen hat die Wirkung der Verarbeitung, Regeneration und der Wiederherstellung der persönlichen Identität. Innen und Außen sind Codierungen und können alles betreffen. Es sind ambulante Werte. Sie hängen mit einer Kultur und Lebensweise zusammen.
Auch die Grenze zwischen Innen und Außen ist ambulant und frei verschieblich. Deshalb können wir uns so weit in uns zurückziehen, dass sogar unser Körper draußen sein und sich als etwas anderes, fremdes gegen uns richten kann. [...]
Es gibt kein Innen und Außen an sich. Innen und Außen sind Formen der Aufarbeitung. Wenn etwas nicht einfach nur als gegeben vorkommt, sondern so eingearbeitet wird, dass wir in den Wirkungen mit drin sind, so haben wir dadurch, altmodisch gesagt, 'Seele'. Es ist unser größerer Körper. Es ist die Bedingung für das Entstehen von Welten, Eigenheit und damit Identität. Deshalb sind wir auch betreffbar, wenn es unseren Hund, unser Auto oder unsere Umgebung trifft.

BAIER (Franz Xaver), Der Raum, *Kunstwissenschaftliche Bibliothek Band 2, Verlag der Buchhandlung Walther König, Köln 2000, S. 54-55.*

MITKOPPLUNG
(POSITIVE FEEDBACK)
In einer elektronischen Schaltung eine positive Rückkopplung, die das Eingangssignal verstärkt, im Gegensatz zur Gegenkopplung, die es abschwächt.

Wörterbuch Physik, *Waloschek (Pedro), DTV, München 1998.*

is reflected by obstacles with relatively large surfaces. The ear needs about 0.2 seconds to clearly separate two sound impulses, therefore the obstacle must be located at a distance of no less than 33 meters. Several echoes in rapid succession, e.g. in rooms with parallel walls, merge and give rise to the impression of one sound, repercussion.
2) Phenomenon caused when electromagnetic waves are reflected by obstacles (inhomogeneities), comparable to acoustic echo: signals dampened in comparison with the direct signal and delayed by transit time arrive at the place of reception. An echo can be disturbing or useful. [...]

Der Große Brockhaus, *vol. 5 (18th revised ed., 26 vol.), Brockhaus, Wiesbaden 1983.*

FEEDBACK 1
Principle underlying the functioning of closed loops. A dynamic system or part of a system is subject to feedback if changes in one of its outputs has an impact on its inputs. We mainly distinguish between two types of feedback: If the impact contributes to maintaining system stability, it is called compensatory feedback. If the impact undermines the stability of the system, this is called cumulative feedback. This type of feedback may lead to qualitative changes in or destruction of the system. [...]
Philosophically speaking, feedback is a special kind of interaction.

Wörterbuch der Kybernetik, *vol. 2:* Metasprache - zyklisch permutierter Code, *Fischer Bücherei, Frankfurt 1969, p. 537 et seq.*

FEEDBACK 2
Return flow of information about the behaviour of the system into the system in such a way that it has an effect on the future behaviour of the system. The term is derived from cybernetics, in particular from the theory of closed loops, where the word 'feedback' is used when changes in an output have an impact on a dynamic system or part of a system. Positive or cumulative feedback means that the interactions of outputs and inputs generate dynamics of their own, thus causing qualitative changes in the system which destabilise the

NUNC STANS – DAS STEHENDE JETZT
Wir haben heutzutage Instrumente der Synchronologie, mit denen alle Räume gleichzeitig präsent sind. In dem Moment, wo ich diese Räume gleichzeitig schalte, bin ich aus diesen drei Räumen in eine stehende Zeit, in ein 'nunc stans', ein 'stehendes Jetzt' ausgebrochen. Der neue Begriff, um den sich alles dreht, ist das 'stehende Jetzt'. Das ist ein mittelalterlicher Begriff, der heute einen ganz anderen Sinn bekommen hat. Für das mittelalterliche Denken war Gott das 'stehende Jetzt'.

FLUSSER (Villém), 'Virtuelle Räume – Simultane Welten', in Arch+. Zeitschrift für Architektur und Städtebau, *No 111, Aachen 1992, S. 44.*

REFERENZORDNUNG
Codierungen sind lernbar, Codierungen sind eine Notwendigkeit, sie sind ein Zwang, ohne sie zerfiele der Austausch zwischen den Handelnden und die Summe wirrer Partikel sozialer Entropie wäre die böse Konsequenz. Deshalb der Hang und der Zwang zur Reglementierung und zur Absprache dessen, was man unter was zu verstehen hat. Tatsächlich ist besagte Verknüpfung zwischen einem fokalen Objekt und dessen Referenzordnung das Resultat eines vereinigenden Akts agierender Akteure. Sie ist willkürliche Konstruktion, gründend auf der urteilenden Willkür kulturspezifischer Kompetenz. Diese ist einem stetigen Wandel unterworfen, zeigt sich als ein Flatterhaftes im transkulturellen wie im historischen Vergleich. Die erkennende Instanz konstruiert sich ein fokales Objekt in Abhängigkeit zu den herrschenden Verhaltensmustern; sie sucht in der Unermesslichkeit möglicher Referenzordnungen jene Verweisgefüge auszumachen, die ihr und ihresgleichen aufgrund kultureller Zugehörigkeit als plausibel erscheinen, heute, im Moment, im Rahmen der momentanen Großwetterlage.

ERNI (Peter), HUWILER (Martin), MARCHAND (Christophe), transfer. erkennen und bewirken, *Verlag Lars Müller, Baden 1999, S. 17.*

RESONANZ
Was Resonanz ist, weiß im Grunde jeder. Wenn ein Lastwagen vorbeifährt, zittern die Scheiben; im Mai 1992 brach in einem Fußball-

des philosophes, scientifiques et joueurs de jeux de hasard. Mais le 'hasard' n'interviendrait-il donc vraiment pas ? Rien n'arriverait donc sans cause ? On avouera que des choses peuvent se produire sans cause reconnaissable, et l'on pourrait dire que c'est en raison de notre incapacité à reconnaître les causes que nous invoquons l'excuse du hasard.

SCHEID (Harald), Zufall. Kausalität und Chaos in Alltag und Wissenschaft, *BI Taschenbuchverlag, Mannheim, Leipzig, Vienne, Zurich, 1996 (Meyers Forum 36), p. 10.*

IMAGE = MOUVEMENT
Nous nous trouvons en réalité devant l'exposition d'un monde dans lequel IMAGE = MOUVEMENT. Nous appellerons image la quantité de ce qui apparaît. On ne peut même pas dire qu'une image exerce une influence sur une autre ou réagisse par rapport à une autre. Il n'y a rien de mobile que l'on puisse différencier du mouvement réalisé, il n'y a rien de mû qui puisse exister séparé du mouvement retransmis. Toutes les choses, c'est-à-dire toutes les images, coïncident avec leurs actions et réactions : telle est la variabilité universelle.

DELEUZE (Gilles), Das Bewegungs-Bild. Kino 1, *Suhrkamp, stw 1288, Francfort 1989 (1997), p. 86.*

INTÉRIEUR ET EXTÉRIEUR
Intérieur et extérieur constituent deux réalités différentes. L'intérieur signifie que les choses font partie de nous et sont organisées. Les choses y sont ouvertes et reliées à nous. L'espace se trouve ainsi dans un état d'échange virulent. À l'intérieur, nous sommes sensibles et plus sujets aux perturbations, mais également plus réactifs. L'intérieur génère un effet de transformation, de régénération et de rétablissement de l'identité personnelle. L'intérieur et l'extérieur sont des codifications et peuvent porter sur tout. Ce sont des valeurs ambulantes. Elles sont liées à une culture et à un mode de vie. La frontière entre l'intérieur et l'extérieur est également ambulante et flexible à souhait. C'est pourquoi nous pouvons nous retirer si profondément en nous-mêmes qu'il peut arriver que notre propre corps reste à l'extérieur et se dirige

control balance and either destroy the control loop or transfer it to a new state (e.g. process of learning, self-organisation, development). Negative or compensatory feedback is defined as using the impact of the output on the input to balance disturbances in the control process so as to stabilise the system behaviour. [...] Feedback is thus a special type of interaction, a 'reflexive mechanism' in the widest sense, and a principle upon which the dynamics of certain processes in technical, as well as economic and social systems are based.

Wörterbuch der Soziologie. *Günter Endruweit, Gisela Trommsdorff (eds.), vol. 2:* Ich – Rückkopplung, *Stuttgart, Enke 1989 (published in co-opeation with DTV), p. 553.*

FEEDBACK 3
If microphones and loudspeakers are located in the same room, there is a risk of self-starting oscillations in the PA system caused by acoustic feedback. Acoustic feedback requires a closed transmission circuit. The microphone records a sound, it is amplified and transmitted through the loudspeaker, the sound waves from the loudspeaker are again picked up by the microphone, amplified and transmitted to the loudspeaker etc. If the sound from the loudspeaker has a slightly higher volume than the primary sound and the phase difference between the signals converges on 0, self-starting oscillations occur due to feedback. Feedback is strongly dependent on frequencies due to the frequency-related transfer constant of loudspeaker and microphone and the space across which the sound is transferred because the latter emits its own specific oscillations. For this reason the conditions for feedback are in general only fulfilled for one or a few frequencies – a high-pitched noise is heard.

Handbuch der Tonstudiotechnik. *Michael Dichreiter, SRT – Schule für Rundfunktechnik (ed.), vol. 1:* Raumakustik, Schallquellen, Schallwahrnehmung, Schallwandler, Beschallungstechnik, Aufnahmetechnik, Klanggestaltung *(6th revised edition), K. G. Saur, Munich 1997, p. 240.*

contre nous comme un élément à part, étranger. [...]
Il n'existe pas d'intérieur et d'extérieur en soi. L'intérieur et l'extérieur sont des formes d'exploitation. Lorsque quelque chose ne semble pas aller de soi mais est intégrée de manière à ce que nous soyons au sein même des actions, nous avons alors, en termes surannés, une 'âme'. C'est notre corps à plus grande échelle. C'est la condition pour que se constituent des mondes, la particularité et par là même l'identité. C'est la raison pour laquelle nous sommes si concernés par tout ce qui touche notre chien, notre voiture ou notre entourage.

BAIER (Franz Xaver), Der Raum, *Kunstwissenschaftliche Bibliothek vol. 2, Buchhandlung Walther König, Cologne 2000, p. 54-55.*

JEU 1
Si on considère le jeu d'après sa forme, on peut dire de lui, de manière récapitulative, qu'il s'agit d'un acte libre ressenti comme 'n'étant pas ce que l'on veut dire' et se trouvant en dehors de la vie ordinaire mais pouvant malgré tout entièrement monopoliser le joueur. Il n'est assorti d'aucun intérêt matériel et on n'en retire aucun profit ; il a lieu pendant un temps préalablement déterminé et dans un espace spécialement défini ; il se déroule en suivant certaines règles et donne naissance à des associations collectives qui, pour leur part, aiment s'entourer d'un certain mystère ou se démarquer du monde ordinaire par déguisement.

HUIZINGA (Johan), Homo Ludens. Vom Ursprung der Kultur im Spiel, *Rowohlt (rowohlts deutsche enzyklopädie vol. 21), Hambourg 1956, p. 22.*

JEU 2
Car dans le jeu nous savourons la possibilité de récupérer les possibilités perdues, voire d'accéder, bien au-delà, au monde ouvert d'un mode d'existence qui n'est ni fixé ni lié. Nous pouvons nous défaire du poids de l'histoire de notre propre vie, pouvons 'choisir' ce que nous voulons être, pouvons nous glisser dans n'importe quel rôle de l'existence. [...] Nous ne pouvons échapper que de manière illusoire à notre vraie vie où tout est déjà joué. [...]
Personne ne contestera

stadion auf Korsika eine Tribüne zusammen, weil die Fans rhythmisch stampften und dadurch die Tribüne in Resonanzschwingungen brachten; wenn man am Klavier bei getretenem Pedal das C anschlägt, schwingen das obere und das untere C, dann auch die Quinten und Terzen und schließlich das ganze Saitensystem mit; hören können wir nur deshalb, weil die Schallquelle und unser inneres Ohr in Resonanz treten. Alle Schwingungen oder auch Zeitkreise können, wenn sie auf ein passendes System treffen, in diesem Resonanz erzeugen: Atome, Photonen, Himmelskörper. Und Resonanz ist immer auch ein zeitliches Geschehen: Ein System prägt dem anderen seine Eigenfrequenz, seine Eigenzeit auf.

CRAMER (Friedrich), Der Zeitbaum. Grundlegung einer allgemeinen Zeittheorie, *Insel, Frankfurt 1996, S. 164.*

RESONANZEN
Zeitresonanzen, Synchronisation von Uhren gibt es in allen Bereichen des Lebens und sie sind jedem geläufig. Der Hund ist synchronisiert mit seinem Herrn, die Amsel singt ihr Morgenlied, die Fledermäuse holen sich in der Abenddämmerung die dann ausschwärmenden Insekten, überhaupt sind Räuber und Beute streng miteinander synchronisiert, und solche Systeme können nach dem Verhulstschen Gesetz in chaotische Oszillationen geraten.

CRAMER (Friedrich), Der Zeitbaum. Grundlegung einer allgemeinen Zeittheorie, *Insel, Frankfurt 1996.*

RÜCKKOPPLUNG 1
Funktionsprinzip von Regelkreisen. Ein dynamisches System bzw. Teilsystem hat eine Rückkopplung, wenn die Änderungen einer seiner Ausgangsgrößen auf Eingangsgrößen zurückwirken. Man unterscheidet zwei Hauptformen der Rückkopplung: Tragen die Rückwirkungen dazu bei, die Stabilität des Systems aufrechtzuerhalten, liegt kompensierende Rückkopplung vor. In diesem Falle werden z.B. auf das System einwirkende schädliche Störungen paralysiert. Kumulative Rückkopplung dagegen besteht dann, wenn die Rückwirkungen dazu führen, die Stabilität des Systems aufzuheben. Diese Art der Rückkopplung kann zur qualitativen Veränderung oder zur Zerstörung des

FEEDBACK 4
The return transfer of part of the output to the input in electronic circuits. We distinguish between two types of feedback: positive (cumulative) feedback and negative (compensatory) feedback.

Wörterbuch Physik, *Waloschek (Pedro), DTV, Munich 1998.*

FEEDBACK 5
Much feedback takes place between body and mind. We will mostly be able to think better if we are in good physical shape. Thoughts can motivate us to deliver top physical performance, psychological pain and experiences we have not coped with may do physical damage.

CRAMER (Friedrich), Der Zeitbaum. Grundlegung einer allgemeinen Zeittheorie, *Insel, Frankfurt 1996, p. 249.*

FEEDBACK - COMPENSATORY/ CUMULATIVE
Feedback is the fundamental principle in all types of control based on control loop structures. A dynamic system (part of a system) is subject to feedback when changes in its outputs have an impact on the mass or modality of its inputs. If feedback contributes to maintaining the stability of the system, this is called compensating feedback. If feedback eliminates the stability of the system – causing it to change in terms of quality or quantity, or even to tend to disintegration – this is defined as cumulative feedback.

ERNI (Peter), HUWILER (Martin), MARCHAND (Christophe), transfer. erkennen und bewirken, *Verlag Lars Müller, Baden 1999, p. 135.*

FEEDBACK LOOPS
Everything is [...] linked in loops of living structures: the transformation of food into energy, the contraction of muscles, the control of body temperature, the distribution of hormones and neurotransmitters, reflexes such as widening pupils in sudden darknesss, or faster heartbeats in the presence of danger. Negative feedback loops control, positive ones reinforce. [...]
Our most intimate thoughts and emotions come to be in a very similar way, from the constant feedback of a flow of thoughts and emotions of others who have influenced us. Our individuality is definitely part of a collective process. Feedback is at the root of this process.

Systems führen. [...] Philosophisch gesehen ist die Rückkopplung ein Spezialfall der Wechselwirkung.

Wörterbuch der Kybernetik, *Band 2: Metasprache - zyklisch permutierter Code, Fischer Bücherei, Frankfurt 1969, S. 537f.*

RÜCKKOPPLUNG 2
(FEEDBACK)
Rückführung von Information über das Verhalten des Systems in das System derart, dass sie das zukünftige Verhalten des Systems beeinflusst. Der Terminus Rückkopplung stammt aus der Kybernetik, speziell der Regelkreistheorie, die dann von Rückkopplung spricht, wenn in einem dynamischen System oder Teilsystem die Änderungen einer der Ausgangsgrößen zurückwirken. Es wird zwischen zwei Hauptformen der Rückkopplung unterschieden. Eine positive oder kumulative Rückkopplung liegt vor, wenn die Wechselwirkungen zwischen Ausgangs- und Eingangsgrößen eine Eigendynamik erzeugen und damit solche qualitativen Veränderungen im System hervorbringen, die die Stabilität des Regelungsgleichgewichts aufheben und den Regelkreis entweder zerstören oder in einen neuen Zustand überführen (z.B. Lernprozess, Selbstorganisation, Entwicklung). Von negativer oder kompensatorischer Rückkopplung spricht man, wenn die Rückführung der Ausgangsgröße in die Eingangsgröße lediglich dazu benutzt wird, Störungen im Regelungsvorgang auszugleichen und damit das Gleichgewicht des Systemverhaltens zu stabilisieren. [...]
Rückkopplung ist damit ein Spezialfall der Wechselwirkung, ein im weitesten Sinn 'reflexiver Mechanismus' und ein Prinzip, auf das sich die Eigendynamik bestimmter Prozesse im technischen wie auch im wirtschaftlichen oder sozialen System gründet.

Wörterbuch der Soziologie. *Günter Endruweit, Gisela Trommsdorff (Hg.). Band 2:* Ich - Rückkopplung, *Stuttgart, Enke 1989 (Gemeinschaftsausgabe mit dem DTV), S. 553.*

RÜCKKOPPLUNG 3
Befinden sich Mikrofone und Lautsprecher gleichzeitig in einem Saal, so besteht die Gefahr einer Selbsterregung der Beschallungsanlage durch akustische Rückkopplung. Die Voraussetzung für akusti-

que le jeu en tant que jeu est un accomplissement vrai et réel de la vie, se produisant au milieu même des activités sérieuses de la vie, mais la réalité du jeu en tant que telle est précisément déterminée par le trait caractéristique consistant à 'faire comme si' sans que cela ne soit sérieux. Jouer est une paraphrase illusoire de l'épanouissement personnel de l'homme. Le jeu lui-même ne décide de rien, mais il copie, de façon diverse, l'accomplissement de la vie au sein de laquelle, d'une manière ou d'une autre, chaque instant a une influence décisive. Le jeu est l'imitation dans l'espace de l'imaginaire. Toutefois il ne faut pas sous-estimer dans l'imitation ludique le caractère d'un remaniement créatif, d'une variation débordant d'imagination de la vie réelle ; le jeu ne s'épuise pas dans une reproduction servile, il apporte également des thèmes inédits, fait jaillir des possibilités que nous ne connaissons pas dans les actions de notre vie ordinaire.

FINK (Eugen), Spiel als Weltsymbol. *Kohlhammer, Stuttgart 1960, p. 79 et s.*

MIROIR 1
Le miroir est un dispositif créant une image. Ses images toutefois semblent être des reproductions parce qu'il — ou plus précisément : son usage — les cache justement. Par conséquent, le reflet est une image créée dans l'intention d'être perçue comme une reproduction et d'être considérée comme vraie. C'est la raison pour laquelle le miroir que je préfère est celui qui n'impose pas de comparaison de ressemblances entre moi et mon reflet, et donc ne me confirme pas mon image de moi.

HAUBL (Rolf), 'Spiegelmetaphorik. Reflexion zwischen Narzissmus und Perspektivität.', dans Ohne Spiegel leben. Sichtbarkeiten und posthumane Menschenbilder. *Manfred Faßler (éd.), Fink Verlag, Munich 2000, p. 162.*

MIROIR 2
La façon de voir imposée par le miroir passe par l'identification. Tout ce qui est visible est immédiatement identifiable en raison de sa ressemblance. Le critère du 'déjà-vu' est satisfait. Un savoir mort, du latin 'videre' = 'voir', investit le cockpit, la passerelle de commande-

BRIGGS (John), PEAT (F. David), Die Entdeckung des Chaos. Eine Reise durch die Chaos-Theorie, *Carl Hanser, Munich 1990, p. 229 et seq.*

GAME 1
To put it in a nutshell: in terms of form, games can be called autonomous actions which are perceived as 'not being meant that way' and as standing outside of ordinary life while they still fully involve those who play them, as something to which no material interest is attached and which does not give rise to any benefits, something that happens during a determined period of time and in a determined space, proceeds according to certain rules, and causes the formation of communities which like shrouding themselves in mystery and being different from the ordinary world by disguising themselves.

HUIZINGA (Johan), Homo Ludens. Vom Ursprung der Kultur im Spiel, *Rowohlt (rowohlts deutsche enzyklopädie vol. 21), Hamburg 1956, p. 22.*

GAME 2
In a game we have an opportunity of taking chances we missed earlier, or of even going far beyond that, out in the open, reaching a kind of existence that is not determined or bound to anything. We may shed the burden of the story of our lives, we can 'choose' what we want to be — we can play any role we like. [...] Illusion is the only way to escape from our real determined life. [...]
Nobody will deny that playing games as such is a real part of living a life, something that exists amidst serious activities in life — but as such, the reality of playing games is precisely determined by a kind of make-believe that is not serious at all. Playing games is an illusionary paraphrase of human self-realisation. Playing games does not decide anything by itself — but in many ways it copies real life where every moment can lead to a decision in one direction or the other. Games are imitations in the space of the imaginary. However, the quality of creative re-design, of an imaginative variation of serious life inherent in playful imitation should not be misunderstood; games are not just slavish copies, they also bring about

ment, la centrale de régie, le pupitre du chef d'orchestre, le fauteuil de télévision, le poste de travail devant l'ordinateur. Ce qui ne ressemble pas, n'est pas visible. Celui qui n'est pas visible échappe au regard qui identifie et contrôle. Aucun clin d'œil des choses, aucun regard en retour de l'objet. Seulement le désert du 'toujours déjà-vu '.

KAMPER (Dietmar), 'Ohne Spiegel, ohne Bilder', dans Ohne Spiegel leben. Sichtbarkeiten und posthumane Menschenbilder. *Manfred Faßler (éd.), Fink Verlag, Munich 2000, p. 296 et s.*

NUNC STANS – LE MAINTENANT SUSPENDU
Nous avons aujourd'hui des instruments de synchronisation grâce auxquels tous les espaces sont présents en même temps. À l'instant même où je commute simultanément ces espaces, je m'échappe de ces trois espaces pour pénétrer dans un temps suspendu, dans un 'nunc stans', dans un 'maintenant suspendu'. Ce nouveau terme au centre de toutes les choses est le 'maintenant suspendu'. Il s'agit d'un terme datant du Moyen Âge, aujourd'hui investi d'un tout autre sens. Dans la pensée médiévale, Dieu représentait le 'maintenant suspendu'.

FLUSSER (Villém), 'Virtuelle Räume - Simultane Welten', dans Arch+. Zeitschrift für Architektur und Städtebau, *n° 111, Aix-la-Chapelle 1992, p. 44.*

ORDRE DE RÉFÉRENCE
Les codifications s'apprennent, elles constituent une nécessité, elles sont une contrainte, sans elles l'échange entre les acteurs s'effondrerait, résultant en un ensemble de particules confuses d'entropie sociale. D'où la volonté et la contrainte de réglementer et de convenir de ce que l'on doit entendre par quoi. En fait, la relation entre un objet focal et son ordre de référence est le résultat d'un acte d'association d'acteurs. C'est une construction arbitraire, fondée sur un arbitraire qui juge et dont la compétence est spécifique à une culture. L'ordre de référence est en mutation constante, il apparaît comme inconstant en comparaison avec la transculturalité et l'histoire. L'instance chargée de la reconnaissance se construit un objet focal dépen-

sche Rückkopplung ist ein in sich geschlossener Übertragungskreis. Das Mikrofon nimmt ein Schallereignis auf, es wird verstärkt und vom Lautsprecher abgestrahlt, die Schallwellen des Lautsprechers treffen wieder auf das Mikrofon, werden wieder verstärkt und wiederum dem Lautsprecher zugeführt usw. Wenn der vom Lautsprecher stammende Schall am Mikrofonort einen geringfügig höheren Pegel als das primäre Schallereignis hat und die Phasendifferenz zwischen diesen Signalen gegen 0 geht, tritt Selbsterregung durch Rückkopplung ein. Die Rückkopplung ist stark frequenzabhängig, was durch das frequenzabhängige Übertragungsmaß von Lautsprecher und Mikrofon sowie durch den im Übertragungsweg liegenden Raum mit seinen spezifischen Eigenschwingungen bedingt ist. Deshalb sind die Bedingungen für Rückkopplung im allgemeinen zunächst nur für eine oder wenige Frequenzen erfüllt – es beginnt zu pfeifen.

Handbuch der Tonstudiotechnik. *Michael Dichreiter, SRT - Schule für Rundfunktechnik (Hg.), Band 1:* Raumakustik, Schallquellen, Schallwahrnehmung, Schallwandler, Beschallungstechnik, Aufnahmetechnik, Klanggestaltung. *(6., verbesserte Auflage), K. G. Saur, München 1997, S. 240.*

RÜCKKOPPLUNG 4
(FEEDBACK)
In elektronischen Schaltkreisen die Rückführung eines Teiles der Ausgangsleistung auf den Eingang, wobei man zwischen einer positiv wirkenden (Mitkopplung) und einer negativ wirkenden Rückkopplung (Gegenkopplung) unterscheidet.

Wörterbuch Physik, Waloschek *(Pedro), DTV, München 1998.*

RÜCKKOPPLUNG 5
Zwischen Körper und Geist gibt es viele Rückkopplungen. Man kann meist besser denken, wenn man in guter körperlicher Verfassung ist. Gedanken können den Menschen zu körperlicher Höchstleistung beflügeln, seelische Schmerzen und unverarbeitete Erlebnisse ihn körperlich schädigen.

CRAMER (Friedrich), Der Zeitbaum. Grundlegung einer allgemeinen Zeittheorie, *Insel, Frankfurt 1996, S. 249.*

RÜCKKOPPLUNG – KOMPENSIEREND/KUMULATIV
Das fundamentale

new motifs, shed light on possibilities we do not realise in the way we live our lives.

FINK (Eugen), Spiel als Weltsymbol. *Kohlhammer, Stuttgart 1960, p. 79 et seq.*

INSIDE AND OUTSIDE
The inside is a reality different from outside. The inside means that things belong to us and are organised. Things there are open and connected with us. Thus the space is in a state of imminent exchange. We are more sensitive there, more susceptible to disturbance, but also more responsive. The inside has an impact of processing, regeneration and re-creation of personal identity.
Inside and outside are codes and may concern everything. They are ambulatory values. They are linked with culture and life-style.
The boundary between inside and outside is also ambulatory and can be shifted at random. For this reason we can withdraw into our shells to such an extent that our bodies can remain outside and turn against us as something different, alien. [...]
There is no such thing as inside and outside per se. Inside and outside are ways of coping. When something does not merely exist as a given but is processed in such a way that we are inside the impact, we have something that is called 'soul', to use an old-fashioned word. It is our expanded body. It is the prerequisite for worlds, peculiarities, and thus identity to emerge. For this reason we may be concerned when our dogs, cars or surroundings are concerned.

BAIER (Franz Xaver), Der Raum, *Kunstwissenschaftliche Bibliothek vol. 2, Buchhandlung Walther König, Cologne 2000, p. 54-55.*

LOOP
The problem results from sounds emitted by a loudspeaker which are simultaneously recorded by a microphone, with the microphone immediately sending the sounds back to the loudspeaker, thus creating a loop.
The loop grows and gives rise to the notoriously unnerving high-pitched sound.

HAWEL (Hubert), studio manager at the ORF (Austrian Broadcasting Corporation), Upper Austrian Regional Studio, in a lecture on the Larsen effect on 10.12.2001.

Funktionsprinzip aller Regelungen, beruhend auf Regelkreisstrukturen, ist die Rückkopplung. Ein dynamisches System (Teilsystem) ist rückgekoppelt, wenn die Änderungen seiner Ausflüsse auf Masse oder Modalität seiner Einflüsse zurückwirken. Tragen die Rückwirkungen dazu bei, die Stabilität des Systems aufrechtzuerhalten, liegt kompensierende Rückkopplung vor. Wenn die Rückwirkungen dazu führen, die Stabilität des Systems aufzuheben – es verändert sich qualitativ, quantitativ, es tendiert möglicherweise zum Zerfall – ist von kumulativer Rückkopplung die Rede.

ERNI (Peter), HUWILER (Martin), MARCHAND (Christophe), transfer. erkennen und bewirken, *Verlag Lars Müller, Baden 1999, S. 135.*

RÜCKKOPPLUNGSSCHLEIFEN
Alles ist in [...] Schleifen lebendiger Strukturen miteinander verknüpft: Die Umwandlung der Nahrung in Energie, die Muskelkontraktion, die Regelung der Körpertemperatur, die Verteilung von Hormonen und Neurotransmittern, die Reflexwirkungen wie z.B. die Pupillenvergrößerung des Auges bei plötzlicher Dunkelheit oder die Beschleunigung des Herzschlags bei Gefahr. Negative Rückkopplungsschleifen regeln, positive verstärken. [...] Ganz ähnlich entstehen auch unsere intimsten Gedanken und Gefühle aus ständiger Rückkopplung aus dem Durchfluss der Gedanken und Gefühle anderer, die uns beeinflusst haben. Unsere Individualität ist ganz entschieden Teil eines kollektiven Vorgangs. An der Wurzel dieses Vorgangs stehen Rückkopplungen.

BRIGGS (John), PEAT (F. David), Die Entdeckung des Chaos. Eine Reise durch die Chaos-Theorie, *Carl Hanser, München 1990, S. 229ff.*

SCHLEIFE
Das Problem ergibt sich dadurch, dass von einem Lautsprecher wiedergegebene Töne zeitgleich von einem Mikrofon aufgenommen werden, das Mikrofon schickt die Töne sofort wieder zum Lautsprecher, wodurch eine Schleife entsteht. Diese Schleife wird immer größer und erzeugt diesen berühmt berüchtigten enervierenden Pfeifton.

HAWEL (Hubert), Aufnahmeleiter im ORF Landesstudio OÖ, in einem Wissenschaftsbeitrag zum Thema Larsen Effekt am 10.12. 2001.

dant des modes de comportement dominants ; elle tente de repérer dans l'incommensurabilité des ordres de référence potentiels ces amalgames de références qui lui semblent plausibles par leur appartenance culturelle, aujourd'hui, à l'instant, dans le cadre de la situation actuelle.

ERNI (Peter), HUWILER (Martin), MARCHAND (Christophe), transfer. erkennen und bewirken, *Verlag Lars Müller, Baden 1999, p. 17.*

RÈGLES DE JEU
L'ordre et le suspense inhérents au jeu nous amènent à considérer les règles du jeu. Chaque jeu a ses propres règles. Elles déterminent ce qui est valable dans le monde temporaire qu'il crée. Les règles d'un jeu font autorité absolue et ne tolèrent aucun doute. Paul Valéry l'a dit une fois en passant, et c'est une pensée de portée considérable : nul scepticisme n'est possible face aux règles d'un jeu. La base qui les détermine existe de façon inébranlable. Dès lors que l'on enfreint les règles, le monde du jeu s'écroule. C'est la fin du jeu.

HUIZINGA (Johan), Homo Ludens. Vom Ursprung der Kultur im Spiel, *Rowohlt (rowohlts deutsche enzyklopädie vol. 21), Hambourg 1956, p. 20.*

RÉSONANCE
Au fond chacun sait ce qu'est la résonance. Quand un camion passe, les vitres tremblent ; en mai 1992 une tribune s'est effondrée dans un stade de foot en Corse, parce que les fans avaient tapé du pied en rythme et entraîné ainsi la tribune dans des oscillations de résonance ; si l'on joue le do au piano en gardant la pédale appuyée, on fait vibrer en même temps le do supérieur et inférieur, puis les quintes et les tierces et, enfin, toutes les cordes ; nous n'entendons que parce que la source sonore et notre oreille intérieure entrent en résonance. Toutes les oscillations ou encore les circuits de synchronisation peuvent, lorsqu'ils rencontrent un système adapté, y engendrer une résonance : atomes, photons, corps célestes. Et la résonance est toujours également un événement temporel : un système marque un autre avec sa fréquence de résonance et son temps propres.

CRAMER (Friedrich), Der Zeitbaum. Grundlegung einer allgemeinen

MIRROR 1
The mirror is a device creating pictures. However, its pictures take the shape of images because it – or to be more precise, its use – conceals the pictures. As a consequence, a reflection in a mirror is a picture generated with the intent to be perceived as an image and to be considered true as such. For this reason, the kind of mirror I like best is the one which does not force me to compare similarities of myself and my mirrored image, i.e. confirms the view that I have of myself.

HAUBL (Rolf), 'Spiegelmetaphorik. Reflexion zwischen Narzissmus und Perspektivität.', in Ohne Spiegel leben. Sichtbarkeiten und posthumane Menschenbilder. *Manfred Faßler (ed.), Fink Verlag, Munich 2000, p. 162.*

MIRROR 2
Vision as practised via mirrors is identificatory vision. Everything that is visible can be identified immediately because of its similarity. It fulfils the criterion of 'already having been seen'. Inanimate knowledge, derived from the Latin word 'videre' = 'to see', has occupied the cockpit, command bridge, control room, conductor's podium, lounge chair, computer workplace. That which is not similar is not visible. That which is not visible escapes the identifying and controlling gaze. Things do not bat their eyelashes, the object does not look back at us. There is nothing but the desert of 'that which has already been seen'.

KAMPER (Dietmar), 'Ohne Spiegel, ohne Bilder', in Ohne Spiegel leben. Sichtbarkeiten und posthumane Menschenbilder. *Manfred Faßler (ed.), Fink Verlag, Munich 2000, p. 296 et seq.*

NEGATIVE FEEDBACK (REVERSE FEEDBACK)
Feedback with negative impact in an electronic circuit, weakening the input signal, in contrast to positive feedback, which reinforces it.

Wörterbuch Physik, *Waloschek (Pedro), DTV, Munich 1998.*

NUNC STANS – THE STANDING NOW
Today we have instruments of synchronology which enable all spaces to be present simultaneously. The moment I

Zeittheorie, *Insel, Francfort 1996, p. 164.*

RÉSONANCES
Dans tous les domaines de la vie on rencontre des résonances temporelles, la synchronisation des montres et des pendules, et tout le monde les connaît. Le chien est synchronisé avec son maître, le merle entonne son chant à l'aube, les chauves-souris chassent dans le crépuscule du soir les insectes qui essaiment alors ; d'ailleurs chasseurs et proie sont étroitement synchronisés et, selon la loi de Verhulst, de tels systèmes peuvent entrer en oscillations chaotiques.

CRAMER (Friedrich), Der Zeitbaum. Grundlegung einer allgemeinen Zeittheorie, *Insel, Francfort 1996.*

RÉTROACTION 1
Principe de fonctionnement de boucles d'asservissement. Un système ou sous-système dynamique subit une rétroaction lorsque les modifications de l'une des énergies de sortie agit sur les énergies d'entrée. On distingue deux formes principales de la rétroaction : si les effets de retour contribuent à maintenir la stabilité du système, on parle d'une rétroaction compensatrice. Dans ce cas p.ex. des perturbations ayant un effet néfaste sur le système sont paralysées. En revanche, il y a rétroaction cumulative lorsque les phénomènes de retour entraînent la perte de stabilité du système. Ce genre de rétroaction peut engendrer un changement qualitatif du système ou la destruction de celui-ci. [...]
D'un point de vue philosophique, la rétroaction est un cas particulier de l'interaction.

Wörterbuch der Kybernetik, vol. 2 : Metasprache - zyklisch permutierter Code, *Fischer Bücherei, Francfort 1969, p. 537 et s.*

RÉTROACTION 2
(FEED-BACK)
Remise en circulation, au sein du système, d'informations sur le comportement du système, de façon à influencer le futur comportement de ce dernier. Le terme rétroaction a ses origines dans la cybernétique, en particulier dans la théorie des boucles d'asservissement, qui parle de rétroaction lorsque dans un système ou un sous-système dynamique les modifications de l'une des énergies de sortie réagissent en retour. On distingue deux formes principales

SPIEGEL 1
Der Spiegel ist ein bildgebender Apparat. Seine Bilder erscheinen aber als Abbilder, weil er – genaugenommen: sein Gebrauch – genau diese verbirgt. Folglich ist ein Spiegelbild ein Bild, das mit der Intention erzeugt wird, als Abbild wahrgenommen und für wahr genommen zu werden. Aus diesem Grund ist mir der Spiegel der liebste, der mir keinen Ähnlichkeitsvergleich zwischen mir und meinem Spiegelbild aufdrängt, mithin mein Selbstbild bestätigt.

HAUBL (Rolf), 'Spiegelmetaphorik. Reflexion zwischen Narzissmus und Perspektivität.', in Ohne Spiegel leben. Sichtbarkeiten und posthumane Menschenbilder. *Manfred Faßler (Hg.), Fink Verlag, München 2000, S. 162.*

SPIEGEL 2
Die über Spiegel eingeübte Art des Sehens ist eine identifikatorische. Alles Sichtbare ist aufgrund seiner Ähnlichkeit sofort identifizierbar. Es erfüllt das Kriterium des 'Bereits-Gesehenen'. Ein totes Wissen, von lat. 'videre' = 'sehen', hält den Cockpit, die Kommandobrücke, die Regiezentrale, das Dirigentenpult, den Fernsehsessel, den Computerarbeitsplatz besetzt. Was nicht ähnlich ist, ist nicht sichtbar. Wer nicht sichtbar ist, entgeht dem identifizierenden und kontrollierenden Blick. Kein Augenaufschlag der Dinge, kein Rückblick vom Objekt. Nur die Wüste des 'Immer-bereits-Gesehenen'.

KAMPER (Dietmar), 'Ohne Spiegel, ohne Bilder', in Ohne Spiegel leben. Sichtbarkeiten und posthumane Menschenbilder. *Manfred Faßler (Hg.), Fink Verlag, München 2000, S. 296f.*

SPIEL 1
Der Form nach betrachtet, kann man das Spiel zusammenfassend eine freie Handlung nennen, die als 'nicht so gemeint' und außerhalb des gewöhnlichen Lebens stehend empfunden wird und trotzdem den Spieler völlig in Beschlag nehmen kann, an die kein materielles Interesse geknüpft ist und mit der kein Nutzen erworben wird, die sich innerhalb einer eigens bestimmten Zeit und eines eigens bestimmten Raums vollzieht, die nach bestimmten Regeln ordnungsgemäß verläuft und Gemeinschaftsverbände ins Leben ruft, die ihrerseits sich gern mit einem

put these spaces in sync, I have broken out of these three spaces into standing time, into a 'nunc stans', a 'standing now'. The new notion everything revolves around is this 'standing now'. It is a notion from the Middle Ages which has taken on entirely new meaning today. In medieval thinking, God was 'the standing now'.

FLUSSER (Villém), 'Virtuelle Räume - Simultane Welten', in Arch+. Zeitschrift für Architektur und Städtebau, *no 111, Aachen 1992, p. 44.*

PICTURE = MOVEMENT
In fact, we are faced with the exposition of a world where PICTURE = MOVEMENT. Let us call a picture a set of that which appears. One cannot even say that one picture impacts the other or responds to another. There is nothing movable which would differ from the movement performed, there is nothing moving that would exist separately from the movement transmitted. All things, i.e. all pictures are congruent with their actions and reactions: this is universal changeability.

DELEUZE (Gilles), Das Bewegungs-Bild. Kino 1, *Suhrkamp, stw 1288, Frankfurt 1989 (1997), p. 86.*

POSITIVE FEEDBACK
Feedback with positive impact in an electronic circuit, reinforcing the input signal, in contrast to negative feedback, which weakens it.

Wörterbuch Physik, *Waloschek (Pedro), DTV, Munich 1998.*

REFERENCE ORDER
Codes can be learnt, codes are a necessity, they are a constraint, without them the exchange among actors would disintegrate, and the bad consequence would be a sum total of confused particles of social entropy. Hence the tendency and compulsion to regulate things and to agree on definitions. Said link between a focal object and its reference order is really the result of an uniting action by acting actors. It is an arbitrary construct, based on the arbitrariness in judging culture-specific competence. The latter is subject to constant change, reveals itself to be volatile in transcultural and historical comparisons. The identifying agency constructs a focal object depending on dominant behavioural

Geheimnis umgeben oder durch Verkleidung als anders von der gewöhnlichen Welt abheben.

HUIZINGA (Johan), Homo Ludens. Vom Ursprung der Kultur im Spiel, *Rowohlt (rowohlts deutsche enzyklopädie Band 21), Hamburg 1956, S. 22.*

SPIEL 2
Denn im Spiel genießen wir die Möglichkeit, die verlorenen Möglichkeiten wiederzuholen, ja sogar weit darüber hinaus ins Offene einer nicht festgelegten und nichtgebundenen Existenzweise zu gelangen. Wir können die Last unserer eigenen Lebensgeschichte abwerfen, können 'wählen', was wir sein wollen, können in jede Daseinsrolle einschlüpfen. [...] In einer illusionären Art nur können wir unserem wirklichen entschiedenen Leben entrinnen.
[...]
Dass das Spielen als Spielen ein wirklicher, reeller Lebensvollzug ist, mitten zwischen den ernsthaften Lebenstätigkeiten vorkommt, wird niemand bestreiten, aber die Wirklichkeit des Spielens ist als solche gerade durch den Grundzug eines nicht-ernsthaften Tunsals-ob bestimmt. Spielen ist illusionäre Paraphrase der menschlichen Selbstverwirklichung. Das Spielen selbst entscheidet nichts, aber es kopiert mannigfach den Lebensvollzug, worin jeder Augenblick so oder so entscheidet.
Das Spiel ist Imitation im Raum des Imaginären. Allerdings darf bei der spielhaften Imitation der Charakter einer schöpferischen Umgestaltung, einer phantasievollen Variation des Ernstlebens nicht verkannt werden; das Spiel erschöpft sich nicht in einer sklavischen Nachbildung, es bringt auch ganz neue Motive auf, lässt Möglichkeiten aufblitzen, die wir im Rahmen unseres sonstigen Lebensvollzuges nicht kennen.

FINK (Eugen), Spiel als Weltsymbol. *Kohlhammer, Stuttgart 1960, S. 79f.*

SPIELREGELN
Die dem Spiel eigenen Qualitäten der Ordnung und Spannung führen uns zur Betrachtung der Spielregel. Jedes Spiel hat seine eigenen Regeln. Sie bestimmen, was innerhalb der zeitweiligen Welt, die es herausgetrennt hat, gelten soll. Die Regeln eines Spiels sind unbedingt bindend und dulden keinen Zweifel.
Paul Valéry hat es einmal beiläufig gesagt, und es ist ein Gedanke

de rétroaction. Il y a rétroaction positive ou cumulative lorsque les interactions entre les énergies de sortie et les énergies d'entrée créent une dynamique propre et génèrent ainsi, au sein du système, des modifications qualitatives supprimant la stabilité de l'équilibre de régulation et détruisant la boucle d'asservissement ou la transformant en un nouvel état (p.ex. processus d'apprentissage, autoorganisation, développement). On parle de rétroaction négative ou compensatrice lorsque la remise en circulation de l'énergie de sortie dans l'énergie d'entrée ne sert qu'à compenser des perturbations dans le processus de régulation et à stabiliser ainsi l'équilibre du comportement du système. [...]
La rétroaction est ainsi un cas particulier de l'interaction, un 'mécanisme réflexif' au sens large du terme et un principe sur lequel se base la dynamique propre de certains processus dans un système technique, économique ou social.

Wörterbuch der Soziologie. *Günter Endruweit, Gisela Trommsdorff (éd.), vol. 2 :* Ich - Rückkopplung, *Stuttgart, Enke 1989 (édition commune avec DTV), p. 553.*

RÉTROACTION 3
La présence simultanée de microphones et de haut-parleurs dans une même pièce risque de provoquer une autoexcitation du système de sonorisation par rétroaction acoustique. La condition nécessaire pour qu'il y ait rétroaction acoustique est une boucle de transmission refermée sur elle-même. Le microphone absorbe un événement acoustique, qui est amplifié et diffusé par le hautparleur, les ondes sonores du haut-parleur sont réacheminées vers le microphone, réamplifiées et rediffusées par le haut-parleur et ainsi de suite. Lorsque le son émanant du hautparleur a, à l'emplacement du microphone, un niveau légèrement supérieur à l'événement acoustique primaire et que la différence de phases entre ces deux signaux tend vers 0, il y a auto-excitation par rétroaction. La rétroaction dépend fortement de la fréquence, ce qui est dû à la constante de transmission sélective du haut-parleur et du microphone ainsi qu'à la voie de transmission à travers un espace aux auto-oscillations spécifiques. C'est pourquoi les conditions de la rétroaction sont en général remplies que

patterns; among the infinite range of potential reference orders it tries to find the reference that seems most plausible to itself and its kind by virtue of cultural affiliation, today, at the moment, in the current situation.

ERNI (Peter), HUWILER (Martin), MARCHAND (Christophe), transfer. erkennen und bewirken, *Verlag Lars Müller, Baden 1999, p. 17.*

RESONANCE
Basically, everybody knows what resonance is. Window panes vibrate when a truck passes by; in May 1992 risers in a Corsican football stadium collapsed because the fans caused oscillations as they stomped their feet to the same rhythm; when we hit a C on a piano as we step on the pedal, the Cs one octave above and below the key we hit will resonate, then come fifths and thirds, and then the whole system of strings; our sense of hearing only functions because our inner ear and the source of sound resonate. When they encounter a matching system all oscillations or timing circuits can create resonances: atoms, photons, celestial bodies. And resonance is always also a temporal phenomenon: one system imposes its own frequency, its own timing on the other.

CRAMER (Friedrich), Der Zeitbaum. Grundlegung einer allgemeinen Zeittheorie, *Insel, Frankfurt 1996, p. 164.*

RESONANCES
Time resonances, synchronisation of clocks or watches, these exist in all spheres of life and everybody is familiar with them. A dog is in sync with its master, the blackbird sings its morning song, the bats catch swarms of insects when they come out at dusk, predators and their prey are in strict sync with each other, and these systems may suffer from chaotic oscillations according to Verhulst's law.

CRAMER (Friedrich), Der Zeitbaum. Grundlegung einer allgemeinen Zeittheorie, *Insel, Frankfurt 1996.*

RULES OF THE GAME
The qualities of order and tension inherent in the game lead us to a review of its rules. Every game has its own set of rules. They determine what can validly be done in the temporary world it has cut out. The rules of a

pour une seule, voire quelques rares fréquences : il se produit alors un sifflement.

Handbuch der Tonstudiotechnik. *Michael Dickreiter, SRT - Schule für Rundfunktechnik (éd.), vol. 1:* Raumakustik, Schallquellen, Schallwahrnehmung, Schallwandler, Beschallungstechnik, Aufnahmetechnik, Klanggestaltung *(6e éd. mise à jour), K. G. Saur, Munich 1997, p. 240.*

RÉTROACTION 4
(FEED-BACK)
Dans les circuits électroniques de commutation se dit de la remise en circulation dans l'entrée d'une partie de l'énergie de sortie. On distingue à cet égard la rétroaction à effet positif (rétroaction positive) de la rétroaction à effet négatif (rétroaction négative).

Wörterbuch Physik, *Waloschek (Pedro), DTV, Munich 1998.*

RÉTROACTION 5
Il existe de nombreuses rétroactions entre le corps et l'esprit. Généralement, il est plus facile de formuler des pensées claires quand le corps est en pleine forme. Les pensées peuvent inciter à des performances physiques extrêmes ; des douleurs psychiques et des expériences mal assimilées peuvent avoir des conséquences graves sur l'état physique.

CRAMER (Friedrich), Der Zeitbaum. Grundlegung einer allgemeinen Zeittheorie, *Insel, Francfort 1996, p. 249.*

RÉTROACTION – COMPENSATRICE/CUMULATIVE
La rétroaction est le principe fondamental de fonctionnement de toutes les régulations, reposant sur des structures de boucles d'asservissement. Un système (sous-système) dynamique est rétroactif quand les modifications de ses émissions agissent en retour sur la quantité ou la modalité de ses admissions. Si les phénomènes de retour contribuent à maintenir la stabilité du système, il y a rétroaction compensatrice. Quand les phénomènes de retour annulent la stabilité du système – changement qualitatif, quantitatif ou désintégration éventuelle – on parle de rétroaction cumulative.

ERNI (Peter), HUWILER (Martin), MARCHAND (Christophe), transfer. erkennen und bewirken, *Verlag Lars Müller, Baden 1999, p. 135.*

RÉTROACTION NÉGATIVE
(NEGATIVE FEEDBACK, REVERSE FEEDBACK)
Dans un couplage

von ungemeiner Tragweite: Gegenüber den Regeln eines Spiels ist kein Skeptizismus möglich. Ist doch die Grundlage, die sie bestimmt, unerschütterlich gegeben. Sobald die Regeln übertreten werden, stürzt die Spielwelt zusammen. Dann ist es aus mit dem Spiel.

HUIZINGA (Johan), Homo Ludens. Vom Ursprung der Kultur im Spiel, *Rowohlt (rowohlts deutsche enzyklopädie Band 21), Hamburg 1956, S. 20.*

TABULARITÄT
Beim Übergang von Linearität zur 'Tabularität' vergrößert sich die Zahl der möglichen Vermittlungen, und zugleich werden diese Vermittlungen flexibler. Wir haben es nicht mehr mit einem und nur einem Weg zu tun, sondern mit einer bestimmten Zahl von Wegen oder einer Wahrscheinlichkeitsverteilung. [...]
Da jeder Weg für eine Relation oder Korrespondenz im allgemeinen steht, transportiert er jeweils einen bestimmten Fluss von Wirkung oder Gegenwirkung: Kausalität, Deduktion, Analogie, Reversibilität, Einwirkung, Widerspruch usw.
Zwei Gipfelpunkte können in der Tat untereinander in einem Verhältnis wechselseitiger Verursachung, wechselseitiger Einwirkung, äquivalenter Wirkung und Gegenwirkung, ja sogar in einem Rückkopplungsverhältnis stehen (dem Feedback der Kybernetiker).

SERRES (Michel), 'Das Kommunikationsnetz: Penelope', in Kursbuch Medienkultur. Die maßgeblichen Theorien von Brecht bis Baudrillard. *Claus Pias, Joseph Vogl, Lorenz Engell, Oliver Fahle und Britta Neitzel (Hg), DVA Stuttgart 1999, S.157f.*

ZEIT
Der Faktor Zeit ist den geschichtsbezogenen wie den prozessbezogenen Themen genauso immanent wie den Bereichen der Zeiterfahrung und der Realzeit.
Vermittlung und/oder Konstitution von Zeit bedarf in den Künsten eines ikonografischen, prozessualen oder konzeptuellen Trägermediums, das seinerseits in den Zeitkontext übergeführt wird. Diese Konstellation bedingt die Doppelnatur von Zeit in den Künsten als Thema und Methode. Wo immer Früher-später-Relationen und Abläufe rezipiert werden oder Dauer erfahren wird, wird

game are unconditionally binding and will not tolerate any doubts. Paul Valéry once said it as an aside, and it is an idea of paramount importance: No scepticism is possible vis-à-vis the rules of a game. After all, its foundations are unshakeable givens. Once the rules are violated, the game world collapses. The game is over.

HUIZINGA (Johan), Homo Ludens. Vom Ursprung der Kultur im Spiel, *Rowohlt (rowohlts deutsche enzyklopädie vol. 21), Hamburg 1956, p. 20.*

TABULARITY
In the transition from linearity to 'tabularity' the number of possible intermediations increases, and these intermediations also become more flexible. We are no longer faced with one and only one path but a certain number of paths or a probability distribution. [...]
As each path stands for a relation or correspondence in general, it transports one certain flow of effect or counter-effect: causality, deduction, analogy, reversibility, impact, contradiction etc.
Two peaks may indeed be linked by a relationship of mutual cause and effect, mutual impact, equivalent effect and counter-effect, even feedback (cybernetic feedback).

SERRES (Michel), 'Das Kommunikationsnetz: Penelope', in Kursbuch Medienkultur. Die maßgeblichen Theorien von Brecht bis Baudrillard. *Claus Pias, Joseph Vogl, Lorenz Engell, Oliver Fahle and Britta Neitzel (eds.), DVA Stuttgart 1999, p. 157 et seq.*

TIME
The time factor is as much immanent in history-related and process-related themes as it is immanent in the spheres of temporal experience and real time.
Conveying and/or constituting time in the arts requires an iconographic, processual or conceptual carrier medium which is in turn transported to the context of time. This constellation conditions the dual nature of time in the arts as theme and method. Wherever the reception of relations of 'before and after' as well as of processes takes place, wherever duration is experienced, time is perceived along with these. Paradoxically, even the negation of time in timelessness and its potential claim to self-elimination in

Zeit mit wahrgenommen. Paradox, dass davon selbst ihre Negation in der Zeitlosigkeit und ihr möglicher Anspruch auf Selbstausschaltung in der Überzeitlichkeit betroffen sind. Jenseits der Vermittlungsabsicht ist Zeit eine immanente Qualität des Kunstwerks auf den Ebenen der Produktion und der Geschichte. Die zeitliche Ausdehnung der Produktionsschritte ist am Werk zumindest in den konventionellen Gattungen nachvollziehbar. Die historische Dimension ist mehrschichtig. Zum einen fixiert das Werk durch die historisch reale Existenz seines Autors und die jeweiligen technischen Realisierungsmöglichkeiten seine historische Position, zum anderen inkludiert es die jeweiligen gesellschaftlichen Normen – unabhängig von deren Akzeptanz, Ablehnung oder Überschreitung durch den Künstler. Kurz: Die Kunst wird die Zeit nicht los – ob sie diese betont oder verschleiert.

ROHSMANN (Arnulf), 'Zeit in der Moderne', in Zeit/Los. Zur Kunstgeschichte der Zeit. *Carl Aigner, Götz Pochat, Arnulf Rohsmann (Hg.), Du Mont, Köln 1999 S. 387.*

ZEIT UND RAUM
Die Begriffe 'Zeit' und 'Raum' gehören zu den elementaren Orientierungsmitteln unserer sozialen Tradition. Es erleichtert das Verständnis ihrer Verhältnisse zueinander, wenn man – einmal mehr – hinter die Substantive auf die entsprechenden Tätigkeiten zurückgeht. 'Zeit' und 'Raum' sind begriffliche Symbole für bestimmte Typen sozialer Aktivitäten und Institutionen; sie ermöglichen Menschen eine Orientierung in bezug auf Positionen oder Abstände zwischen solchen Positionen, die Ereignisse jeglicher Art sowohl in Relation zueinander innerhalb desselben Geschehensablaufs als auch in Relation zu homologen Positionen innerhalb eines anderen, als Maßstab standardisierten Ablaufs einnehmen.

ELIAS (Norbert), Über die Zeit, *Suhrkamp, stw 756, Frankfurt 1994 (1. Auflage 1988), S. 72f.*

ZUFALL 1
Resultate der Planung zeigen allenfalls Wege auf, die mit erhöhter Wahrscheinlichkeit, aber nie mit Sicherheit zur Verwirklichung eines Ziels führen. Was sich auf Modellebene

électronique se dit d'une rétroaction négative, qui affaiblit le signal d'entrée, contrairement à la rétroaction positive, qui l'amplifie.

Wörterbuch Physik, *Waloschek (Pedro), DTV, Munich 1998.*

RÉTROACTION POSITIVE
(POSITIVE FEEDBACK)
Dans un couplage électronique se dit d'une rétroaction positive, qui amplifie le signal d'entrée, contrairement à la rétroaction négative, qui l'affaiblit.

Wörterbuch Physik, *Waloschek (Pedro), DTV, Munich 1998.*

TABULARITÉ
Lors du passage de la linéarité à la 'tabularité', le nombre de transmissions possibles augmente et ces dernières deviennent en même temps plus flexibles. Nous n'avons plus à faire à un seul et unique chemin, mais au contraire à un nombre déterminé de chemins ou une loi de probabilité. [...]
Chaque voie représentant en général une relation ou une correspondance, elle véhicule à chaque fois un certain flux d'action ou de réaction: causalité, déduction, analogie, réversibilité, influence, contradiction, etc. Deux sommets peuvent effectivement être reliés l'un à l'autre dans un rapport de causalité réciproque, d'influence réciproque, d'action et de réaction équivalente, voire dans un rapport de rétroaction (le feed-back du cybernéticien).

SERRES (Michel), 'Das Kommunikationsnetz: Penelope', dans Kursbuch Medienkultur. Die maßgeblichen Theorien von Brecht bis Baudrillard. *Claus Pias, Joseph Vogl, Lorenz Engell, Oliver Fahle et Britta Neitzel (éd.), DVA Stuttgart 1999, p. 157 et s.*

TEMPS
Le facteur temps est aussi immanent aux domaines relatifs à l'histoire et aux processus, qu'à ceux relatifs à l'expérience temporelle et au temps réel.
Transmettre et/ou constituer le temps dans le domaine de l'art implique un nécessaire support lié à l'iconographie, au processus ou au concept qui, de son côté, est placé dans le contexte temporel. Nous devons cette constellation à la double nature du temps dans l'art, à la fois sujet et méthode.

pretertemporality are concerned by this phenomenon. Beyond the intention of intermediation, time is an immanent quality of the work of art at the levels of production and history. In works of art the progress of production stages can be traced over time, at least in those of conventional genres. The historical dimension is multi-layered. On the one hand, works of art determine the historical position of their authors due to the latters' real existence in history and their technical possibilities, on the other hand, they include the societal norms – regardless of the fact whether the artists accept, reject or transgress them. In a nutshell: Art cannot get rid of time – no matter if it emphasises or conceals it.

ROHSMANN (Arnulf), 'Zeit in der Moderne', in Zeit/Los. Zur Kunstgeschichte der Zeit. *Carl Aigner, Götz Pochat, Arnulf Rohsmann (eds.), Du Mont, Cologne 1999 p. 387.*

TIME AND SPACE
The notions 'time' and 'space' are among the elementary means of orientation in our social tradition. They facilitate an understanding of their mutual relations if – once again – we look behind the nouns and at the respective activities. 'Time' and 'space' are conceptual symbols of certain types of social activities and institutions; they enable people to find their bearings in respect of positions or distances between positions where events of any kind whatsoever are related to each other within the same sequence of events, or to homologous positions within other sequences of events standardised as yardsticks.

ELIAS (Norbert), Über die Zeit, *Suhrkamp, stw 756, Frankfurt 1994 (1st ed. 1988), p. 72 et seq.*

Chaque fois que l'on expérimente des relations avant-après, un déroulement ou une durée, on se rend compte du temps. Paradoxalement, la négation même du temps dans l'intemporalité et sa possible revendication d'interruption automatique dans la supratemporalité en sont également touchées. Au-delà de l'intention de transmission, le temps est une qualité immanente à l'œuvre d'art au niveau de la production et de l'histoire. On peut comprendre l'extension des étapes de production de l'œuvre dans le temps, du moins en ce qui concerne les genres conventionnels. La dimension historique est plus complexe. D'une part, l'œuvre fixe sa position historique à travers l'existence réelle de son auteur dans l'histoire et les possibilités de réalisation technique de l'époque ; d'autre part, elle inclut des normes sociales du moment — indépendamment de leur acceptation, de leur rejet ou de leur dépassement par l'artiste. Bref, l'art ne se débarrasse pas du temps — qu'il le souligne ou le dissimule.

ROHSMANN (Arnulf), 'Zeit in der Moderne', dans Zeit/Los. Zur Kunstgeschichte der Zeit. *Carl Aigner, Götz Pochat, Arnulf Rohsmann (éd.), Du Mont, Cologne 1999 p. 387.*

TEMPS ET ESPACE

Les termes 'temps' et 'espace' font partie des points de repère élémentaires de notre tradition sociale. On comprend mieux les rapports qu'ils entretiennent l'un envers l'autre lorsque l'on regarde — une fois encore — quelles sont les activités qui se cachent derrière ces substantifs. 'Temps' et 'espace' sont des symboles sémantiques pour certains types d'activités et d'institutions sociales; ils permettent aux hommes de s'orienter par rapport aux positions ou écarts entre des positions occupées par des événements quelconques en relation les uns par rapport aux autres au sein d'un même déroulement d'actions ou en relation avec des positions homologues au sein d'un déroulement différent, standardisé comme critère.

ELIAS (Norbert), Über die Zeit, *Suhrkamp, stw 756, Francfort 1994 (1ère éd. 1988), p. 72 et s.*

als determinierender Prozess darstellen kann, ist möglicherweise in Tat und 'Wahrheit' stochastisch infiltriert. Zufällige Veränderungen im Rahmen prozessualer Abfolgen beeinträchtigen in der Regel die Planbarkeit der Dinge und Ereignisse. Planung sucht Außenbestimmtheit und Zufälligkeit des geplanten Geschehens einzudämmen: Die irritierende Einheit von Notwendigkeit und Zufall verwehrt sich dem gedanklichen Zugriff.

ERNI (Peter), HUWILER (Martin), MARCHAND (Christophe), transfer. erkennen und bewirken, *Verlag Lars Müller, Baden 1999, S. 329.*

ZUFALL 2

Ereignisse, deren Ursachen nicht erkennbar sind, pflegt man zufällig zu nennen. Da Ursachen selbst wieder Ereignisse sind, über deren Verursachung spekuliert werden kann, treten Ursachenketten auf, deren Anfänge doch letztlich wieder im Zufälligen verschwimmen.
Nichts geschieht ohne Ursache - nihil fit sine causa. Dieses 'Kausalitätsprinzip' erhitzt seit der Antike die Gemüter von Philosophen, Wissenschaftlern und Glücksspielern. Aber gibt es nicht auch den 'Zufall'? Kann nicht etwas ohne Ursache geschehen? Man wird zugeben, dass Dinge ohne erkennbare Ursache geschehen können, und man könnte sagen, dass unsere Unzulänglichkeit im Erkennen der Ursachen der Grund dafür ist, dass wir uns die Ausrede vom Zufall einfallen lassen.

SCHEID (Harald), Zufall. Kausalität und Chaos in Alltag und Wissenschaft, *BI Taschenbuchverlag, Mannheim, Leipzig, Wien Zürich, 1996 (Meyers Forum 36), S. 10.*

KÜNSTLER(INNEN)

ARTISTES

ARTISTS

DAN GRAHAM
DIETER KIESSLING
KEN LUM
BORIS REBETEZ
MITJA TUŠEK
DANIELA KEISER
SVEN AUGUSTIJNEN
MATT MULLICAN
PIERRE BISMUTH
SIMON STARLING
DANIEL ROTH
KEITH TYSON
MANON DE BOER
GERHARD DIRMOSER
PETER ZIMMERMANN
MARGARETE JAHRMANN
MAX MOSWITZER

DAN GRAHAM
DIETER KIESSLING
KEN LUM
BORIS REBETEZ
MITJA TUŠEK
DANIELA KEISER
SVEN AUGUSTIJNEN
MATT MULLICAN
PIERRE BISMUTH
SIMON STARLING
DANIEL ROTH
KEITH TYSON
MANON DE BOER
GERHARD DIRMOSER
PETER ZIMMERMANN
MARGARETE JAHRMANN
MAX MOSWITZER

DAN GRAHAM
DIETER KIESSLING
KEN LUM
BORIS REBETEZ
MITJA TUŠEK
DANIELA KEISER
SVEN AUGUSTIJNEN
MATT MULLICAN
PIERRE BISMUTH
SIMON STARLING
DANIEL ROTH
KEITH TYSON
MANON DE BOER
GERHARD DIRMOSER
PETER ZIMMERMANN
MARGARETE JAHRMANN
MAX MOSWITZER

DAN GRAHAM

YESTERDAY/TODAY, 1975

VIDEOKAMERA, AUDIOAUFNAHMEGERÄT, MONITOR, LAUTSPRECHER, VARIABLE DIMENSIONEN

SAMMLUNG VAN ABBEMUSEUM, EINDHOVEN

DAN GRAHAM

YESTERDAY/TODAY, 1975

CAMÉRA VIDÉO, MATÉRIEL D'ENREGISTREMENT AUDIO, MONITEUR, HAUT-PARLEUR, DIMENSIONS VARIABLES

COLLECTION VAN ABBEMUSEUM, EINDHOVEN

DAN GRAHAM

YESTERDAY/TODAY, 1975

VIDEO CAMERA, AUDIO RECORDING EQUIPMENT, MONITOR, LOUDSPEAKER, VARIABLE DIMENSIONS

COLLECTION VAN ABBEMUSEUM, EINDHOVEN

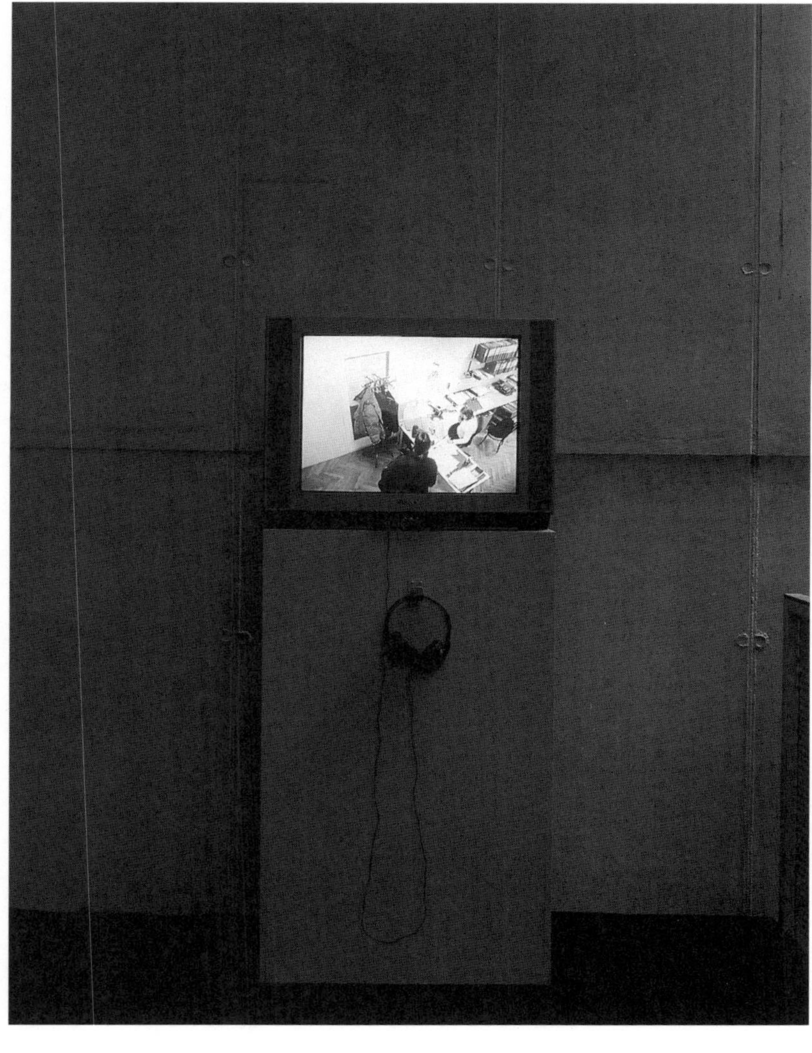

Bereits die ersten Arbeiten von Dan Graham (°1942/USA, Urbana, Illinois), der nacheinander Galerist, Kritiker, Fotograf, Performer, Videokünstler, Künstler-Architekt und Künstler-Historiker war, untersuchten sozio-psychologische Interaktionsprozesse: 1969 mittels Performances, 1970 mit Videokamera und -monitor, und ab 1974 mit Videoinstallationen, in denen Dan Graham die Begriffe von Identität, Subjektivität und Objektivität in Frage stellte. 'Yesterday/Today' trennt die beiden Kontinuitäten (Bild und Ton) voneinander um sie zeitlich verschoben (gestern und heute) erneut wieder zusammenzuführen.
Auf einem Monitor in einem öffentlich zugänglichen Raum sind in Direktübertragung die alltäglichen Handlungen aus einem benachbarten 'privaten' Raum (Sekretariat, Direktionszimmer) zu sehen. Das Bild auf dem Monitor wird von der entsprechenden Geräuschkulisse ergänzt, welche aber exakt 24 Stunden vorher zur gleichen Zeit aufgenommen wurde und als Playback abgespielt wird. Beide Kontinuitäten, welche denselben zeitlichen Ablauf haben, können gleichzeitig oder voneinander getrennt betrachtet werden, wobei nicht auszuschließen ist, dass zufälligerweise Bild und Ton, Handlung und akustisches Ambiente sich ergänzen und synchron verlaufen.
'Yesterday/Today' verschränkt auf einfachste Weise zwei unvereinbare zeitliche Größen – Vergangenheit und Gegenwart – und lässt daraus eine unwirkliche, neue Dimension entstehen.

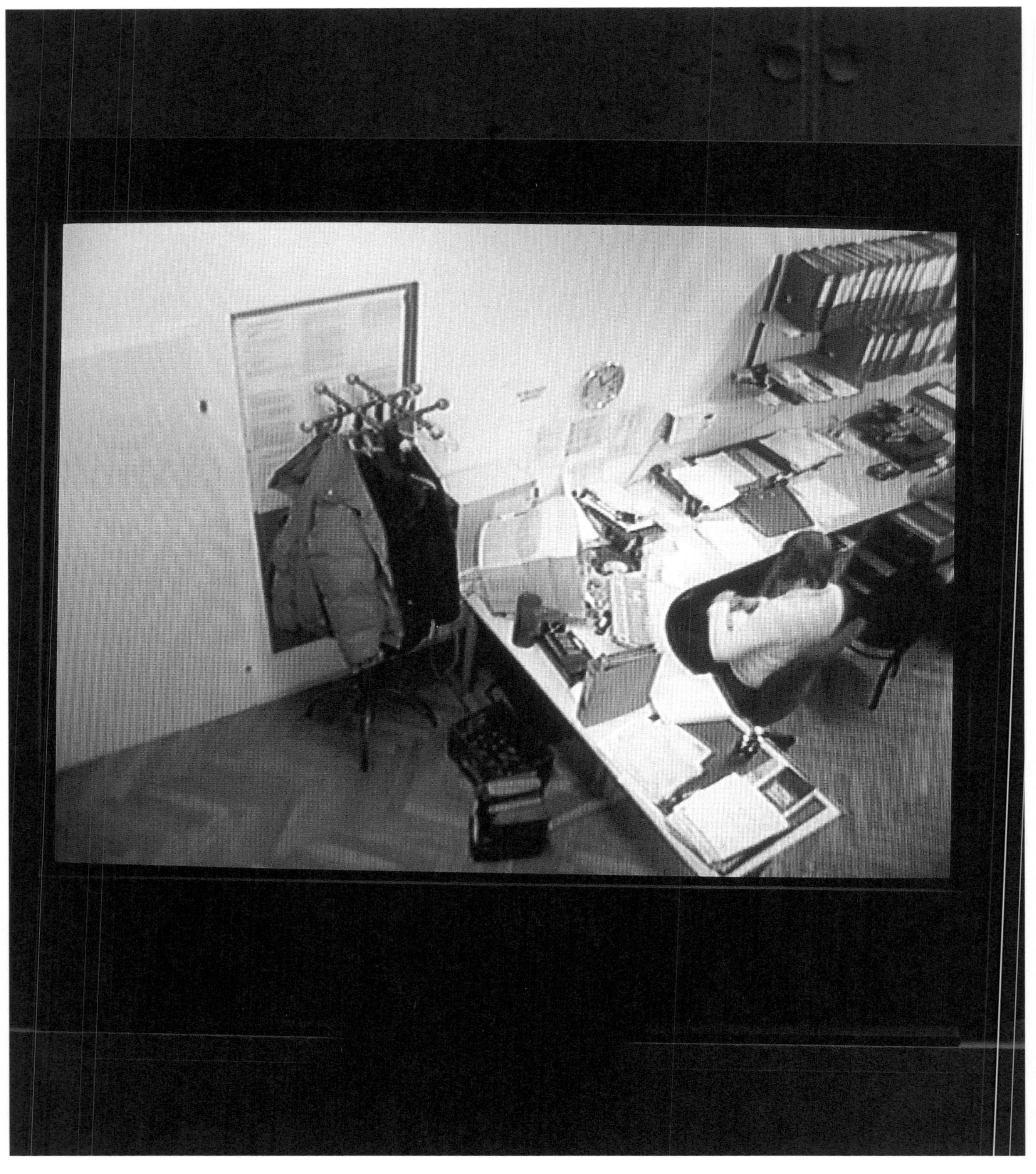

O.K CENTRUM FÜR GEGENWARTSKUNST, LINZ

Dans ses premiers travaux déjà, Dan Graham (°1942/USA, Urbana, Illinois), qui fut successivement galeriste, critique d'art, photographe, artiste de performance, artiste vidéo, artiste-architecte et artiste-historien, a étudié les processus d'interactions socio-psychologiques : en 1969 par l'intermédiaire de performances, en 1970 par le recours à la caméra et au moniteur vidéo et à partir de 1974 par des installations vidéo dans lesquelles Dan Graham a remis en question les notions d'identité, de subjectivité et d'objectivité.
'Yesterday/Today' dissocie les deux continuités (image et son) pour les rassembler ensuite dans un décalage dans le temps (hier et aujourd'hui).
Sur un moniteur installé dans un espace accessible au public, on peut suivre en direct les faits et gestes quotidiens exécutés dans une pièce voisine, 'privée' (secrétariat, bureau de la direction). L'image que l'on peut voir sur le moniteur est complétée par des bruits de fond correspondants, mais enregistrés précisément 24 heures plus tôt à la même heure et repassés ici en play-back. Les deux continuités, qui ont le même déroulement dans le temps, peuvent être considérées simultanément ou séparément, sans pour autant exclure que l'image et le son, l'action et l'ambiance acoustique puissent, par le hasard, se compléter et coïncider.
'Yesterday/Today' entremêle, de façon très simple, deux dimensions temporelles inconciliables — le passé et le présent — dont se dégage une dimension nouvelle, irréelle.

CASINO LUXEMBOURG

Even in his early works Dan Graham (°1942/USA, Urbana, Illinois), who has been a gallery owner, art critic, photographer, performer, video artist, artist-architect and artist-historian in succession, investigated socio-psychological processes of interaction: in 1969 he used the medium of performance, in 1970 he operated with video camera and monitor, and as from 1974 video installations were his method of choice to question concepts such as identity, subjectivity and objectivity.
'Yesterday/Today' separates the two continuities (image and sound) so as to bring them together again with a shift in time (yesterday and today).
A monitor in a space accessible to the public shows a live transmission of routine activities in a neighbouring 'private' room (secretariat, manager's office). Appropriate background noise is added to the picture on the monitor but the soundtrack was recorded precisely 24 hours earlier and is played back now. The two continuities, which follow the same course in time, can be watched simultaneously or separately, and it cannot be ruled out that image and sound, action and acoustic background complement each other and are in sync. In a very simple way 'Yesterday/Today' interweaves two incompatible dimensions in time – past and present – from which results an unreal new dimension.

DIETER KIESSLING

OHNE TITEL, 1997

3 VIDEOKAMERAS, 3 STATIVE, 2 VIDEOMISCHER, MONITOR, SOCKEL, VARIABLE DIMENSIONEN

COURTESY ROLF HENGESBACH/RAUM FÜR AKTUELLE KUNST, WUPPERTAL

DIETER KIESSLING

SANS TITRE, 1997

3 CAMÉRAS VIDÉO, 3 TRÉPIEDS, 2 MIXEURS VIDÉO, MONITEUR, SOCLE, DIMENSIONS VARIABLES

COURTESY ROLF HENGESBACH/RAUM FÜR AKTUELLE KUNST, WUPPERTAL

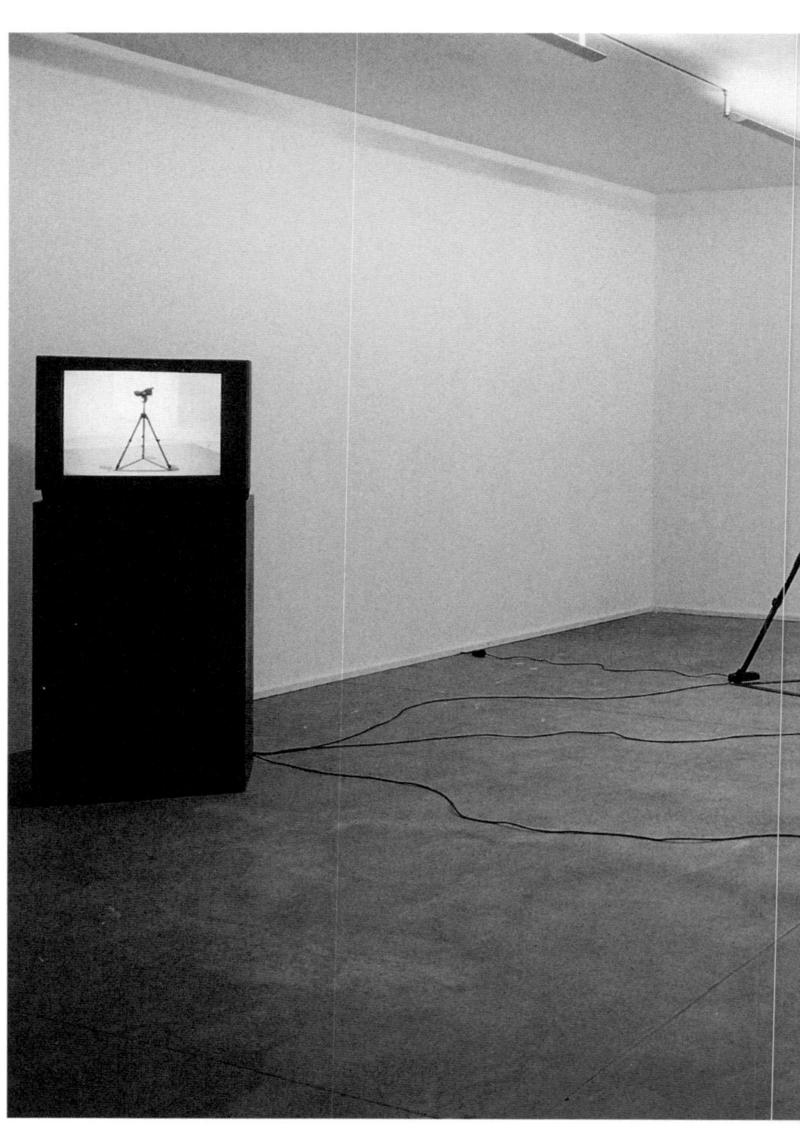

DIETER KIESSLING

UNTITLED, 1997

3 VIDEO CAMERAS, 3 TRIPODS, 2 VIDEO MIXERS, MONITOR, PEDESTAL, VARIABLE DIMENSIONS

COURTESY ROLF HENGESBACH/RAUM FÜR AKTUELLE KUNST, WUPPERTAL

Die Videoinstallation von Dieter Kiessling (°1957/D, Münster) entwickelt in der medialen Überlagerung verschiedener räumlicher Konfigurationen eine Art geschichtetes Panorama. Drei identische Videokameras auf Stativen sind in einer gleichschenkligen Dreieckanordung so aufgestellt, dass jede der drei Kameras im Gegenuhrzeigersinn ihr gegenüberliegendes Pendant filmt. Die drei Aufnahmen werden digital gemischt und auf einem einzigen Monitor übertragen. Da die Kameras symmetrisch zueinander installiert sind, ist ihr jeweiliges Abbild auf dem einen Monitor deckungsgleich. Durch die vollkommene Überlagerung wird deren Sichtbarkeit medial auf nur eine reduziert, im Gegensatz zu den gleichzeitig registrierten Umräumen der Kameras, die sich übereinander schieben und einen neuen virtuellen Raum bilden. Indem die verschiedenen Dialogpartner (Kameras und Monitor) voneinander getrennt sind, sich aber in einem Bild vereinen, entsteht eine Tautologie des 'räumlichen Raumes', zwischen den sich die BetrachterInnen auch selbst hineinschieben können. Im Gegensatz zu dem sich endlos verschachtelnden Raum (ein klassisches Feedback wenn eine Kamera einen Monitor filmt), wird hier der Raum 'aufgefächert'. Kiessling ist weder am Narrativen noch am Didaktischen des Mediums interessiert. Im Gegenteil, mit seinen Arbeiten versucht er das Medium zu überlisten und es spielerisch auf sich selbst zurückzuwerfen.

L'installation vidéo de Dieter Kiessling (°1957/D, Münster) développe une sorte de panorama stratifié en superposant, à l'aide de supports média, différentes configurations spatiales. Trois caméras vidéo identiques sur trépied sont disposées en triangle isocèle de telle sorte que chacune des trois caméras filme, en sens inverse des aiguilles d'une montre, son pendant situé en face. Les trois enregistrements sont retravaillés numériquement et retransmis sur un seul moniteur. Comme les caméras sont installées de manière symétrique les unes par rapport aux autres, leur image sur l'unique moniteur coïncide. La superposition parfaite fait que l'on y distingue qu'une seule caméra, tandis que les espaces environnants enregistrés simultanément par les caméras se superposent, eux aussi, créant un nouvel espace virtuel. Les différents participants à ce dialogue (les caméras et le moniteur) étant séparés les uns des autres tout en s'unissant en une seule image, il en résulte une tautologie de 'l'espace dans l'espace', à l'intérieur duquel les observateurs peuvent également se glisser. Contrairement à l'espace s'imbriquant à l'infini (un feed-back classique qui apparaît lorsqu'une caméra filme un moniteur), l'espace ici est 'ouvert en éventail'.
Dieter Kiessling ne s'intéresse ni au narratif ni au didactique du support média. Bien au contraire, avec ses travaux il essaie de déjouer le média et de le renvoyer à lui-même comme dans un jeu.

The video installation by Dieter Kiessling (°1957/D, Münster) develops a kind of layered panorama in the superposition of different spatial configurations media-wise. Three identical video cameras on tripods are placed in such a way that they form an isosceles triangle, and each camera films the camera on the opposite side, seen counter-clockwise. The three recordings are digitally mixed and transmitted onto one single monitor. As the cameras are installed symmetrically, the images on the monitor are congruent. The perfect superposition reduces their visibility in the medium to one, while, by contrast, the surroundings of the cameras, which are recorded at the same time, overlap and form a new virtual space. Due to the fact that the different parties to the dialogue (cameras and monitor) are separated but united in one picture, a tautology of 'spatial space' emerges, and the beholder is able to slide into it himself. Space does not nest endlessly here (as is the case in classic feedback when a camera films a monitor), it fans out.

Kiessling is neither interested in the narrative nor in the didactic character of the medium. On the contrary, he seeks to get the better of it and to cause it to reflect upon itself in a playful way.

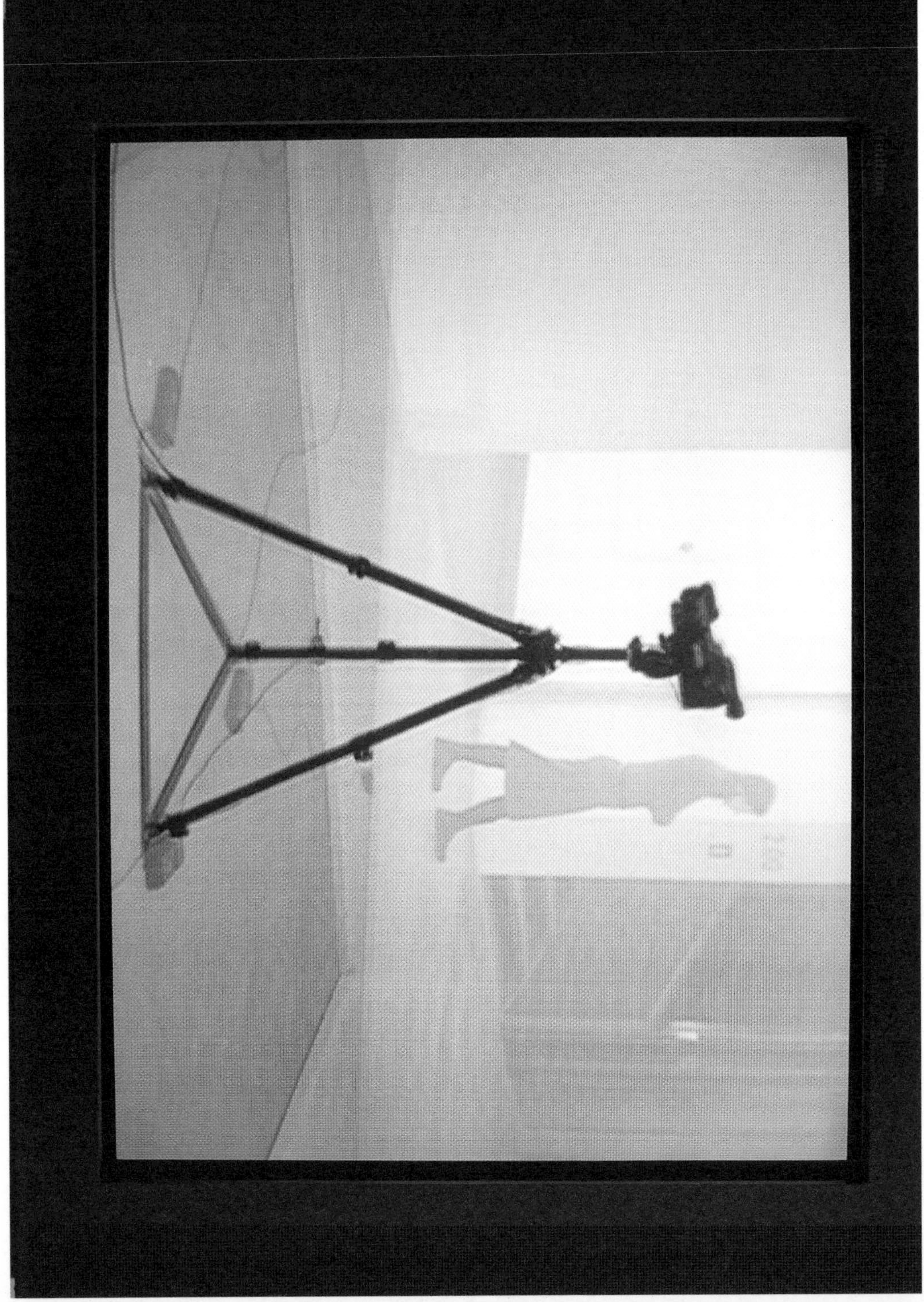

KEN LUM

MIRROR WORKS, 1997

PHOTO-MIRROR: REUNION PARTY
PHOTO-MIRROR: GRADUATE
PHOTO-MIRROR: SUMMER BLOOM
PHOTO-MIRROR: MEMORIAL, WOMAN WITH FLOWERS
PHOTO-MIRROR: BOY IN BLUE WEST
PHOTO-MIRROR: SUNSET
PHOTO-MIRROR: FRENCH MAID
PHOTO-MIRROR: JAPANESE LOVERS
PHOTO-MIRROR: SOCCER KIDS
PHOTO-MIRROR: DOG IN THE EYE

SPIEGEL, HOLZ, FOTOS,
37 X 46 CM/ 100 X 137 CM

COURTESY ANDREA ROSEN GALLERY, NEW YORK

KEN LUM

MIRROR WORKS, 1997

PHOTO-MIRROR: REUNION PARTY
PHOTO-MIRROR: GRADUATE
PHOTO-MIRROR: SUMMER BLOOM
PHOTO-MIRROR: MEMORIAL, WOMAN WITH FLOWERS
PHOTO-MIRROR: BOY IN BLUE WEST
PHOTO-MIRROR: SUNSET
PHOTO-MIRROR: FRENCH MAID
PHOTO-MIRROR: JAPANESE LOVERS
PHOTO-MIRROR: SOCCER KIDS
PHOTO-MIRROR: DOG IN THE EYE

MIROIRS, BOIS, PHOTOS,
37 X 46 CM/ 100 X 137 CM

COURTESY ANDREA ROSEN GALLERY, NEW YORK

KEN LUM

MIRROR WORKS, 1997

PHOTO-MIRROR: REUNION PARTY
PHOTO-MIRROR: GRADUATE
PHOTO-MIRROR: SUMMER BLOOM
PHOTO-MIRROR: MEMORIAL, WOMAN WITH FLOWERS
PHOTO-MIRROR: BOY IN BLUE WEST
PHOTO-MIRROR: SUNSET
PHOTO-MIRROR: FRENCH MAID
PHOTO-MIRROR: JAPANESE LOVERS
PHOTO-MIRROR: SOCCER KIDS
PHOTO-MIRROR: DOG IN THE EYE

MIRRORS, WOOD, PHOTOGRAPHS,
37 X 46 CM/ 100 X 137 CM

COURTESY ANDREA ROSEN GALLERY, NEW YORK

Ken Lum (°1956/CDN, Vancouver) führt uns den Spiegel sowohl als Gegenstand als auch als Metapher der räumlichen Spiegelung vor. Indem mehrere 'Mirror Works' zueinander in einem Verhältnis der Korrespondenz gehängt werden, thematisiert er einerseits den Bildraum durch den einfachen Akzent des Holzrahmens und dekonstruiert andererseits den Umraum, der sich vielfältig verzweigt und endlos ausweitet. Michel Foucault gebrauchte das Bild des Spiegels in seiner Lesung für den 'Cercle d'Études Architecturales' 1967 in Paris als Referenz zur Erklärung des Begriffes 'Heterotopie', ein 'verfälschter' Ort, an dem die Realität anders funktioniert:
„Der Spiegel ist nämlich eine Utopie, sofern er ein Ort ohne Ort ist. Im Spiegel sehe ich mich da, wo ich nicht bin: in einem unwirklichen Raum, der sich virtuell hinter der Oberfläche auftut; ich bin dort, wo ich nicht bin, eine Art Schatten, der mir meine eigene Sichtbarkeit gibt, der mich mich erblicken lässt, wo ich abwesend bin. [...] Aber der Spiegel schickt mich auf den Platz zurück, den ich wirklich einnehme; vom Spiegel aus entdecke ich mich als abwesend auf dem Platz, wo ich bin, da ich mich dort sehe [...].“[1]
Die vom Künstler hinzugefügten anonymen Familienfotos, welche in den Holzrahmen stecken, schaffen eine weitere Bedeutungsebene, die wie ein narrativer Schleier zwischen Raum und Raumspiegelung hängt. Das eigene Gegenüber (das andere 'Ich' im Spiegel) verstrickt sich in der sentimentalen Umgebung 'fremder' Snapshots. Realität und Fiktion, Schichtung und

Geschichte, Vorder- und Hintergrund verschmelzen ineinander.

1. FOUCAULT (Michel), 'Andere Räume', in *Aisthesis (Wahrnehmung heute oder Perspektiven einer anderen Ästhetik)*, Karlheinz Barck, Peter Gente, Heidi Paris, Stefan Richter (Hg.), Reclam, Leipzig 1990.

Ken Lum (°1956/CDN, Vancouver) nous présente le miroir en tant qu'objet mais également en tant que métaphore de la réflexion de l'espace. En accrochant face à face plusieurs 'Mirror Works' dans un rapport de correspondance, il prend pour thème, d'une part, l'espace-image grâce à l'accent simple mis par le cadre en bois, et déconstruit, d'autre part, l'espace environnant qui se divise en de multiples ramifications et s'étend à l'infini. Michel Foucault avait déjà fait référence à l'image du miroir dans sa lecture pour le 'Cercle d'Études Architecturales' en 1967 à Paris, pour expliquer la notion de 'hétérotopie', à savoir un lieu 'déformé' où la réalité fonctionne différemment :
« Le miroir est une utopie en ce sens qu'il est un lieu sans lieu. Dans le miroir, je me vois là où je ne suis pas : dans un espace irréel qui apparaît virtuellement derrière la surface ; j'y suis sans y être, comme une ombre me dotant de ma propre visibilité, me montrant où je suis absent. [...] Mais le miroir me renvoie à l'endroit où je me trouve vraiment ; à partir du miroir je découvre que je suis absent de l'endroit où je suis au moment où je m'y vois [...]. »[1]
Les photos de famille anonymes ajoutées par l'artiste et coincées dans les cadres en bois créent un autre niveau de sens, suspendu comme un voile narratif entre l'espace et la réflexion de l'espace. Notre propre vis-à-vis (l'autre 'Moi' dans le miroir) est pris dans l'environnement sentimental d'instantanés 'qui ne sont pas les nôtres'. Réalité et

fiction, stratification et histoire, premier plan et arrière-plan s'unissent pour ne faire plus qu'un.

1. FOUCAULT (Michel), 'Andere Räume', dans *Aisthesis (Wahrnehmung heute oder Perspektiven einer anderen Ästhetik)*, Karlheinz Barck, Peter Gente, Heidi Paris, Stefan Richter (éd.), Reclam, Leipzig 1990.

Ken Lum (°1956/CDN Vancouver) presents the mirror as an object and a metaphor for spatial reflection. By hanging several 'Mirror Works' in a relationship of correspondence, he deals with the picture space, simply accentuating it by means of a wooden frame, while at the same time deconstructing the surrounding space which branches off and expands endlessly. In his lecture at the 'Cercle d'Études Architecturales' in Paris in 1967 Michel Foucault used the metaphor of the mirror as a point of reference to explain the concept of 'heterotopia' – an 'adulterated space' where reality works differently:
"The mirror is a utopia inasmuch as it is a place without a place. In the mirror I see myself where I am not: in an unreal space which appears virtually behind the surface; I am there where I am not, a kind of shadow that endows me with my own visibility, shows me where I am absent. [...] But the mirror sends me back to the place I am actually occupying; from the mirror I discover myself to be absent in the place where I am, as I see myself there [...]."[1]
The anonymous family photographs added by the artist, who stuck them into the wooden frames, create another level of meaning which hangs like a narrative veil between space and mirrored space. The person on the other side (the 'alter ego' in the mirror) gets entangled in the sentimental environment of 'other people's' snapshots. Reality and fiction, stratification and (hi)story, backdrop and foreground melt into each other.

1. FOUCAULT (Michel), 'Andere Räume', in *Aisthesis (Wahrnehmung heute oder Perspektiven einer anderen Ästhetik)*, Karlheinz Barck, Peter Gente, Heidi Paris, Stefan Richter (eds.), Reclam, Leipzig 1990.

BORIS REBETEZ

OHNE TITEL, 1998, C-PRINT, 80 X 120 CM

SAMMLUNG ARTCONCERN, KORTRIJK

OHNE TITEL, 1998, C-PRINT, 80 X 120 CM
OHNE TITEL, 1998, C-PRINT, 80 X 120 CM
OHNE TITEL, 1998, C-PRINT, 80 X 120 CM

COURTESY DEWEER ART GALLERY, OTEGEM

BORIS REBETEZ

SANS TITRE, 1998, C-PRINT, 80 X 120 CM

COLLECTION ARTCONCERN, KORTRIJK

SANS TITRE, 1998, C-PRINT, 80 X 120 CM
SANS TITRE, 1998, C-PRINT, 80 X 120 CM
SANS TITRE, 1998, C-PRINT, 80 X 120 CM

COURTESY DEWEER ART GALLERY, OTEGEM

BORIS REBETEZ

UNTITLED, 1998, C-PRINT, 80 X 120 CM

COLLECTION ARTCONCERN, KORTRIJK

UNTITLED, 1998, C-PRINT, 80 X 120 CM
UNTITLED, 1998, C-PRINT, 80 X 120 CM
UNTITLED, 1998, C-PRINT, 80 X 120 CM

COURTESY DEWEER ART GALLERY, OTEGEM

Die Fotografien von Boris Rebetez (°1970/CH, Lacoix) basieren auf einer denkbar einfachen Collagetechnik. Bestehende Abbildungen von Landschaften aus diversen Zeitschriften werden zerlegt, montiert, fotografiert und schlussendlich vergrößert. Es entsteht so ein Sampling von Eindrücken, die eine plausible neue Realität suggerieren. Vorder- und Hintergrund, Lichteinfall, Schatten und Gegenstände sind nur scheinbar fließend, bis man die wenigen brutalen aber virtuosen Schnitte im Bild erkennt. Der Künstler arbeitet mit kleinen und präzisen Gesten. Die einzelnen Landschaftsteile behalten dadurch sozusagen ihre Autonomie, da sie sich nicht ineinander verzahnen, sondern sich nachfolgend und horizontal schichten. Eine logische perspektivische Abfolge wird dabei untergraben. Ein Pfahl im Vordergrund des Bildes wird gegenüber einer Wiesenlandschaft plötzlich monumentalisiert; eine Autostraße in direkter Nachbarschaft zu einer Dachlandschaft miniaturisiert. Da die autonomen Plateaus in einer optisch harmonischen Koexistenz nebeneinander liegen, wird die Summe der Fragmente als Einheit gelesen.
Es zeigt sich hier ein Vorgang der optischen Rückkopplung, indem die unterschiedlichen Betrachtungen vom Teil und des Ganzen, vom ganzheitlichen Teil und vom teilbaren Ganzen nicht mehr auseinanderzuhalten sind.

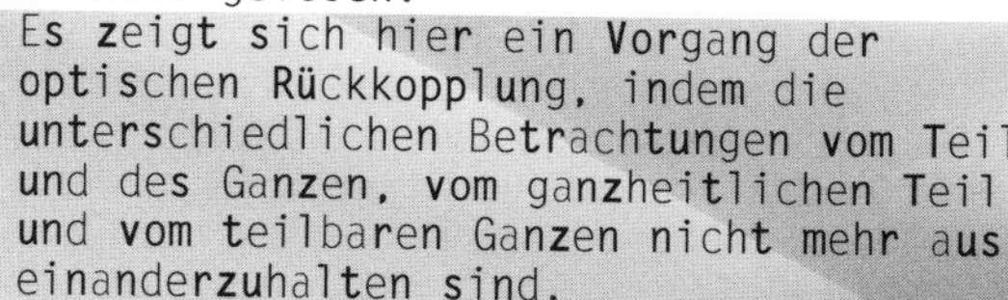

Les photographies de Boris Rebetez (°1970/CH, Lacoix) s'appuient sur une technique de collage très simple. Des illustrations de paysages sont découpées dans divers magazines, puis montées, photographiées et, pour finir, agrandies. Il en résulte un échantillonnage d'impressions suggérant une nouvelle réalité probable. Le premier plan et l'arrière-plan, l'incidence de la lumière, les ombres et les objets ne se fondent qu'en apparence, jusqu'à ce que l'on remarque, au sein de l'image, les quelques coupes brutales mais brillantes. L'artiste travaille avec des gestes discrets et précis. Les différentes parties de paysages conservent ainsi une quasi-autonomie, car elles ne s'emboîtent pas les unes dans les autres, mais s'empilent successivement et horizontalement les unes sur les autres. Tout ordre de perspective logique est ainsi sapé. Un poteau au premier plan de l'image prend du coup des proportions gigantesques par rapport à un paysage de prairie ; une route devient minuscule lorsque mise en rapport direct avec un paysage de toits. Les plateaux autonomes se juxtaposant en parfaite harmonie optique, la somme des fragments est lue comme un ensemble.

On assiste ici à un effet de rétroaction optique, les différences entre le fragment et l'ensemble, entre l'ensemble du fragment et l'ensemble fragmentaire ne pouvant plus être distinguées.

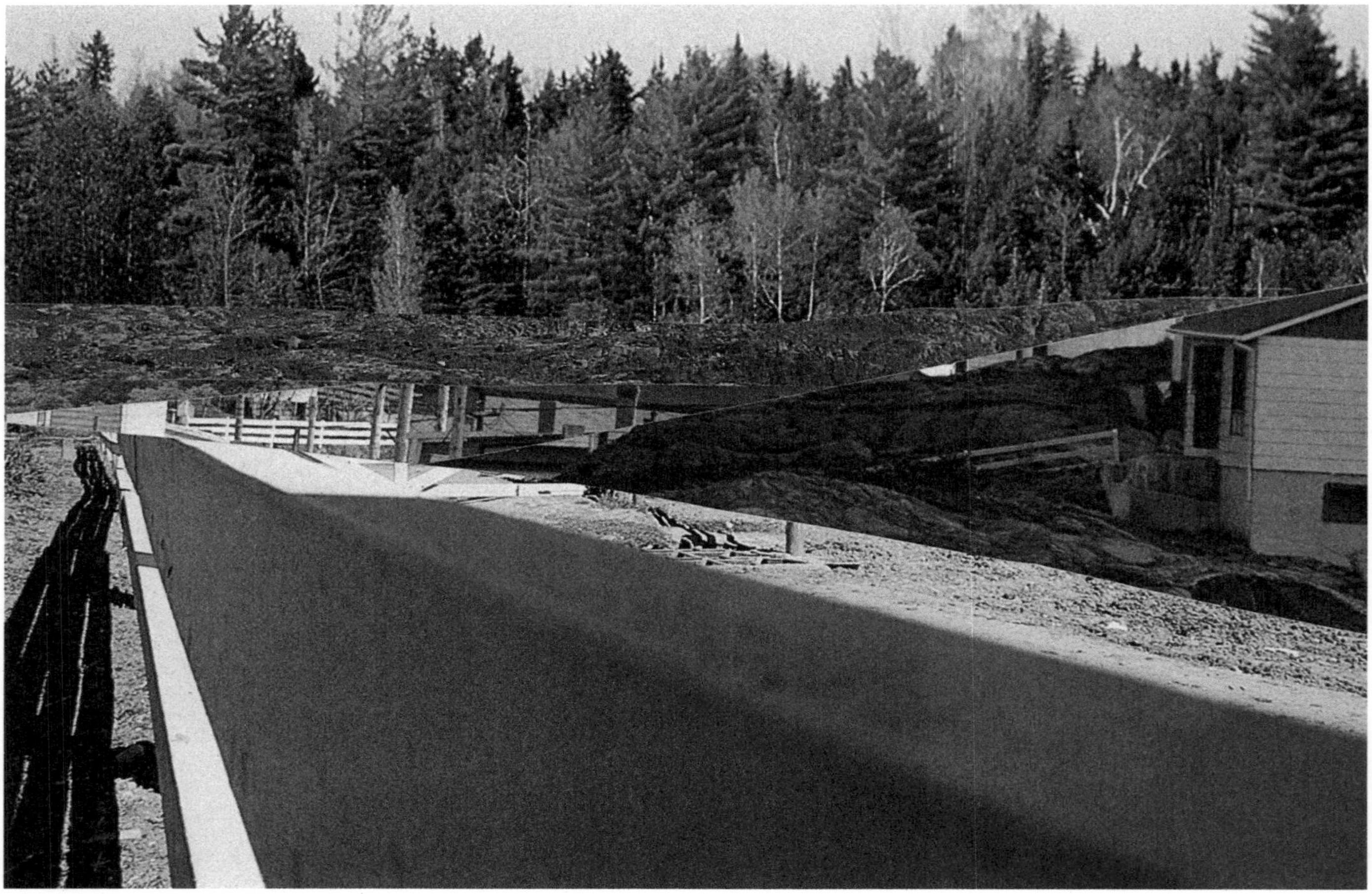

The photographs by Boris Rebetez (°1970/CH, Lacoix) are actually based on a very simple collage technique.
Existing pictures of landscapes from various magazines are taken apart, mounted, photographed and finally enlarged. What emerges is a sampling of impressions suggesting a plausible new reality. Foreground and background, the incidence of light, shadows and objects seem to be continuous until we identify the few places where the picture was cut in a violent yet masterful way. The artist's work is characterised by minute and precise gestures. The individual parts of the landscape thus maintain their independence as they do not interlock but are stratified consecutively and horizontally. The logical perspectival sequence is undermined in the process. A post in the foreground of a picture suddenly becomes monumental in comparison with a meadow; a road in the immediate neighbourhood of rooftops is miniaturised. As the independent plateaus are juxtaposed in visually harmonious coexistence, the sum of the fragments is read as a whole.
The process revealed here is optical feedback in which the different views of the whole and its parts, the integral part and the divisible whole can no longer be differentiated.

MITJA TUŠEK

FRÜHSTÜCK ZU LINZ/ZU LUXEMBURG
(AUSSTELLUNGSVERSION), 1999-2001

AUDIOARBEIT ÜBER RADIOFREQUENZ 107,90 FM (LINZ) /
103,90 FM (LUXEMBURG), 5'14"
1 RADIO, 10 TRANSISTORRADIOS

COURTESY KÜNSTLER, BRÜSSEL / MEMORY CAGE, ZÜRICH

FRÜHSTÜCK ZU LUXEMBURG, 2002
VIDEO (FRANZÖSISCHE FASSUNG), 5'14"

COURTESY KÜNSTLER, BRÜSSEL

PRODUKTION O.K CENTRUM FÜR GEGENWARTSKUNST, LINZ /
CASINO LUXEMBOURG - FORUM D'ART CONTEMPORAIN,
LUXEMBURG

MITJA TUŠEK

FRÜHSTÜCK ZU LINZ/ZU LUXEMBURG
(VERSION D'EXPOSITION), 1999-2001

TRAVAIL AUDIO SUR LA FRÉQUENCE RADIO 107,90 FM
(LINZ) / 103,90 FM (LUXEMBOURG), 5'14"
1 RADIO, 10 TRANSISTORS

COURTESY L'ARTISTE, BRUXELLES / MEMORY CAGE,
ZURICH

FRÜHSTÜCK ZU LUXEMBURG, 2002
VIDÉO (VERSION FRANÇAISE), 5'14"

COURTESY L'ARTISTE, BRUXELLES

PRODUCTION O.K CENTRUM FÜR GEGENWARTSKUNST, LINZ /
CASINO LUXEMBOURG - FORUM D'ART CONTEMPORAIN,
LUXEMBOURG

MITJA TUŠEK

FRÜHSTÜCK ZU LINZ/ZU LUXEMBURG
(EXHIBITION VERSION), 1999-2001

AUDIO WORK VIA RADIO FREQUENCY 107.90 FM (LINZ) /
103.90 FM (LUXEMBOURG), 5'14"
1 RADIO, 10 TRANSISTOR RADIOS

COURTESY THE ARTIST, BRUSSELS / MEMORY CAGE,
ZURICH

FRÜHSTÜCK ZU LUXEMBURG, 2002
VIDEO (FRENCH VERSION), 5'14"

COURTESY THE ARTIST, BRUSSELS

PRODUCTION O.K CENTRUM FÜR GEGENWARTSKUNST, LINZ /
CASINO LUXEMBOURG - FORUM D'ART CONTEMPORAIN,
LUXEMBOURG

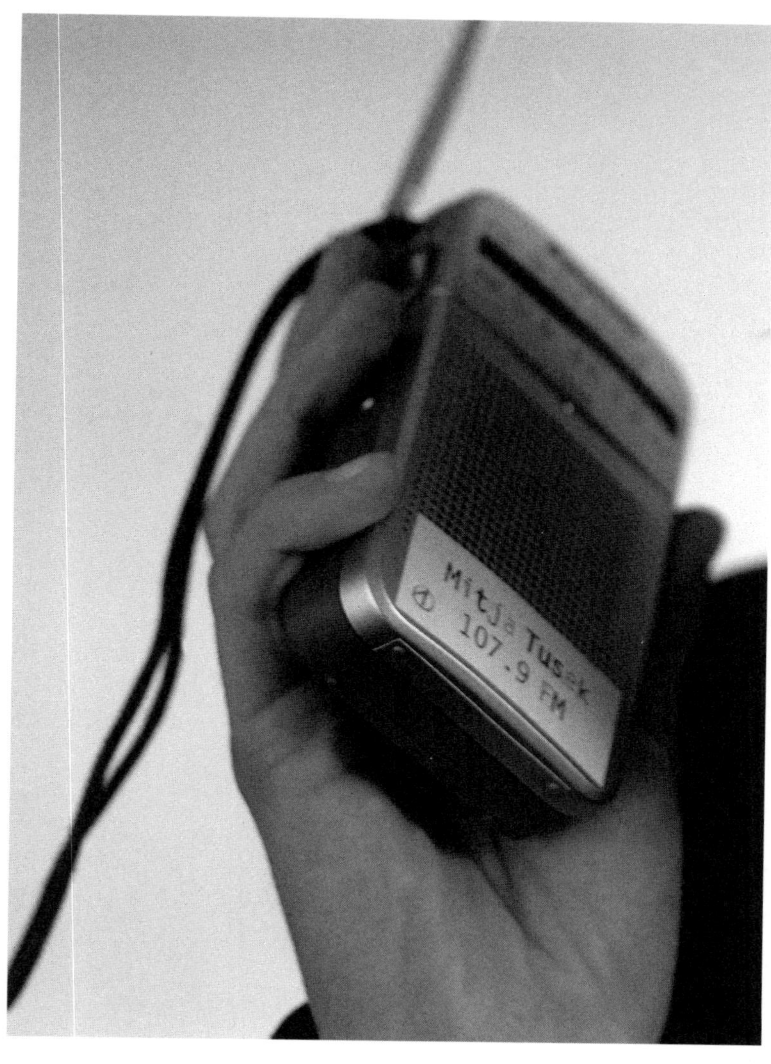

Mitja Tušek (°1961/CH, Maribor, Slovenien) ist vor allem Maler. Die gezeigte Audioarbeit 'Frühstück zu Linz/zu Luxemburg' ist somit weniger repräsentativ für sein Werk als für seinen feinen Humor. Das Thema des Feedback zeigt sich hier vor allem in der interpretativen Reaktion des Publikums auf die Audioarbeit, die für die Dauer der beiden Ausstellungen in Linz und Luxemburg permanent auf einer gemieteten Frequenz über Transistorradios zu hören ist. Ausgangspunkt bildet dabei ein Sampling populärer Sprichwörter wie 'Lieber Schulden statt Schande'; 'Lieber gesund und arm, als reich und krank' usw. Im Laufe dieser fünfminütigen Aufzählung werden die moralisierenden Statements durch den Sprecher so uminterpretiert und verdreht, dass das Spiel mit dem Ernst des Lebens zum ernsthaften Spiel mit dem Leben wird: 'Das Fleisch wird nicht besser mit mehr Suppe'; 'Gelegenheit macht Millionäre'; 'Wer keine Angst hat, muss nichts verbergen'; 'Je näher zu Gott, desto weiter von der Kirche' usw. Die Kombination der nüchternen Stimme, die uns das Unglaubwürdige glaubhaft macht, mit dem atemlosen Timing, das unsere reflexartigen Unsicherheiten über das Gehörte überrumpelt, verstärkt die Demontage der Moral. Das einleitend angesprochene destruktive Moment des Larsen Effekts kommt hier als Schaf im Wolfspelz daher. Es ist ein Spiel zwischen Glauben und Wahrheit, Annahme und Tatsache, die sich gegenseitig aufheben.

FRÜHSTÜCK

EINE IDEE IST NICHT VERANTWORTLICH FÜR DIE MENSCHEN, DIE AN SIE GLAUBEN. DELOKALISIERUNG SCHAFFT ARBEITSPLÄTZE. MAN MACHT KEINE OMELETTEN, OHNE EIER ZU ZERSCHLAGEN. ARBEITSPLÄTZE SCHAFFEN DELOKALISIERUNG. MAN ZERSCHLÄGT EIER NICHT NUR UM OMELETTEN ZU MACHEN. LIEBER DAS BESTE DES SCHLIMMSTEN, ALS DAS SCHLIMMSTE DES BESTEN. LIEBER BRECHEN ALS BIEGEN. ES IST BESSER IM EIGENEN LAND GELD ZU ZÄHLEN, ALS IM AUSLAND ZU ARBEITEN. DIE BEGIERDE, DIE AUS VERNUNFT ENTSTEHT, KANN KEIN ÜBERMASS HABEN. DES EINEN UNGLÜCK IST DES ANDEREN GLÜCK. LIEBER SCHULDEN ALS SCHANDE. LIEBER GESUND UND ARM, ALS REICH UND KRANK. LIEBER REICH UND GESUND, ALS KRANK UND ARM. ES IST BESSER EIN FREIER MANN IN EINEM GROSSEN HAUS ZU SEIN, ALS EIN SKLAVE IN EINEM KLEINEN. ES IST BESSER EINE REICHE FRAU ZU SEIN, ALS EINE SKLAVIN DER ARMEN. VIEL LÄRM UM NICHTS.

ABER: DAS FLEISCH WIRD NICHT BESSER MIT MEHR SUPPE. LIEBER DAS BESTE DES BESTEN, ALS DAS SCHLIMMSTE DES SCHLIMMSTEN. DIE ORDNUNGSMACHT BEWAHRT UNS VOR ANARCHIE. WER NICHTS ZU VERBERGEN HAT, MUSS KEINE ANGST HABEN BESSER EISERNE DIKTATUR, ALS GOLDENE ANARCHIE. GELEGENHEIT MACHT DIEBE. GELEGENHEIT MACHT MILLIONÄRE. HILF DIR SELBST, SO HILFT DIR GOTT. JE NÄHER ZU GOTT, DESTO WEITER VON DER KIRCHE. FAMILIARITÄT ERZEUGT MISSTRAUEN. LIEBER GOLDENE ANARCHIE ALS EISERNE DIKTATUR. MISSTRAUEN ERZEUGT FAMILIARITÄT. DIE ANARCHIE BEWAHRT UNS VOR ORDNUGSMACHT. WER KEINE ANGST HAT, MUSS NICHTS VERBERGEN. ES IST BESSER EIN FREIER MANN IN EINEM KLEINEN HAUS ZU SEIN, ALS EIN SKLAVE IN EINEM GROSSEN. ES IST BESSER EINE ARME FRAU ZU SEIN, ALS EINE SKLAVIN DER REICHEN.

DIE SUPPE WIRD NICHT SCHLECHTER MIT MEHR FLEISCH. ES IST BESSER IM EIGENEN LAND ZU ARBEITEN, ALS IM AUSLAND GELD ZU ZÄHLEN. LIEBER SCHANDE ALS SCHULDEN. DES EINEN GLÜCK IST DES ANDEREN UNGLÜCK. WEM GOTT STARKE ZÄHNE GIBT, DEM GIBT ER TROCKENES BROT. STARKE ZÄHNE HABEN ZEIT. KOMMT ZEIT, KOMMT RAT. KOMMT RAT, KOMMT ZEIT. ZEIT HAT STARKE ZÄHNE. GOTT HEILT, ABER DER ZAHNARZT KRIEGT DAS GELD. DIE NACHFRAGE BESTIMMT DEN PREIS. WER ARBEITEN WILL, DER KANN. JEDE SACHE HAT ZWEI SEITEN. WER KANN, DER ARBEITET. WERBUNG KURBELT DIE WIRTSCHAFT AN. ALLES HAT SEINE GUTE SEITE. DIE WIRTSCHAFT KURBELT DIE WERBUNG AN. DER PREIS BESTIMMT DIE NACHFRAGE.

WENN DER WEISE AUF DEN MOND WEIST, SCHAUT DER NARR AUF SEINEN FINGER. EIN NARR KANN FRAGEN, WAS SIEBEN WEISE NICHT BEANTWORTEN KÖNNEN. DER MENSCH DENKT UND GOTT LACHT. STILLE WASSER SIND TIEF. EIN WEISER KANN ANTWORTEN, WORAUF SIEBEN NARREN KEINE FRAGE HABEN. AUF JEDE FRAGE GIBT'S EINE NEUE ANTWORT. AUF JEDE ANTWORT GIBT'S EINE NEUE FRAGE. EINE SCHWALBE MACHT NOCH KEINEN FRÜHLING. GOLDENE SCHÜSSELN WERDEN NIE SCHWARZ. SCHÖNHEIT IST NICHT WAS SCHÖN IST, SONDERN WAS MAN LIEBT. SCHWARZE SCHÜSSELN WERDEN NIE GOLDEN. SCHÖNHEIT IST NICHT WAS MAN LIEBT, SONDERN WAS SCHÖN IST.

DER MENSCH LACHT UND GOTT DENKT. NICHT FÜR'S LEBEN LERNEN WIR, SONDERN FÜR DIE SCHULE. WENN DER NARR AUF DEN MOND WEIST, SCHAUT DER WEISE AUF SEINEN FINGER. WER SICH SCHULDIG FÜHLT, FÜHLT SICH VERANTWORTLICH. DENK AN VIELES, TUE DAS EINE. ZUVIEL BREI VERDIRBT DEN KOCH. WER SICH VERANTWORTLICH FÜHLT, FÜHLT SICH SCHULDIG SCHLÄGT MAN DEN LÖWEN, SO FÜRCHTET SICH AUCH DER HUND. JEDERMANN IST EIN KÜNSTLER. WAS GESCHIEHT JETZT MIT PINOCHET? SCHLÄGT MAN DEN HUND, SO FÜRCHTET SICH AUCH DER LÖWE. LIEBER BIEGEN ALS BRECHEN. NACH DER SONNE, DER REGEN. NICHT FÜR DIE SCHULE LERNEN WIR, SONDERN FÜR'S LEBEN. NACH DEM REGEN, DIE SONNE. DER FRÜHLING MACHT NOCH KEINE SCHWALBE. NICHTS UM VIEL LÄRM. TIEFE WASSER SIND STILL.

DENK AN DAS EINE, TUE VIELES. DIE MENSCHEN SIND NICHT VERANTWORTLICH FÜR DIE IDEE, AN DIE SIE GLAUBEN. DIE VERNUNFT, DIE AUS BEGIERDE ENTSTEHT, KANN KEIN ÜBERMAẞ HABEN. MIT DEM HUT IN DER HAND HAST DU NICHTS AUF DEM KOPF. MIT DEM HUT AUF DEM KOPF HAST DU NICHTS IN DER HAND. MIT DER HAND IN DER HOSE HAST DU NICHTS IM KOPF. MIT EINEM VOLLEN KOPF HAST DU NICHTS IN DER HOSE. MIT EINER LEEREN HOSE KOMMST DU NICHT WEIT. MIT EINER VOLLEN HOSE KANNST DU NICHT RENNEN. UND GELD RIECHT NICHT.
VERSTANDEN?

FRÜHSTÜCK

UNE IDÉE N'EST PAS RESPONSABLE DES HOMMES QUI Y CROIENT. LA DÉLOCALISATION CRÉE DES EMPLOIS. ON NE FAIT PAS D'OMELETTES SANS CASSER D'ŒUFS. L'EMPLOI CRÉE LA DÉLOCALISATION. ON NE CASSE PAS DES ŒUFS UNIQUEMENT POUR FAIRE DES OMELETTES. MIEUX VAUT LE MEILLEUR DU PIRE QUE LE PIRE DU MEILLEUR. MIEUX VAUT FORCE QU'ENGIN. MIEUX VAUT COMPTER DE L'ARGENT CHEZ SOI QUE TRAVAILLER À L'ÉTRANGER. LE DÉSIR ENGENDRÉ PAR LA RAISON N'A PAS DE DÉMESURE. LE MALHEUR DES UNS EST LE BONHEUR DES AUTRES. MIEUX VALENT DES DETTES QUE LA HONTE. MIEUX VAUT ÊTRE EN BONNE SANTÉ ET PAUVRE QUE MALADE ET RICHE. MIEUX VAUT ÊTRE RICHE ET EN BONNE SANTÉ QUE MALADE ET PAUVRE. MIEUX VAUT ÊTRE UN HOMME LIBRE DANS UNE GRANDE MAISON QU'ÊTRE UN ESCLAVE DANS UNE PETITE. MIEUX VAUT ÊTRE UNE FEMME RICHE QU'UNE ESCLAVE DES PAUVRES. BEAUCOUP DE BRUIT POUR RIEN.

MAIS: LA VIANDE NE DEVIENT PAS MEILLEURE AVEC PLUS DE SOUPE. MIEUX VAUT LE MEILLEUR DU MEILLEUR QUE LE PIRE DU PIRE. LES FORCES DE L'ORDRE NOUS GARDENT DE L'ANARCHIE. QUI N'A RIEN À CACHER, N'A RIEN À CRAINDRE. MIEUX VAUT UNE DICTATURE D'ACIER QU'UNE ANARCHIE DORÉE. L'OCCASION FAIT LE VOLEUR. L'OCCASION FAIT LE MILLIARDAIRE. AIDE-TOI ET LE CIEL T'AIDERA. PLUS ON S'APPROCHE DE DIEU, PLUS ON S'ÉLOIGNE DE L'ÉGLISE. LA FAMILIARITÉ CRÉE LA MÉFIANCE. MIEUX VAUT UNE ANARCHIE EN OR QU'UNE DICTATURE D'ACIER. LA MÉFIANCE ENGENDRE LA FAMILIARITÉ. L'ANARCHIE NOUS GARDE DES FORCES DE L'ORDRE. QUI N'A RIEN À CRAINDRE, N'A RIEN À CACHER. MIEUX VAUT ÊTRE UN HOMME LIBRE DANS UNE PETITE MAISON, QU'UN ESCLAVE DANS UNE GRANDE. MIEUX VAUT ÊTRE UNE FEMME PAUVRE QU'UNE ESCLAVE DES RICHES.

LA SOUPE N'EST PAS MOINS MAUVAISE AVEC MOINS DE VIANDE. MIEUX VAUT TRAVAILLER CHEZ SOI QUE COMPTER DE L'ARGENT À L'ÉTRANGER. MIEUX VAUT LA HONTE QUE DES DETTES. LE BONHEUR DES UNS FAIT LE MALHEUR DES AUTRES. À CELUI QUE DIEU DONNE DE BONNES DENTS, DIEU DONNE DU PAIN SEC. LES BONNES DENTS DURENT. LE TEMPS EST PLUS SAGE QUE TOUS LES CONSEILLERS. UN BON CONSEIL VAUT MIEUX QU'ATTENDRE. LE TEMPS A LA DENT DURE. DIEU GUÉRIT, MAIS LE DENTISTE REÇOIT L'ARGENT. LA DEMANDE DÉFINIT LE PRIX. QUI VEUT TRAVAILLER, LE PEUT. CHAQUE MÉDAILLE A DEUX FACES. QUI PEUT TRAVAILLER, LE FAIT. LA PUBLICITÉ STIMULE L'ÉCONOMIE. TOUTE CHOSE A SON BON CÔTÉ. L'ÉCONOMIE STIMULE LA PUBLICITÉ. LE PRIX DÉFINIT LA DEMANDE.

QUAND LE SAGE MONTRE LA LUNE, LE SOT REGARDE LE DOIGT. UN SOT PEUT POSER UNE QUESTION À LAQUELLE SEPT SAGES N'ONT PAS DE RÉPONSE. L'HOMME RÉFLÉCHIT ET DIEU EN RIT. LES EAUX DORMANTES SONT PROFONDES. UN SAGE PEUT RÉPONDRE À UNE QUESTION QUE SEPT SOTS N'ONT PAS POSÉE. À CHAQUE QUESTION UNE NOUVELLE RÉPONSE. À CHAQUE RÉPONSE UNE NOUVELLE QUESTION. UNE HIRONDELLE NE FAIT PAS LE PRINTEMPS. LE POT DORÉ NE NOIRCIT JAMAIS. LA BEAUTÉ N'EST QUE LA PROMESSE DU BONHEUR. UN POT NOIR NE SERA JAMAIS DORÉ. LE BONHEUR N'EST QUE LA PROMESSE DE LA BEAUTÉ.

L'HOMME RIT ET DIEU RÉFLÉCHIT. NOUS N'APPRENONS PAS POUR LA VIE MAIS POUR L'ÉCOLE. QUAND LE SOT MONTRE LA LUNE, LE SAGE REGARDE LE DOIGT. CELUI QUI SE SENT COUPABLE SE SENT RESPONSABLE. PENSE À BEAUCOUP DE CHOSES, FAIS-EN UNE. TROP DE SOUPE GÂTE LE CUISINIER. CELUI QUI SE SENT RESPONSABLE SE SENT COUPABLE. QUAND ON BAT LE LION, LE CHIEN AUSSI PREND PEUR. TOUT LE MONDE EST ARTISTE. OÙ EN EST L'HISTOIRE DE PINOCHET? À LA CHANDELLE, LA CHÈVRE SEMBLE DEMOISELLE. QUAND ON BAT LE CHIEN, LE LION AUSSI PREND PEUR. MIEUX VAUT ENGIN QUE FORCE. APRÈS LE SOLEIL, LA PLUIE. NOUS N'APPRENONS PAS POUR L'ÉCOLE MAIS POUR LA VIE. APRÈS LA PLUIE, LE SOLEIL. LE PRINTEMPS NE FAIT PAS L'HIRONDELLE. RIEN POUR BEAUCOUP DE BRUIT.
LES EAUX PROFONDES DORMENT.

PENSE À UNE SEULE CHOSE, FAIS-EN BEAUCOUP. LES HOMMES NE SONT PAS RESPONSABLES DE L'IDÉE À LAQUELLE ILS CROIENT. LA RAISON ENGENDRÉE PAR LE DÉSIR N'A PAS DE DÉMESURE. AVEC LE CHAPEAU DANS LA MAIN, TU N'AS RIEN SUR LA TÊTE. AVEC LE CHAPEAU SUR LA TÊTE TU N'AS RIEN DANS LA MAIN. AVEC LA MAIN DANS LE FROC, TU N'AS RIEN DANS LA TÊTE. AVEC LA TÊTE PLEINE, TU N'AS RIEN DANS LA CULOTTE. AVEC DES POCHES VIDES, TU NE VAS PAS LOIN. PLEIN LE FROC, TU NE PEUX PAS COURIR. ET L'ARGENT N'A PAS D'ODEUR.
N'EST-CE PAS?

Mitja Tušek (°1961/CH, Maribor, Slovénie) est avant tout un peintre. Le travail audio 'Frühstück zu Linz/zu Luxemburg' est donc moins représentatif de son œuvre que de son humour subtil. Le thème du feed-back se retrouve ici surtout dans la réaction interprétative du public par rapport à son travail audio que l'on peut écouter en permanence sur des transistors, sur une fréquence louée pendant la durée des expositions à Linz et à Luxembourg. Au départ, un échantillonnage de proverbes populaires tels que 'Mieux valent des dettes que la honte' ; 'Mieux vaut être en bonne santé et pauvre que malade et riche', etc. Pendant les cinq minutes que dure cette énumération, les déclarations moralisatrices sont déviées et déformées par le narrateur de telle sorte que le jeu avec les choses sérieuses de la vie finit par se muer en un jeu sérieux avec la vie : 'La viande ne devient pas meilleure avec plus de soupe' ; 'L'occasion fait le milliardaire' ; 'Qui n'a rien à craindre, n'a rien à cacher' ; 'Plus on se rapproche de Dieu, plus on s'éloigne de l'église', etc.
La combinaison de la voix sobre qui rend digne de foi ce qui n'est pas crédible, avec le rythme effréné qui enjôle les incertitudes que nous éprouvons par réflexe par rapport à ce que nous avons entendu, renforce le démontage de la morale. Le moment destructeur de l'effet Larsen évoqué en introduction prend ici des allures d'agneau déguisé en loup. Il s'agit d'un jeu entre croyance et vérité, entre supposition et fait, qui s'annulent mutuellement.

Mitja Tušek (°1961/CH, Maribor, Slovenia) is primarily a painter. The audio work 'Frühstück zu Linz/zu Luxemburg' is thus less representative of his artistic œuvre than of his fine sense of humour. The theme of feedback is mainly found in the response of the audience interpreting the audio work, which can be continuously heard via transistor radios on a frequency hired for the duration of the Linz and Luxemburg exhibitions, respectively. The point of departure is a sampling of popular sayings such as: 'Better in debt than in disgrace'; 'Better healthy and poor than rich and sick' etc. In the course of five minutes in which these moralising statements are run down, the speaker re-interprets and distorts them in such a way as to turn the play on the serious side of life into a serious play on life: 'Meat is not better with more soup'; 'Opportunity makes the millionaire'; 'Those who have nothing to fear have nothing to hide'; 'The nearer to God the farther away from the church' etc.
A sedate voice which makes the incredible credible for us, combined with breathless timing that gets the better of our reflex-like insecurity about whether we can really believe what we have heard reinforces the dismantling of morality. The destructive element in the Larsen effect addressed earlier is a sheep in wolf's clothing here. It is a play oscillating between belief and truth, assumption and fact which cancel each other out.

STAND BY
SKIP/SEARCH
PLAY/PAUSE
SKIP/SEARCH
STOP
OPEN/CLOSE

>

DANIELA KEISER

FELLONI & BUONVICINI, 1999

RAUMSPEZIFISCHER MODELLKÖRPER AUS KARTON, VARIABLE DIMENSIONEN, 13 TISCHE (61 X 100 X 72 CM), 23 TEXTBLÄTTER (21 X 29,7 CM), 1 CD MIT SPRECHTEXT, 18' (STIMME: SILVIA BUONVICINI)

COURTESY GALERIE STAMPA, BASEL

DANIELA KEISER

FELLONI & BUONVICINI, 1999

MAQUETTE EN CARTON D'UNE PIÈCE GRANDEUR RÉELLE, DIMENSIONS VARIABLES, 13 TABLES (61 X 100 X 72 CM), 23 FEUILLETS (21 X 29,7 CM), 1 CD AVEC TEXTE ENREGISTRÉ, 18' (VOIX: SILVIA BUONVICINI)

COURTESY GALERIE STAMPA, BÂLE

DANIELA KEISER

FELLONI & BUONVICINI, 1999

SITE-SPECIFIC MODEL ROOM MADE OF CARDBOARD, VARIABLE DIMENSIONS, 13 TABLES (61 X 100 X 72 CM), 23 TEXT SHEETS (21 X 29.7 CM), 1 CD WITH SPOKEN TEXT, 18' (READ BY SILVIA BUONVICINI)

COURTESY GALERIE STAMPA, BASLE

O.K CENTRUM FÜR GEGENWARTSKUNST, LINZ

Wie sehr sprachliche Begriffe dehnbar bzw. unterschiedlich interpretierbar sind, zeigt sich in der Arbeit von Daniela Keiser (°1963/CH, Neuhausen am Rheinfall) 'Felloni & Buonvicini'. In einem offenen, aus Kartonwänden gebauten 'Modellraum' liegen auf aneinandergereihten Tapeziertischen 23 Textblätter. Es handelt sich dabei um Übersetzungen eines Polizeiprotokolls über ein Geldfälschungsdelikt, welchem die Künstlerin selbst zum Opfer gefallen ist. Die Polizeiakte wurde nacheinander vom italienischen Original ins Deutsche, Schwedische, Türkische, Tschechische, Französische, Japanische, Kurdische, Russische, Englische, Romanische, Spanische, Arabische und zwischendurch einige Male ins Deutsche übersetzt. Beim Lesen der Protokolle werden die im Prozess des stetigen Übersetzens entstandenen leichten oder gravierenden Verschiebungen des Sinns sichtbar. Die Textquelle wird zur Quelle von Mehrdeutigkeiten, Missverständnissen, Umdeutungen und Verkürzungen, welche nicht zuletzt auf den verschiedenen Sprachkulturen basieren: Daten, Namen und Gegebenheiten verändern sich. 'Una bancanota da 50.000 lire italiana (Cinquantamilalire), avente raffigurato numero di serie MB 363993R, perchè ritenuta presumibilmente falsa', wird in der deutschen Übersetzung zu 'Eine 50.000 Lire Note (fünfzig tausend) mit Serien-Nummer MB 363993R, die man angenommen hat, es sei eine Fälschung.' Wie Hans Rudolf Reust richtig bemerkt kann hier die Übersetzung verschieden interpretiert werden: heißt es nun 'von

der man angenommen hat, es sei eine Fälschung' oder 'die man angenommen hat, wohlwissend, dass es eine Fälschung ist'? Die Unkenntnis der Sprache führt hier zu Mehrdeutigkeiten: Durch die syntaktisch unkorrekte Übersetzung fehlt für das Wort 'annehmen' die notwendige inhaltliche Zuordnung; 'annehmen' kann im Sinn von denken, glauben oder aber auch als aktive haptische Handlung verstanden werden.
In der Arbeit von Daniela Keiser wird die Urkunde des Fälschungsdeliktes unfreiwillig selbst verfälscht.

CASINO LUXEMBOURG

À quel point les termes linguistiques sont élastiques ou peuvent donner lieu à des interprétations diverses montre le travail 'Felloni & Buonvicini' de Daniela Keiser (°1963/ CH, Neuhausen am Rheinfall). Dans une 'salle modèle' ouverte, construite avec des murs en carton, 23 feuillets sont exposés sur des tables à tapisser juxtaposées. Il s'agit de traductions d'un procès-verbal de police sur un délit de faux-monnayage dont l'artiste a elle-même été victime. Le dossier de police a été traduit de l'original italien en allemand, puis en suédois, en turc, en tchèque, en français, en japonais, en kurde, en russe, en anglais, en roman, en espagnol, en arabe et, entre-temps, plusieurs fois en allemand. À la lecture des procès-verbaux, les glissements de sens plus ou moins graves apparus au cours des processus de traduction deviennent visibles. Le texte source devient source d'ambiguïtés, de malentendus, de réinterprétations et de raccourcissements notamment inhérents aux différentes cultures linguistiques. Les informations, les noms et les faits changent. 'Una bancanota da 50.000 lire italiana (Cinquantamilalire), avente raffigurato numero di serie MB 363993R, perchè ritenuta presumibilmente falsa' devient dans la traduction allemande : 'Eine 50.000 Lire Note (fünfzig tausend) mit Serien-Nummer MB 363993R, die man angenommen hat, es sei eine Fälschung'. Ainsi que le remarque à juste titre Hans Rudolf Reust, la traduction du verbe 'annehmen' ('accepter' ; ici dans sa forme du participe passé 'angenommen') peut être

The work 'Felloni & Buonvicini' by Daniela Keiser (°1963/CH, Neuhausen am Rheinfall) shows how language can be interpreted loosely or differently. In an open 'model space' built from cardboard walls 23 text sheets are lying on paperhanger's tables put next to each other. The texts are translations of a police record concerning a counterfeiting offence which the artist herself fell victim to. The police record has been translated from its original language Italian into German, Swedish, Turkish, Czech, French, Japanese, Kurdish, Russian, English, Rhaeto-Romanic, Spanish and Arabic successively, and several times back into German in-between. When we read the record, we identify slight or grave shifts in the meaning caused by the repeated process of translation. The source text becomes a source of ambiguities, misunderstandings, re-interpretations and shortcuts which are also due to different linguistic cultures: dates, names and circumstances change. In the German translation 'Una bancanota da 50.000 lire italiana (Cinquantamilalire), avente raffigurato numero di serie MB 363993R, perchè ritenuta presumibilmente falsa', turns into 'A 50,000 Lire bill (fifty thousand), serial number MB 363993R, which was accepted as a counterfeit.' As Hans Rudolf Reust correctly noted, the translation can be read in two different ways: does it mean 'of which it is accepted that it is a counterfeit'? Or 'which was accepted in the knowledge that it is a counterfeit'? A lack of proficiency in the language may lead to

interprétée de diverses manières : est-ce que l'on veut dire 'von der man angenommen hat, es sei eine Fälschung' ('un billet dont on a supposé qu'il s'agissait d'une falsification') ? ou 'die man angenommen hat, wohlwissend, dass es eine Fälschung ist' ('un billet que l'on a accepté, en sachant qu'il s'agissait d'une falsification') ? L'ignorance de la langue engendre ici des ambiguïtés : la traduction syntaxiquement incorrecte fait que l'on ne sait plus à quoi rattacher le verbe 'annehmen' ; on peut alors le comprendre dans le sens de 'penser, croire, supposer' ou bien dans son sens actif de 'accepter'.
Dans le travail de Daniela Keiser, le document sur le délit de falsification se retrouve lui-même involontairement falsifié.

MUSEUM FÜR GEGENWARTSKUNST, BASEL (1999)

ambiguities: due to the syntactically ambiguous translation, 'accept' can be taken to mean two things, 'take' or 'approve'.
In Daniela Keiser's work, the document pertaining to the counterfeiting offence is involuntarily falsified itself.

POLIZIA DI STATO
POLIZIA FERROVIARIA - VIAREGGIO (LU) -
SIP 0584 / 31249 - F.S 867 / 333

VERBALE DI SEQUESTRO

KEISER Daniela nata il 28.08.1963 a Zurigo (Svizzera) residente a Basilea (Svizzera) Birsigstr. 91 -------- Attualmente dimorante presso la Famiglia Berger Guido Via Pieve nr. 30 - Camaiore.------------------------- Titolare di patente di guida nr. 259076 rilasciata dalle Autorità Svizzere in data 18.10.1994.------------- Nubile, cittadina Svizzera.--------------------------

****

Il 31 Luglio 1996, alle ore 18.30 circa, negli Uffici della Polizia Ferroviaria di Viareggio (LU), noi sottoscritti Agenti di P.G., FELLONI Emiliano e SCAREL Angelina entrambi Agenti della Polizia di Stato appartenenti al succitato Ufficio, diamo atto achi di dovere che alle ore 17.00 circa di oggi 31 Luglio 1996, all'interno di questa Stazione Ferroviaria, abbiamo proceduto al sequestro di: UNA BANCONOTA DA 50.000 lire italiane (Cinquantamilalire), avente raffigurato numero di serie **MB363993R**, perchè ritenuta presumibilmente falsa.----------- La KEISER, all'orario succitato, consegnava la banconota alla cassiera del Bar Buffet di questo scalo in pagamento di quanto da lei acquistato e consumato per complessive lire 5.000 (cinquemilalire).-------------------------------- Il sequestro è stato effettuato al fine di assicurare alla A.G. la prova e -- quindi mantenerla integra ed inalterata. La moneta succitata sarà inviata alla A.G. competente con separato reperto.-- Si da atto che la KEISER, la quale comprende e parla a sufficienza la lingua italiana, prima di procedere all'attività succitata, è stata resa edotta dei suoi diritti e della facoltà di farsi assistere da un avvocato difensore di fiducia senza che ciò potesse comportare ritardi nell'esecuzione dell'atto, ma questa dichiarava di NON volersi far assistere dal difensore.------------- Riletto, confermato e sottoscritto, significando che copia del presente atto è stata consegnata alla in teressata.--

L'Interessata

Daniela Keiser

Gli Agenti di P.G.

Ag. Scarel Angela

Ag. Felloni Emiliano

Staatliche Polizei
Bahnpolizei - Viareggio (LU)
Italienische Gesellschaft für Telekommunikation 0584 / 31249 - Staatl. Eisenbahn 867 / 333

Protokoll der Beschlagnahmung
Keiser Daniela, geboren am 28. 08 1963 in Zürich (Schweiz)
wohnhaft in Basel (Schweiz), Birsigstr. 91
Hält sich zur Zeit bei der Familie Berger Guido
Via Pieve Nr. 30 - Camaiore auf
Inhaberin des Führerscheins Nr. 259076, ausgestellt von den
Schweizer Behörden am 18. 10. 1994
Ledig, Schweizer Staatsbürgerin
****

Am 31. Juli 1996, zirka um 18. 30 Uhr, bestätigen wir, die unterzeichnenden Beamten der Staatsanwaltschaft Felloni Emiliano und Scarel Angelina, beide Polizeibeamten der oben genannten Abteilung, der Pflicht entsprechend, dass wir um zirka 17 Uhr heute am 31. Juli 1996 im Innern dieses Bahnhofes folgende Beschlagnahmung vorgenommen haben: eine Banknote zut 50'000 Lire (fünfzigtausend Lire) der Seriennummer MB 363993R, von der man vermutete, sie sei eine Fälschung.
Die Keiser überreichte zur oben genannten Zeit die Banknote der Kassiererin des hiesigen Bahnhofbuffets, um ihre Konsumation im Gesamtwert von 5'000 Lire damit zu bezahlen.
Die Beschlagnahmung wurde vorgenommen, um der Justizbehörde den Beweis vollständig und unverändert übergeben zu können. Die oben genannte Banknote wird der zuständigen Behörde als einzelnes Beweisstück zugestellt.

Man bestätigt, dass die Keiser, die die italienische Sprache zufriedenstellend versteht und spricht, vor der oben genannten Handlung über ihre Rechte und die Möglichkeit, sich von einem Verteidiger ihres Vertrauens begleiten zu lassen, ohne dass dies eine Verzögerung des polizeilichen Aktes zur Folge hätte, aufgeklärt wurde. Sie erklärte jedoch., sich NICHT von einem Verteidiger begleiten lassen zu wollen.

Durchgelesen, bestätigt und unterschrieben. womit bekannt gegeben wäre, dass eine Kopie der vorliegende Akte der Interessentin ausgehändigt wurde.

Die Interessentin Die Beamten der Staatsanwaltschaft

Police judiciaire

Poste de Police des chemins de fer - Viareggio (LU)

Numéro de téléphone appels publics 0584 / 31249 Société des chemins de fer 867/333

Procès-verbal: Confiscation de faux billets de banque

Keiser, Daniela, née le 28.8.1963 à Zurich (Suisse), domiciliée à Bâle, Birsigstrasse 91, demeurant actuellement c/o famille Berger Guido, via Pieve 30, Caimoro.
Pièce d'identité fournie: permis de conduire, no d'enregistrement 259070, délivré par les autorités suisses le 18.10.94.
Célibataire et citoyenne suisse.

Le 31 juillet 1996, vers 6h30. Nous, les agents Felloni Emiliano et Scarel Angelo, sommes de service au département et au poste sus-nommés. Aujourd'hui 31 juillet, nous avons procédé vers 5h00 à la confiscation ci-après spécifiée. A été confisqué le billet de banque d'une valeur nominale de 50'000 (cinquante mille) lires italiennes portant le numéro de série MB 363993, utilisé par Keiser pour payer son addition d'un montant de 5'000 lires au buffet de la gare.

La pièce à conviction à été remise aux autorités sans modification aucune. Le billet de banque saisi est la seule pièce justificative de ce dossier remis aux autorités compétentes.

Il a été établi que Kaiser connaît la langue italienne. Les faits lui ont été exposés. La personne concernée est restée libre de demander une assistance juridique pour faire valoir ses droits concernant l'affaire mentionnée. Aucune obstruction à cette possibilité n'a été faite de notre part. Kaiser a néanmoins renoncé à l'assistance juridique.

Le présent document a été signé et lu à la personne concernée. Une copie lui en a été remise.

Les agents du Ministère public responsables

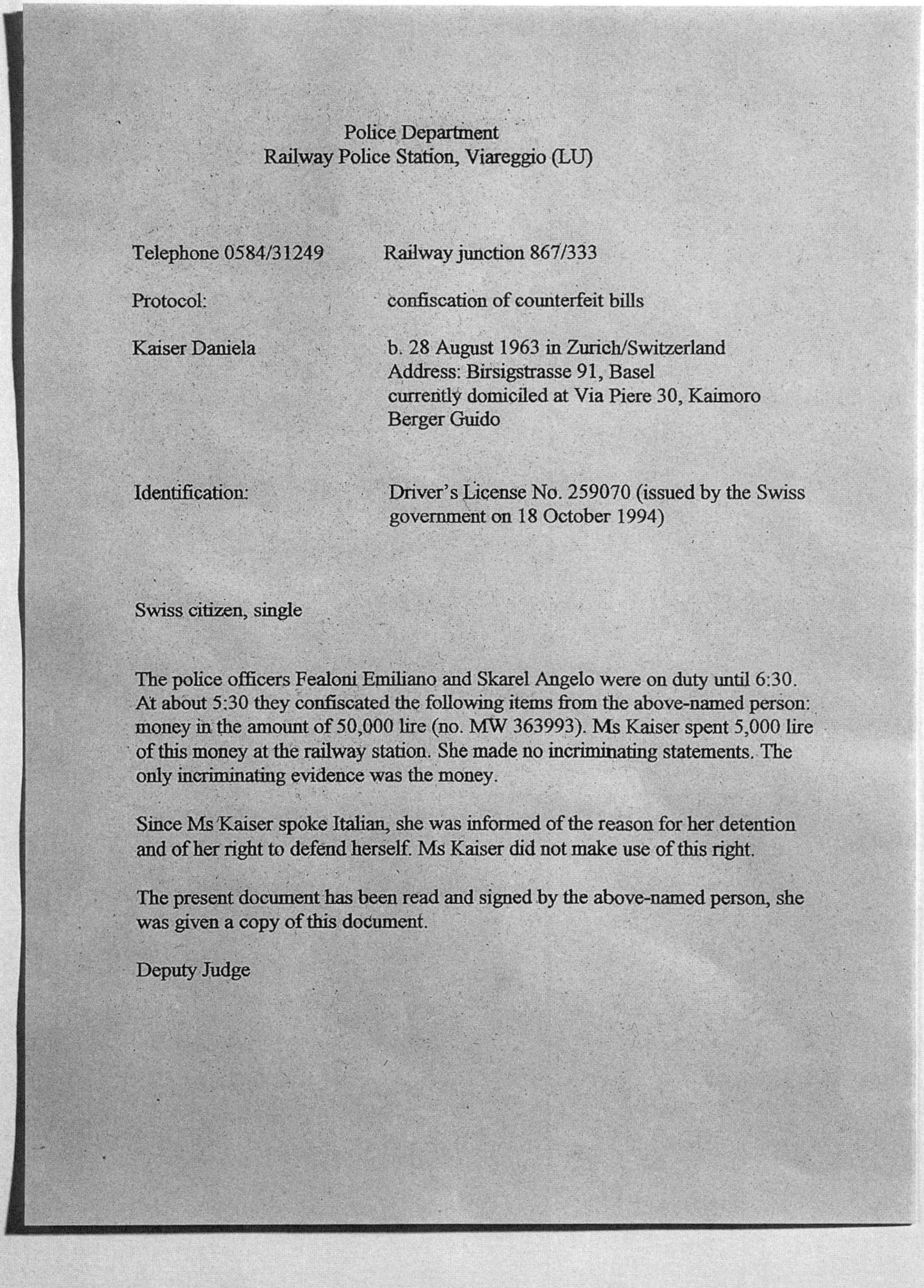

Police Department
Railway Police Station, Viareggio (LU)

Telephone 0584/31249	Railway junction 867/333
Protocol:	confiscation of counterfeit bills
Kaiser Daniela	b. 28 August 1963 in Zurich/Switzerland Address: Birsigstrasse 91, Basel currently domiciled at Via Piere 30, Kaimoro Berger Guido
Identification:	Driver's License No. 259070 (issued by the Swiss government on 18 October 1994)

Swiss citizen, single

The police officers Fealoni Emiliano and Skarel Angelo were on duty until 6:30. At about 5:30 they confiscated the following items from the above-named person: money in the amount of 50,000 lire (no. MW 363993). Ms Kaiser spent 5,000 lire of this money at the railway station. She made no incriminating statements. The only incriminating evidence was the money.

Since Ms Kaiser spoke Italian, she was informed of the reason for her detention and of her right to defend herself. Ms Kaiser did not make use of this right.

The present document has been read and signed by the above-named person, she was given a copy of this document.

Deputy Judge

SVEN AUGUSTIJNEN

JOHAN, 2001

PROJEKTION, DVD, 23'

COURTESY KÜNSTLER, BRÜSSEL

PRODUKTION HUIS A/D WERF, UTRECHT / O.K CENTRUM FÜR GEGENWARTSKUNST, LINZ / CASINO LUXEMBOURG - FORUM D'ART CONTEMPORAIN, LUXEMBURG

SVEN AUGUSTIJNEN

JOHAN, 2001

PROJECTION, DVD, 23'

COURTESY L'ARTISTE, BRUXELLES

PRODUCTION HUIS A/D WERF, UTRECHT / O.K CENTRUM FÜR GEGENWARTSKUNST, LINZ / CASINO LUXEMBOURG - FORUM D'ART CONTEMPORAIN, LUXEMBOURG

SVEN AUGUSTIJNEN

JOHAN, 2001

PROJECTION, DVD, 23'

COURTESY THE ARTIST, BRUSSELS

PRODUCTION HUIS A/D WERF, UTRECHT / O.K CENTRUM FÜR GEGENWARTSKUNST, LINZ / CASINO LUXEMBOURG - FORUM D'ART CONTEMPORAIN, LUXEMBOURG

Der für die Ausstellung produzierte Film 'Johan' von Sven Augustijnen (°1970/B, Mechelen) deckt auf ähnliche Weise dynamische Aspekte der Sprache auf, wie dies in den Übersetzungen in der Arbeit von Daniela Keiser der Fall ist. Als Filmemacher interessierte Sven Augustijnen sich wiederholt für den Grenzbereich zwischen Dokudrama, 'Human Interest' und Fiktion. Er stilisierte seine letzten Filme 'Iets op Bach' (1998, BetacamSP, 37', basierend auf dem gleichnamigen Theaterstück des belgischen Regisseurs Alain Platel von Les Ballets C. de la B.') oder 'L'école des pickpockets' (2000, Video, 50', basierend auf der Fiktion eines Ausbildungszentrums für Taschendiebe) so, dass Dokumentarfilm und voyeuristischer 'Home Movie', 'Fact & Fiction' nicht mehr auseinander zu halten sind.
'Johan' ist ein rein dokumentarischer Film und zeigt die Therapie eines Aphasiepatienten. Aphasie ist eine Krankheit im Sprachzentrum, die durch einen Gehirntumor hervorgerufen wird. Aphasiepatienten leiden unter einem chronischen Erinnerungsverlust und können durch die semantische oder interpretative Störung bestimmte Gegenstände nicht als solche erkennen oder zuordnen. Zu Beginn des Filmes von Sven Augustijnen werden die Kamera und das Filmen selbst Gegenstand der Therapie und somit zum Feedback des Mediums.

Can you explain that to me?

Le film 'Johan' de Sven Augustijnen (°1970/B, Mechelen), produit pour l'exposition, démasque de manière similaire des aspects dynamiques du langage, comme cela est le cas avec les traductions dans le travail présenté par Daniela Keiser. En tant que cinéaste, Sven Augustijnen s'est intéressé à plusieurs reprises aux limites entre le drame documentaire, le 'human interest' et la fiction. Il a si bien mis en scène ses derniers films, 'Iets op Bach' (1998, BetacamSP, 37', basé sur la pièce de théâtre du même titre du metteur en scène belge Alain Platel de 'Les Ballets C. de la B.') et 'L'école des pickpockets' (2000, vidéo, 50', basé sur la fiction d'un centre de formation pour pickpockets), que l'on ne peut plus distinguer le film documentaire de la vidéo amateur voyeuriste ('home movie'), les faits de la fiction.

'Johan' est un film purement documentaire et montre la thérapie d'un malade atteint d'aphasie. L'aphasie est une maladie engendrée par une tumeur cérébrale affectant le centre du langage. Les malades atteints d'aphasie sont sujets à des pertes de mémoire chroniques et ne peuvent pas, suite à la perturbation sémantique ou interprétative, reconnaître certains objets en tant que tels ou les attribuer correctement. Au début du film de Sven Augustijnen, la caméra et le tournage deviennent eux-mêmes objets de la thérapie et, de là, feed-back du média.

Johan

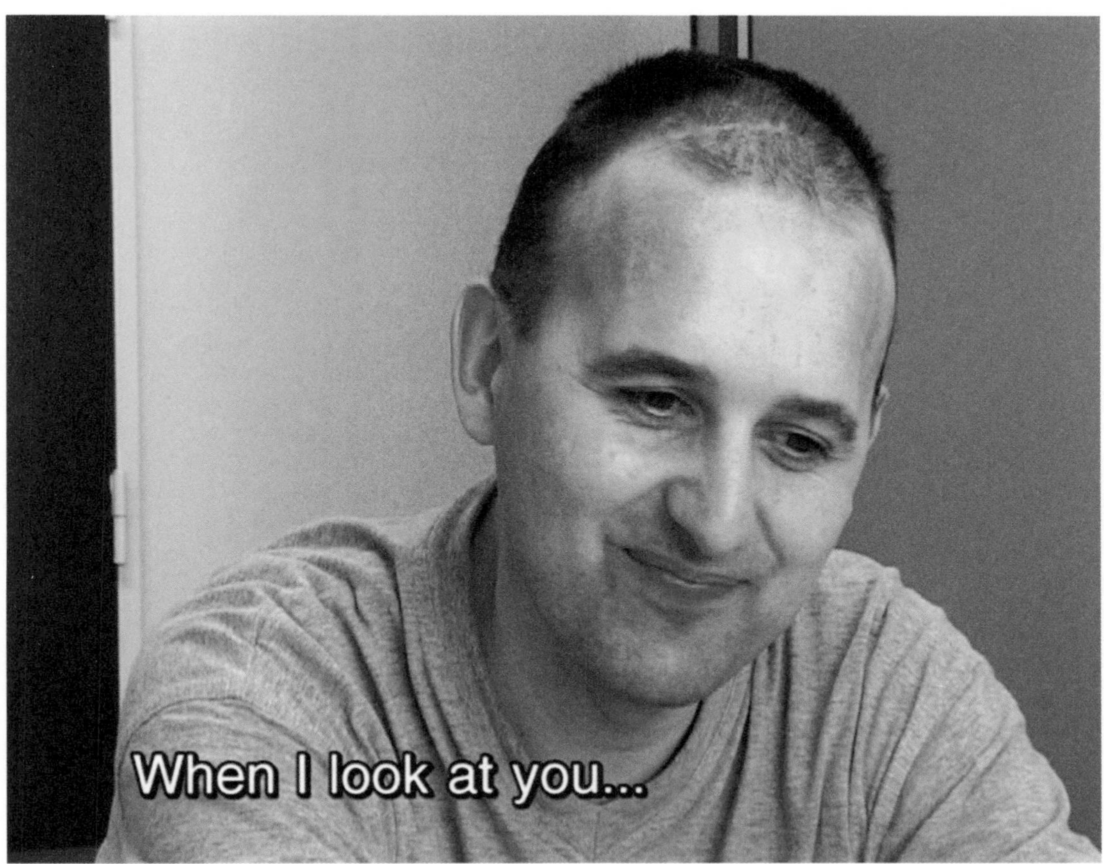
When I look at you...

I can't...
- I don't understand.

It's hard when I look at you.

We'll change the subject.
- Okay. Stop.

The film 'Johan' by Sven Augustijnen (°1970/B, Mechelen), which was produced for the exhibition, reveals dynamic aspects of language in a similar vein as the translations in Daniela Keiser's work. As a film-maker Sven Augustijnen has repeatedly been interested in an area on the boundary between documentary drama, human interest and fiction. His latest films 'Iets op Bach' (1998, BetacamSP, 37', based on the play of the same title by the Belgian director Alain Platel of 'Les Ballets C. de la B.') or 'L'école des pickpockets' (2000, video, 50', the story of a fictitious training centre for pickpockets) are stylised in such a way that documentary and voyeuristic home movie, fact and fiction can no longer be distinguished from each other.

'Johan' is a pure documentary showing the therapy of an aphasia patient. Aphasia is a disorder caused by a brain tumor that affects the speech centre. Aphasia patients suffer from chronic loss of memory, and due to semantic or interpretative dysfunctions, they are unable to identify or attribute certain objects. At the beginning of Sven Augustijnen's film the camera and the act of filming itself become a part of the therapy and thus account for medial feedback.

MATT MULLICAN

PSYCHO ARCHITECTURE: EXPERIMENTS IN THE STUDIO NOVEMBER 5TH-7TH 2001 (THE USELESS MOTIVATION OF SHOOTING AND PLAYING WITH COLOR AND LIGHT WITH THE MOTIVATION OF NOT WAKING UP), 2001

PART 1: USELESS MOTIVATION, DVD, 26'
PART 2: SHOOTING, 2-KANAL DVD, 42'
PART 3: PLAYING WITH COLOR AND LIGHT, DVD, 25'
PART 4: MOTIVATION, DVD, 10'
PART 5: NOT WAKING UP, DVD, 20'

COURTESY KÜNSTLER, NEW YORK

PRODUKTION O.K CENTRUM FÜR GEGENWARTSKUNST, LINZ / CASINO LUXEMBOURG - FORUM D'ART CONTEMPORAIN, LUXEMBURG

MATT MULLICAN

PSYCHO ARCHITECTURE: EXPERIMENTS IN THE STUDIO NOVEMBER 5TH-7TH 2001 (THE USELESS MOTIVATION OF SHOOTING AND PLAYING WITH COLOR AND LIGHT WITH THE MOTIVATION OF NOT WAKING UP), 2001

PART 1 : USELESS MOTIVATION, DVD, 26'
PART 2 : SHOOTING, DVD À 2 PISTES, 42'
PART 3 : PLAYING WITH COLOR AND LIGHT, DVD, 25'
PART 4 : MOTIVATION, DVD, 10'
PART 5 : NOT WAKING UP, DVD, 20'

COURTESY L'ARTISTE, NEW YORK

PRODUCTION O.K CENTRUM FÜR GEGENWARTSKUNST, LINZ / CASINO LUXEMBOURG - FORUM D'ART CONTEMPORAIN, LUXEMBOURG

MATT MULLICAN

PSYCHO ARCHITECTURE: EXPERIMENTS IN THE STUDIO NOVEMBER 5TH-7TH 2001 (THE USELESS MOTIVATION OF SHOOTING AND PLAYING WITH COLOR AND LIGHT WITH THE MOTIVATION OF NOT WAKING UP), 2001

PART 1: USELESS MOTIVATION, DVD, 26'
PART 2: SHOOTING, 2-CHANNEL DVD, 42'
PART 3: PLAYING WITH COLOR AND LIGHT, DVD, 25'
PART 4: MOTIVATION, DVD, 10'
PART 5: NOT WAKING UP, DVD, 20'
COURTESY THE ARTIST, NEW YORK

PRODUCTION O.K CENTRUM FÜR GEGENWARTSKUNST, LINZ / CASINO LUXEMBOURG - FORUM D'ART CONTEMPORAIN, LUXEMBOURG

In den für die Ausstellung produzierten fünf Hypnose-Performances 'Psycho Architecture: Experiments in the Studio November 5th-7th 2001 (the Useless Motivation of Shooting and Playing with Color and Light with the Motivation of Not Waking Up)' von Matt Mullican (°1951/USA, Santa Monica, Kalifornien), wird die subjektive Weltkonstruktion thematisiert. Im Gegensatz zu seinen ersten Hypnose-Performances zu Beginn der 1970er Jahre ('Drawing the Outline of My Family', 1973, CalArts, Valencia, Kalifornien; 'Untitled (Entering the Picture)', 1973, Project Inc. in Boston, oder jener neueren Datums 'Pattern/Spa/Lecture', 1998, Festival a/d Werf, Utrecht) bezieht sich der Künstler zum ersten Mal auf die Medien (Fernsehen, Licht, Musik, Literatur), um so ein Referenzfeld verschiedener Realitäts-einflüsse abzustecken.

Die Hypnose ist eine oft angewandte Technik in der Psychotherapie, die mittels Suggestionen der Aufdeckung von Traumas dient. Im Gegensatz zur reinen Therapie behält hier Matt Mullican die Kontrolle bzw. die Regie über vorweg abgesprochene Suggestionen. In der Hypnose, die hier mit einem Trance-zustand vergleichbar ist, 'surft' der Künstler mental zwischen Wirklichkeiten und Fiktionen, zwischen Bewusstsein und Unterbewusstsein, zwischen der realen Welt und dem von ihm über Jahre hinweg konstruierten kosmologischen Modell. Er kann sozusagen in die von ihm selbst geschaffenen Bilder eintreten und sie durchschreiten, ohne aber das Resultat dieses Ausfluges vorherzusehen. Der

THE LARSEN EFFECT 123

Künstler kann so die Identität von verschiedenen Personen annehmen, aber deren Eigenschaften oder Reaktionen nicht steuern. Wie Marianne Brouwer interessanterweise bemerkte, spielt sich die Performance unter Hypnose „nicht in einer messbaren Zeit, sondern in einer 'unbewohnten' Zeit außerhalb der Kausalität von heute, gestern und morgen ab".
Unter dem experimentellen Einbezug verschiedener Medien erreicht Mullican somit auch den 'unbewohnten Ort'; in Trance erforscht er die Grenzen seines Ateliers, manipuliert Farben und Licht, nimmt zum ersten Mal unter Hypnose selbst die Kamera in die Hand oder findet sich in der Person seiner siebenjährigen Zwillingstochter (!) wieder.

Dans 'Psycho Architecture : Experiments in the Studio November 5th-7th 2001 (the Useless Motivation of Shooting and Playing with Color and Light with the Motivation of Not Waking Up)', les cinq performances d'hypnose produites pour l'exposition, Matt Mullican (°1951/USA, Santa Monica, Californie) choisit comme thème la construction subjective du monde. Contrairement à ses premières performances d'hypnose au début des années 1970 ('Drawing the Outline of My Family', 1973, CalArts, Valencia, Californie ; 'Untitled (Entering the Picture)', 1973, Project Inc. à Boston, ou celle plus récente, 'Pattern/Spa/Lecture', 1998, Festival a/d Werf, Utrecht), l'artiste se réfère pour la première fois aux médias (télévision, lumière, musique, littérature) pour délimiter ainsi un champ de référence des différents impacts de la réalité.
L'hypnose est une technique souvent appliquée en psychothérapie pour permettre de découvrir des traumatismes à l'aide de suggestions. Contrairement à la vraie thérapie, Matt Mullican conserve ici le contrôle ou la régie sur des suggestions dont il a été préalablement convenu. Sous l'effet de l'hypnose, que l'on peut comparer ici à un état de transe, l'artiste 'surfe' mentalement entre réalités et fictions, entre conscient et subconscient, entre le monde réel et le modèle cosmologique qu'il a élaboré au fil des ans. Il peut, pour ainsi dire, pénétrer dans les images qu'il a lui-même créées et les parcourir, sans pouvoir toutefois prévoir le résultat de cette excursion. L'artiste

The five hypnosis performances 'Psycho Architecture: Experiments in the Studio November 5th-7th 2001 (the Useless Motivation of Shooting and Playing with Color and Light with the Motivation of Not Waking Up)' by Matt Mullican (°1951/USA, Santa Monica, California), which were produced for the exhibition, deal with the subjective construction of the world. In contrast to the artist's first hypnosis performances in the early 1970s ('Drawing the Outline of My Family', 1973, CalArts, Valencia, California; 'Untitled (Entering the Picture)', 1973, Project Inc. in Boston, or the more recent 'Pattern/Spa/Lecture', 1998, Festival a/d Werf, Utrecht) the artist refers to the media (television, light, music, literature) for the first time when it comes to staking out a field of reference for various ways in which reality impacts us.
Hypnosis is a common technique in psychotherapy, serving to uncover traumata by suggestive treatment. However, the situation here differs from the purely therapeutic setting in that Matt Mullican stays in control or rather directs pre-determined suggestions.
Under hypnosis, which is comparable to a state of trance here, the artist mentally 'surfs' between reality and fiction, consciousness and subconsciousness, the real world and the cosmological model he has developed over years. He is able to step into the pictures he has created, as it were, walking around in them, without, however, being able to predict the end of the outing. This way he is able to assume the identities of differ-

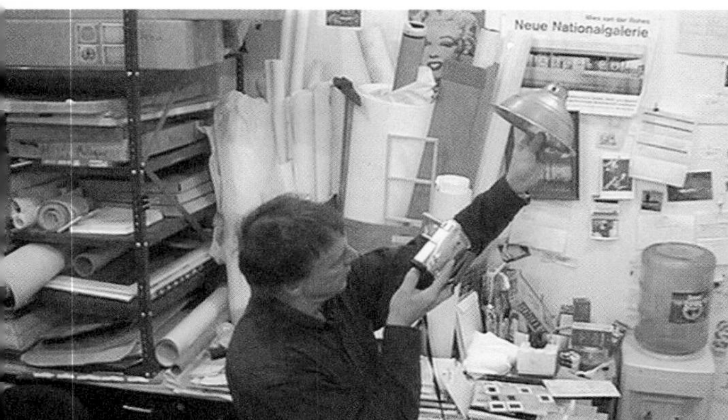

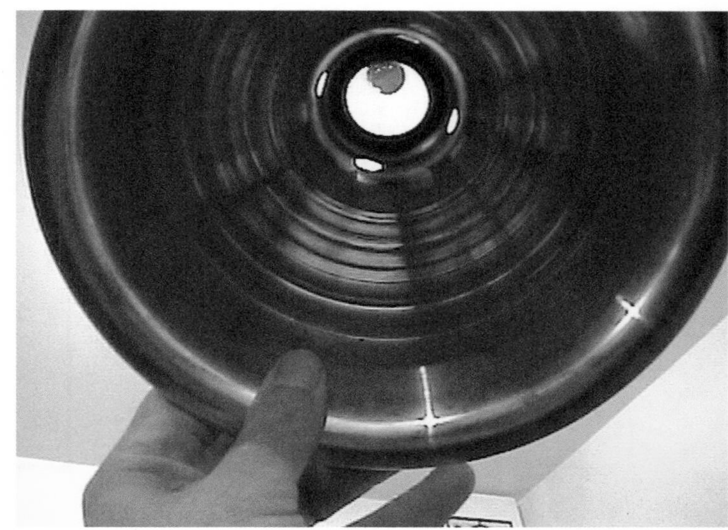

PART 2: SHOOTING

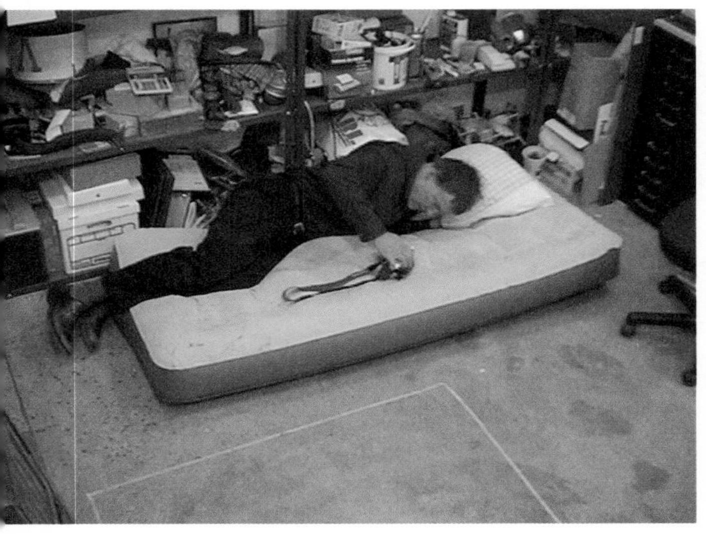

Neue Nationalgalerie

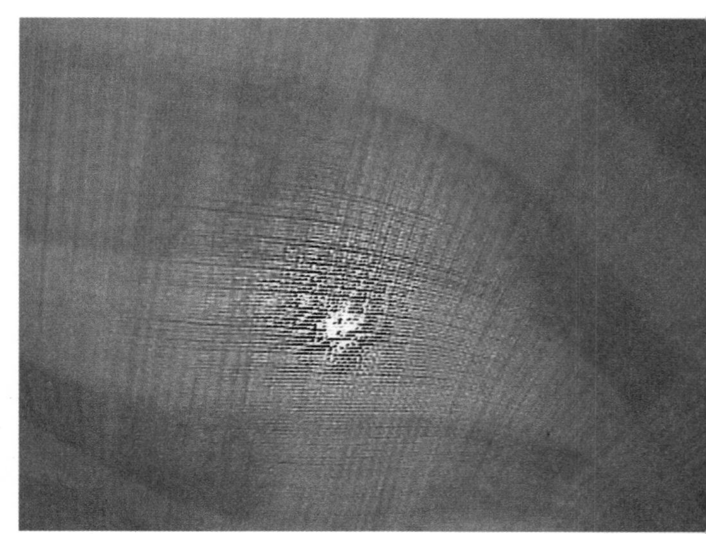

peut ainsi prendre l'identité de plusieurs personnes, mais ne peut contrôler ni leurs traits de caractère ni leurs réactions. Comme Marianne Brouwer l'a souligné de manière fort intéressante, la performance en état d'hypnose « ne se déroule pas dans un temps mesurable, mais dans un temps 'inhabité' en dehors de la causalité d'aujourd'hui, d'hier et de demain ».
En associant différents médias de manière expérimentale, Matt Mullican atteint ainsi ce 'lieu inhabité' ; en état de transe, il étudie les frontières de son atelier, manipule couleurs et lumière, se sert pour la première fois en état d'hypnose de sa caméra ou se retrouve en la personne de sa fille jumelle de sept ans (!).

ent people without being able to control their qualities or reactions. Interestingly enough, as Marianne Brouwer noted, the performance under hypnosis does not take place "in measurable time but in an 'uninhabited' time outside the causality of today, yesterday and tomorrow."
Using various media experimentally, Mullican thus also reaches the 'uninhabited space'; in a state of trance he explores the boundaries of his studio, manipulates colours and light, holds the camera under hypnosis for the very first time or finds himself in the person of his seven-year old twin daughter (!).

MATT MULLICAN

UNTITLED - BULLETIN BOARD OF VINTAGE PHOTOGRAPHS, 1971-2001

ZEITUNGEN, FOTOS, KOPIEN, FAXBLÄTTER, POSTKARTEN, POLAROIDS, 122 X 244 X 6 CM

UNTITLED - BULLETIN BOARD OF WORKING DATABASE MATERIAL, 1995

ZEICHNUNGEN, FAXBLÄTTER, FOLIEN, 122 X 244 X 6 CM

COURTESY MAI 36 GALERIE, ZÜRICH / KLOSTERFELDE, BERLIN

MATT MULLICAN

UNTITLED - BULLETIN BOARD OF VINTAGE PHOTOGRAPHS, 1971-2001

JOURNAUX, PHOTOS, COPIES, FAX, CARTES POSTALES, POLAROÏDS, 122 X 244 X 6 CM

UNTITLED - BULLETIN BOARD OF WORKING DATABASE MATERIAL, 1995

DESSINS, FAX, TRANSPARENTS, 122 X 244 X 6 CM

COURTESY MAI 36 GALERIE, ZURICH / KLOSTERFELDE, BERLIN

MATT MULLICAN

UNTITLED - BULLETIN BOARD OF VINTAGE PHOTOGRAPHS, 1971-2001

NEWSPAPERS, PHOTOGRAPHS, COPIES, FAX SHEETS, POSTCARDS, POLAROIDS, 122 X 244 X 6 CM

UNTITLED - BULLETIN BOARD OF WORKING DATABASE MATERIAL, 1995

DRAWINGS, FAX SHEETS, TRANSPARENCIES, 122 X 244 X 6 CM

COURTESY MAI 36 GALERIE, ZURICH / KLOSTERFELDE, BERLIN

Matt Mullicans Oeuvre steht exemplarisch für den Versuch aus einer subjektiven Sicht heraus ein übergreifendes Weltmodell zu entwickeln und ihm künstlerische Gestalt zu verleihen. In den beiden 'Boards' versucht er sowohl die physische als mentale Welt in seiner Ganzheit zu benennen und zu gliedern: einerseits über die Alltagswelt, andererseits über die Form des imaginären 'Stadtplans'. Dabei finden sich wesentliche Aspekte von Mullicans Schaffen als verkleinerte Kopien neben Ausschnitten aus alten Enzyklopädien, Postkartensammlungen oder Zeitungen. Das 'schweifende Auge' konstruiert so neue assoziative Zusammenhänge unter den verschiedenen Illustrationen.

L'œuvre de Matt Mullican est représentative d'une tentative de développer, d'un point de vue subjectif, un modèle universel transdisciplinaire et de lui conférer une forme artistique. Sur les deux 'planches', il tente de nommer aussi bien le monde physique que mental dans son ensemble et de le structurer : d'une part, par référence au quotidien, d'autre part, par référence à un 'plan de ville' imaginaire. On retrouve des aspects essentiels de l'œuvre de Matt Mullican sous forme de copies réduites à côté d'extraits d'encyclopédies anciennes, de collections de cartes postales ou de journaux. 'L'œil vagabond' construit ainsi de nouvelles associations entre les différentes illustrations.

NEW YORK POST
WALL ST
TODAY'S STOCKS
TV: Page 66
SAM SLEEPS
Opening night with Clive Barnes
The Post's new critic reviews Neil Simon's new play · Page 20
putting hand in mouth
US ARMY DEPOT
Audience side view (rht)
Children of factory workers playing a ring game, Lynn, Massachusetts, 1895.
Photograph by Frances Benjamin Johnston.

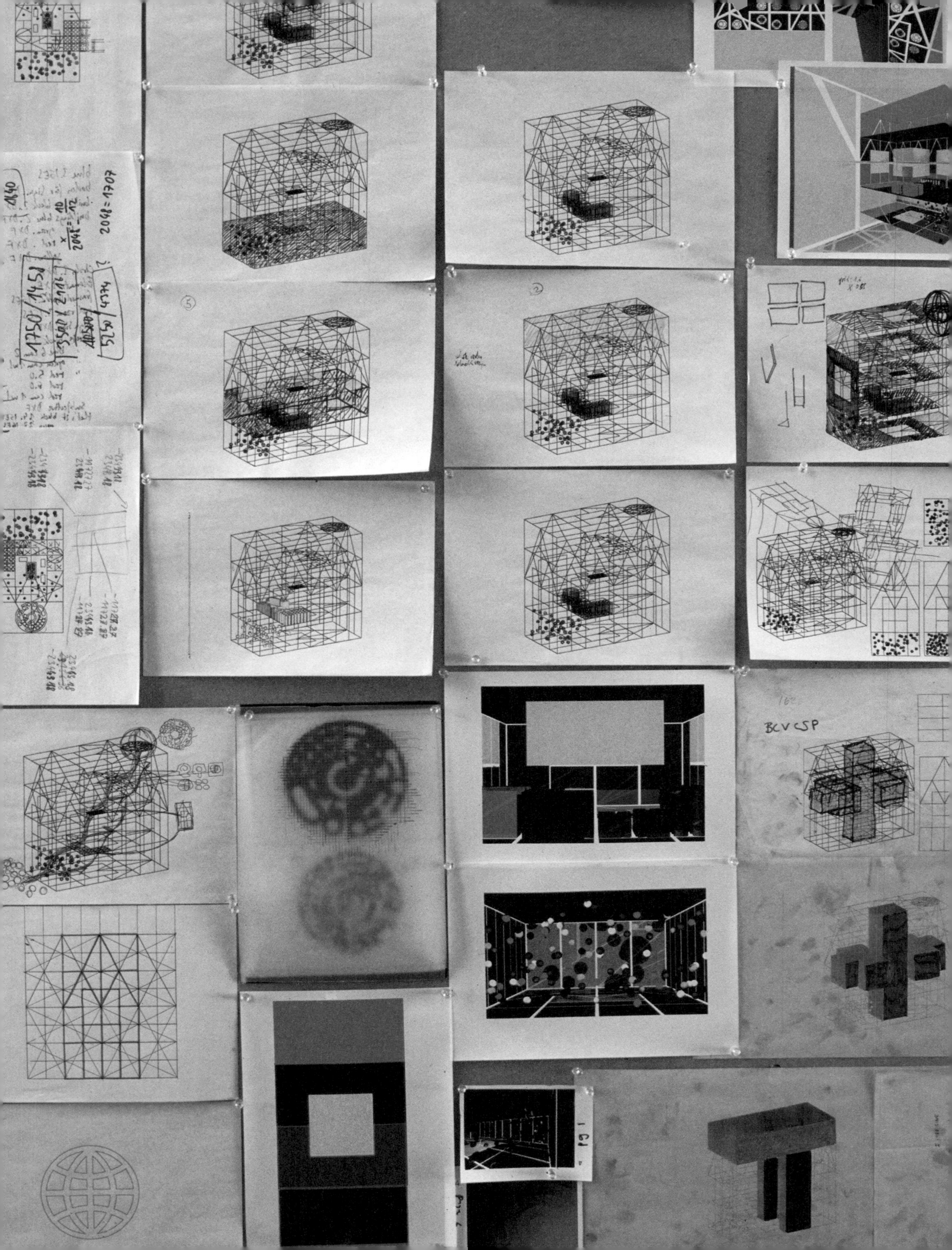

Matt Mullican's oeuvre is an exemplary attempt to develop an interdisciplinary model of the world from a subjective point of view and to give it artistic shape. In the two 'boards' he tries to name and structure the physical and mental worlds in their totality: on the one hand, by referring to everyday life, on the other by referring to an imaginary 'map.' Significant aspects of his work can be found in reduced copies next to clippings from old encyclopaedias, postcard collections or newspapers. The 'wandering gaze' thus constructs new associative connections among the different types of illustrations.

PIERRE BISMUTH

ALTERNANCE, 1999

3-KANAL PROJEKTION AUF 4 LEINWÄNDEN (LINZ) / MONITOREN (LUXEMBURG), DVD, JEWEILS 25", VARIABLE DIMENSIONEN

COURTESY LISSON GALLERY, LONDON

PIERRE BISMUTH

ALTERNANCE, 1999

PROJECTION À 3 PISTES SUR 4 ÉCRANS (LINZ) / MONITEURS (LUXEMBOURG), DVD, 25" CHACUN, DIMENSIONS VARIABLES

COURTESY LISSON GALLERY, LONDRES

PIERRE BISMUTH

ALTERNANCE, 1999

3-CHANNEL PROJECTION ONTO 4 SCREENS (LINZ) / MONITORS (LUXEMBOURG), DVD, 25" EACH, VARIABLE DIMENSIONS

COURTESY LISSON GALLERY, LONDON

Pierre Bismuth (°1963/F, Meudon) entwirft ein Szenario, das konzeptuell durch Zeit, Raum und Zufall bestimmt wird. In 'Alternance' überlagern sich alltägliche Handlungsabläufe mit von der Regie geführten Szenen. Eine fixe Kamera filmt wiederholt das Geschehen rund um die Metrostation Châtelet auf der Place Sainte-Opportune im ersten Bezirk von Paris. Unter die zufälligen, anonymen Passanten mischen sich einige Schauspieler, die bei jedem 'Take' exakt dieselben, ebenso alltäglichen Handlungsabläufe 'spielen' und wiederholen. Pierre Bismuth paraphrasiert hier die Alltagswelt und verstört durch die scheinbar identischen Projektionen die Wahrnehmung des Alltäglichen.

CASINO LUXEMBOURG

O.K CENTRUM FÜR GEGENWARTSKUNST, LINZ

137 DER LARSEN EFFEKT

Pierre Bismuth (°1963/F, Meudon) élabore un scénario dont le concept est déterminé par les notions de temps, d'espace et de hasard. Dans 'Alternance', actions quotidiennes et mises en scène se superposent. Une caméra fixe filme à répétition l'animation autour de la station de métro Châtelet, Place Sainte-Opportune, dans le premier arrondissement de Paris. Aux passants anonymes, dont la présence sur les lieux est fortuite, se mêlent des comédiens qui, à chaque 'prise de vue', 'jouent' et répètent exactement ces mêmes actions quotidiennes.
Pierre Bismuth paraphrase ici le monde du quotidien et bouleverse, avec des projections apparemment identiques, la perception du quotidien.

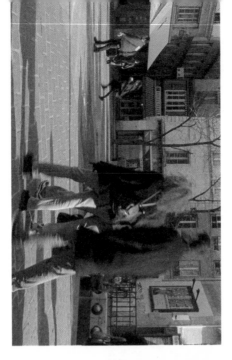

Pierre Bismuth (°1963/F, Meudon) develops a scenario the concept of which is determined by time, space and coincidence. In 'Alternance' activities from everyday life mix with staged scenes. A fix camera repeatedly records what happens around the metro stop Châtelet on Place Sainte-Opportune in the first district of Paris. A few actors mingle with the crowd of anonymous, accidental passers-by, 'playing' and repeating exactly the same, equally commonplace action in each 'take'.
In this work Pierre Bismuth paraphrases everyday life, undermining our perception of it by seemingly identical projections.

PIERRE BISMUTH

LINK (WORK IN PROGRESS), SEIT 1998

VIDEOARBEIT AUF MONITOR, 14' BIS DATO,
BASIEREND AUF DEM FILM 'SLEUTH'(1972)
VON JOSEPH L. MANKIEWICZ, 138'

COURTESY LISSON GALLERY, LONDON

PRODUKTION O.K CENTRUM FÜR GEGENWARTSKUNST, LINZ /
CASINO LUXEMBOURG - FORUM D'ART CONTEMPORAIN,
LUXEMBURG

PIERRE BISMUTH

LINK (WORK IN PROGRESS), DEPUIS 1998

VIDÉO SUR MONITEUR, 14' À CE JOUR,
BASÉ SUR LE FILM 'SLEUTH' (1972)
DE JOSEPH L. MANKIEWICZ, 138'

COURTESY LISSON GALLERY, LONDRES

PRODUCTION O.K CENTRUM FÜR GEGENWARTSKUNST, LINZ /
CASINO LUXEMBOURG - FORUM D'ART CONTEMPORAIN,
LUXEMBOURG

PIERRE BISMUTH

LINK (WORK IN PROGRESS), SINCE 1998

VIDEO WORK ON MONITOR, 14' TO DATE,
BASED ON THE MOVIE 'SLEUTH' (1972)
BY JOSEPH L. MANKIEWICZ, 138'

COURTESY LISSON GALLERY, LONDON

PRODUCTION O.K CENTRUM FÜR GEGENWARTSKUNST, LINZ /
CASINO LUXEMBOURG - FORUM D'ART CONTEMPORAIN,
LUXEMBOURG

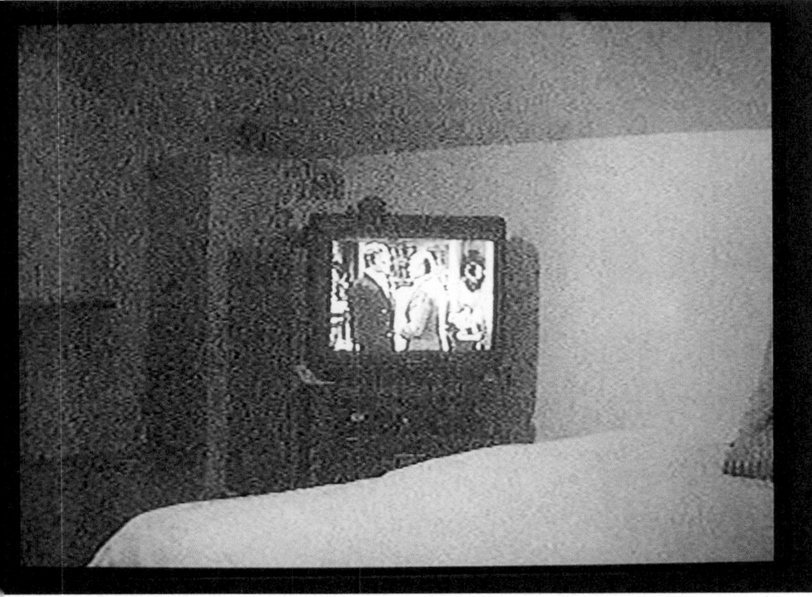

Wie in der Arbeit 'Alternance' bilden Kontinuität und Diskontinuität ebenfalls ein zentrales Thema in der Videoarbeit 'Link'. Als Ausgangspunkt und Basismaterial dienen hier dem Künstler der Filmklassiker 'Sleuth' (Slang für Detektiv; ins Deutsche übersetzt als 'Mord mit kleinen Fehlern') von Joseph L. Mankiewicz aus dem Jahre 1972 (mit Michael Caine und Laurence Olivier). Zur Vollendung dieser Arbeit sucht sich der Künstler Produzenten, die jeweils 170 Sekunden seines 'Remake' finanzieren. Seit 1999, der ersten Präsentation dieser Arbeit im Van Abbemuseum Eindhoven, fanden sich bis dato gerade nur vier weitere Institutionen bereit, die Realisierung dieses noch unvollendeten Werkes voranzutreiben.
'Link' ist nichts anderes als das Abfilmen des Originalfilms auf stetig wechselnden Fernsehmonitoren in stetig wechselnden Privatwohnungen, wobei jeder Schnitt im Originalfilm zugleich auch einen Ortswechsel im 'Remake' von Pierre Bismuth impliziert. Der Film 'Sleuth' hat die Eigenheit, dass er nur auf einem einzigen Set gedreht wurde. Mit dem stetigen Szenenwechsel der Wohnungen in 'Link' paraphrasiert der Künstler die Dramaturgie des Originals.

Comme dans le travail 'Alternance', continuité et discontinuité constituent également le sujet central dans la vidéo 'Link'. Comme point de départ et matériel de base, l'artiste se sert du classique du cinéma 'Sleuth' (terme qui désigne un détective en argot anglais ; film connu sous le titre 'Le Limier' en français) de Joseph L. Mankiewicz de 1972 (avec Michael Caine et Laurence Olivier). Pour achever cet ouvrage, l'artiste recherche des producteurs dont chacun finance 170 secondes de son 'remake'. Depuis 1999, date à laquelle cette œuvre a été présentée pour la première fois au Van Abbemuseum Eindhoven, il n'a pu trouver à ce jour que quatre autres institutions prêtes à soutenir la réalisation de cette œuvre encore inachevée.
'Link' n'est rien d'autre que le film du film d'origine à partir d'écrans de télévision toujours différents dans des appartements privés qui ne sont jamais les mêmes ; chaque changement de plan dans le film d'origine implique un changement de lieu dans le 'remake' de Pierre Bismuth. Le film 'Sleuth' se caractérise par le fait qu'il n'a été tourné que sur un seul plateau de cinéma. En changeant constamment d'appartements pour la réalisation de 'Link', l'artiste paraphrase l'adaptation de l'original.

As is the case in Bismuth's work 'Alternance,' continuity and discontinuity are also central to the video work 'Link'. The artist takes the classic movie 'Sleuth' (a slang expression for detective) by Joseph L. Mankiewicz from 1972 (starring Michael Caine and Laurence Olivier) as a point of departure and basic material. To complete his work, the artist is looking for producers who would each finance 170 seconds of his 'remake'. Since 1999, when the work was first presented at the Van Abbemuseum Eindhoven, no more than four institutions have been willing to further the completion of this as yet unfinished film.

All the artist does in 'Link' is film the original movie as it plays on different TV sets in ever changing flats, with each cut in the original film implying a change of location in Pierre Bismuth's 'remake'. The special feature of 'Sleuth' is that it was filmed on one single set. By constantly moving from one flat to the other in 'Link' the artist paraphrases the dramaturgy of the original.

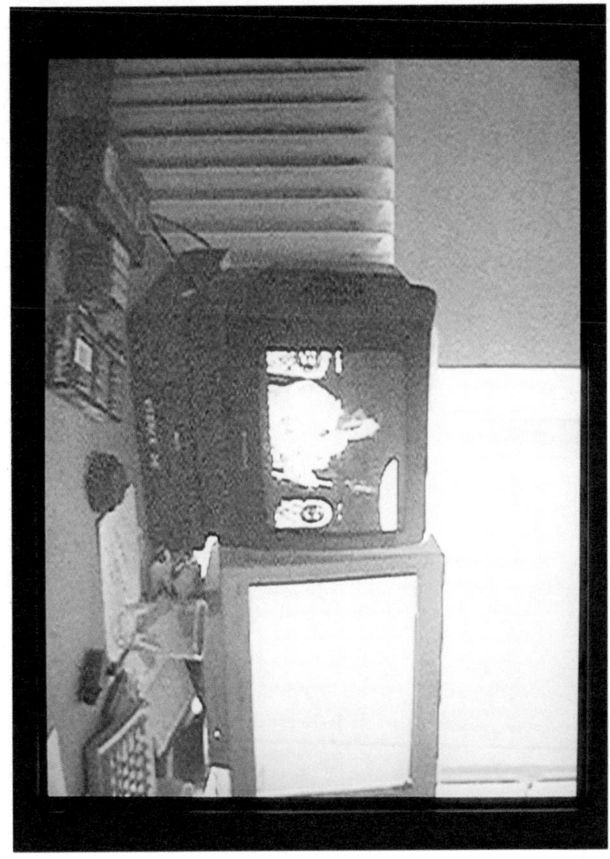

SIMON STARLING

BLUE BOAT BLACK - 2 DORADEN, 2 MEERBARBEN, 1 SATTELBRASSE, 1 EUROPÄISCHE MEERBRASSE UND 3 BARSCHE, GEFISCHT MIT DEM NACHBAU EINER MARSEILLER 'BARQUE', GEBAUT AUS DEM HOLZ EINER MUSEUMSVITRINE DES NATIONAL MUSEUM OF SCOTLAND IN EDINBURGH, UND ANSCHLIEßEND MIT HOLZKOHLE GEGRILLT, ZU DER DAS BOOT VERARBEITET WURDE, 1997

HOLZ, TISCH, FOTOS, TEXT AUF WAND, VARIABLE DIMENSIONEN

PRIVATSAMMLUNG, MÜNCHEN
COURTESY GALERIE NEUGERRIEMSCHNEIDER, BERLIN

SIMON STARLING

BLUE BOAT BLACK - 2 DORADES, 2 ROUGETS, 1 BRÈ DE MER, 1 PAGEOT ET 3 POISSONS DE ROCHE PÊCHÉS AVEC LA REPRODUCTION D'UNE BARQUE MARSEILLAISE CONSTRUITE AVEC LE BOIS D'UNE VITRINE DU NATIONAL MUSEUM OF SCOTLAND À ÉDIMBOURG, ET GRILLÉS ENSUITE AU CHARBON DE BOIS EN QUOI LE BATEAU AVAIT ÉTÉ TRANSFORMÉ, 1997

BOIS, TABLE, PHOTOS, TEXTE MURAL, DIMENSIONS VARIABLES

COLLECTION PRIVÉE, MUNICH
COURTESY GALERIE NEUGERRIEMSCHNEIDER, BERLIN

SIMON STARLING

BLUE BOAT BLACK - 2 SILVER BREAMS, 2 RED MULLETS, 1 SADDLE BREAM, 1 EUROPEAN SEA BREAM AND 3 PERCHES, CAUGHT FROM A REPLICA OF A MARSEILLES 'BARQUE' BUILT FROM THE WOOD OF A MUSEUM SHOWCASE FROM THE NATIONAL MUSEUM OF SCOTLAND IN EDINBURGH, SUBSEQUENTLY COOKED OVER CHARCOAL MADE FROM THE WOOD OF THE BOAT, 1997

WOOD, TABLE, PHOTOGRAPHS, TEXT ON WALL, VARIABLE DIMENSIONS

PRIVATE COLLECTION, MUNICH
COURTESY GALERIE NEUGERRIEMSCHNEIDER, BERLIN

deux dorades
une brème de mer

deux rougets

Die 'Um-Ortung' und Kontextualisierung sind Thema der Arbeit von Simon Starling (°1967/UK, Epsom). Der Titel des Werkes 'Blue Boat Black' verweist bereits auf einen sich verändernden Status, auf eine Transformation, ja selbst auf ein Schicksal.
Konfrontiert mit den verkohlten Reliquien, die auf einem großen Tisch ausgebreitet sind, wird einem der absurde Vorgang, eine schottische Museumsvitrine in ein französisches Fischerboot und dann in eine offene Kochstelle umzuwandeln, erst richtig bewusst. Es ist nicht so sehr die Umwandlung, sondern die Rückführung dieses 'performativen' Werkes in den institutionellen Kontext, die zum eigentlichen Feedback führt. Diente die Museumsvitrine ursprünglich dazu Kulturgüter zu zeigen und zu beschützen, gelangt sie über Umwege zurück ins Museum, um selbst zum Kultobjekt und Träger von Bedeutung zu werden. Die Rückkopplung zeigt sich hier einerseits von ihrer destruktivsten Seite als entropisches Phänomen, indem sich das Werk sozusagen auflöst, andererseits aber auch sehr optimistisch und vital in der finalen Aufwertung zum Kunstgegenstand.

La 'relocalisation' et la contextualisation sont au centre du travail de Simon Starling (°1967/UK, Epsom). Le titre de l'œuvre 'Blue Boat Black' annonce un état en mutation, une transformation, voire un destin.
Ce n'est qu'une fois face aux reliques carbonisées étalées sur une grande table, que l'on prend véritablement conscience du processus absurde consistant à transformer une vitrine de musée écossais en un bateau de pêche français, puis en un feu ouvert pour cuisine en plein air. Ce n'est pas tant la transformation de cette 'œuvre-performance' que sa relocalisation dans le contexte institutionnel qui engendre le véritable feed-back. Si la vitrine de musée servait à l'origine à montrer et à protéger des éléments du patrimoine historique, elle revient, par des voies détournées, au musée pour y devenir elle-même objet-culte et porteur de sens. La rétroaction se présente ici, d'une part, sous un aspect très destructeur en tant que phénomène d'entropie avec, en quelque sorte, la décomposition de l'œuvre ; d'autre part, sous un aspect très optimiste et dynamique avec la revalorisation finale en tant qu'objet d'art.

'Re-location' and contextualisation are the themes which Simon Starling (°1967/UK, Epsom) deals with in this work. The title 'Blue Boat Black' already refers to changing status, transformation, even destiny.
It is the confrontation with charred relics laid out on a big table that makes us aware of how absurd it is to turn a Scottish museum showcase into a French fishing boat and then into an open fire for cooking. It is not so much the transformation but the return of this 'performative' work into an institutional context that leads to actual feedback. While the museum showcase was originally designed to display and protect cultural objects, it returns to the museum via many detours to become a cult object and bearer of meaning itself.
This is feedback at its most destructive, as a phenomenon of entropy, with the work disintegrating, so to speak, but also on a very optimistic and vital note in view of its final appreciation as an art object.

DANIEL ROTH

UNTITLED (MANSFELD CONNECTION) - WORK IN PROGRESS, 2001-2002

KANALDECKEL (40 X 40 CM), KANALSCHACHT, KRONLEUCHTER (Ø 140 CM) AUS KÜNSTLICHEN EISZAPFEN IN GIEßHARZ (LINZ) / KÜNSTLICHE WASSERLACHE IN GIEßHARZ (LUXEMBURG), ZEICHNUNGEN (160 X 140 CM), FOTOS, DOKUMENTATION, VARIABLE DIMENSIONEN

COURTESY KÜNSTLER, KARLSRUHE / GALERIE MEYER RIEGGER, KARLSRUHE

PRODUKTION O.K CENTRUM FÜR GEGENWARTSKUNST, LINZ / CASINO LUXEMBOURG - FORUM D'ART CONTEMPORAIN, LUXEMBURG

DANIEL ROTH

UNTITLED (MANSFELD CONNECTION) - WORK IN PROGRESS, 2001-2002

PLAQUE D'ÉGOUT (40 X 40 CM), PUITS D'ACCÈS, LUSTRE (Ø 140 CM) AVEC STALACTITES ARTIFICIELLES EN RÉSINE MOULÉE (LINZ) / FLAQUE D'EAU ARTIFICIELLE EN RÉSINE MOULÉE (LUXEMBOURG), DESSINS (160 X 140 CM), PHOTOS, DOCUMENTATION, DIMENSIONS VARIABLES

COURTESY L'ARTISTE, KARLSRUHE / GALERIE MEYER RIEGGER, KARLSRUHE

PRODUCTION O.K CENTRUM FÜR GEGENWARTSKUNST, LINZ / CASINO LUXEMBOURG - FORUM D'ART CONTEMPORAIN, LUXEMBOURG

DANIEL ROTH

UNTITLED (MANSFELD CONNECTION) - WORK IN PROGRESS, 2001-2002

MANHOLE COVER (40 X 40 CM), SHAFT, CHANDELIER (Ø 140 CM) OF ARTIFICAL ICICLES MADE OF CAST RESIN (LINZ) / ARTIFICIAL PUDDLE MADE OF CAST RESIN (LUXEMBOURG), VARIOUS DRAWINGS (160 X 140 CM), PHOTOGRAPHS, DOCUMENTATION, VARIABLE DIMENSIONS

COURTESY THE ARTIST, KARLSRUHE / GALERIE MEYER RIEGGER, KARLSRUHE

PRODUCTION O.K CENTRUM FÜR GEGENWARTSKUNST, LINZ / CASINO LUXEMBOURG - FORUM D'ART CONTEMPORAIN, LUXEMBOURG

P. 151-152
SOUS LES PONTS, LE LONG DE LA RIVIÈRE...,
CASINO LUXEMBOURG, 2001

Die Arbeit 'Untitled (Mansfeld Connection)' von Daniel Roth (°1962/D, Schramberg) visualisiert eine prozesshafte und sich geografisch situierende Erzählung. Mittels verschiedener Elemente, Objekte, Skulpturen, Fotografien und Zeichnungen entwickelt er eine narrative Struktur, welche auf Mythen, historischen Tatsachen und Fiktionen beruht. Das Publikum kann über verschiedene Stationen in den Geschichtsverlauf einsteigen und sich einen virtuellen Weg durch die Erzählung bahnnen.
Die Arbeit hat ihren geografischen und narrativen Ursprung in der Ausstellung des Casino Luxembourg 'Sous les ponts, le long de la rivière...' (Juni 2001) und handelt vom verschwundenen Schloss 'La Fontaine' des Grafen Peter-Ernst von Mansfeld. 1604 vermachte dieser seine Liegenschaft inklusive Archive dem spanischen König, der diese aber verfallen ließ. Aufgrund des desolaten Zustandes der Residenz verschwand das Archiv, und die Gemäuer des Schlosses wurden abgetragen und durch eine Allee ersetzt, die noch heute nach dem Grafen benannt ist. An diesem Ort installierte der Künstler beinahe 400 Jahre später einen Schachteingang, der zum verschwundenen Schloss führen soll. An der Fassade eines nahegelegenen Hauses in der Rue Jules Wilhelm brachte Daniel Roth eine Vitrine an, in der fiktive Dokumente und Lagepläne des Schachtsystems die Existenz des verschwundenen Archivs belegen.
Der Luxemburger Schacht führt mit dreimonatiger Verzögerung direkt in die erste Station der Ausstellung 'L'effet

Larsen/Der Larsen Effekt' in Linz, wo sich ein Kanalausstieg befindet, der in den zentralen Raum des Schlosses führt, nämlich in den Eingangsbereich des O.K Centrums. In diesem Raum hängt ein monumentaler Kronleuchter, der sich auf die nahegelegene 'Grottenbahn' am 'Pöstlingberg' bezieht. Der Kanal führt sodann drei Monate später wieder zurück ins Casino Luxemburg, wo der Besucher mit der Geschichte der 'Geschichte' konfrontiert wird. Der Kronleuchter ist geschmolzen und ein neuer Mythos entstanden.

Le travail 'Untitled (Mansfeld Connection)' de Daniel Roth (°1962/D, Schramberg) illustre un récit en évolution, situé dans un contexte géographique. Au moyen de différents éléments tels des objets, des sculptures, des photographies et des dessins, l'artiste développe une structure narrative reposant sur des mythes, des faits historiques et des fictions. Le public peut entrer dans le cours de l'histoire à partir des différentes étapes et se frayer un chemin virtuel à travers le récit.
Le travail trouve son origine géographique et narrative dans l'exposition du Casino Luxembourg 'Sous les ponts, le long de la rivière...' (juin 2001), et a comme sujet le château disparu 'La Fontaine' du comte Pierre-Ernest de Mansfeld. En 1604, celui-ci légua sa propriété avec ses archives au Roi d'Espagne qui la laissa toutefois à l'abandon. En raison du piteux état de la résidence, les archives disparurent et les murailles du château furent démolies et remplacées par une allée qui, aujourd'hui encore, porte le nom du comte. C'est en ce lieu que l'artiste avait aménagé, près de 400 ans plus tard, un accès de passage souterrain supposé mener au château disparu. Sur la façade d'une maison toute proche de la rue Jules Wilhelm, Daniel Roth avait aménagé une vitrine dans laquelle des documents et des plans fictifs du système souterrain prouvaient l'existence des archives disparues.
Le passage souterrain luxembourgeois aboutit, trois mois plus tard, droit

The work 'Untitled (Mansfeld Connection)' by Daniel Roth (°1962/D, Schramberg) visualises a processual narrative with a geographical location. The artist uses various elements such as objects, sculptures, photographs and drawings to develop a narrative structure based on myths, historical fact and fiction. The viewer can enter the story at various stations and proceed through the narrative in virtual terms.
The geographical and narrative origin of this work is to be found in the exhibition 'Sous les ponts, le long de la rivière...' at the Casino Luxembourg (June 2001); it deals with the lost 'La Fontaine' castle of Count Pierre-Ernest de Mansfeld. In 1604 the count bequeathed his property, including its archives, to the King of Spain, who allowed it to dilapidate. As the residence was in a state of disrepair, the archives vanished and the walls were torn down and replaced by an avenue which still bears the count's name. Almost 400 years later, the artist installed an entrance to an underground passage there, which was supposed to lead to the castle. Daniel Roth placed a showcase on the façade of a house in nearby Rue Jules Wilhelm where fictitious documents and drawings of the tunnel system were displayed to prove that the vanished archives existed.
With a delay of three months, the Luxembourg tunnel takes us directly to the first station of the exhibition 'The Larsen Effect' in Linz, where a shaft leads to the central hall of the castle, in fact the lobby of the O.K. Centrum.

dans la première exposition 'L'effet Larsen/Der Larsen Effekt' à Linz, où se trouve une sortie d'égout qui mène dans la pièce centrale du château, à savoir le hall d'entrée de l'O.K Centrum. Dans cette pièce est suspendu un énorme lustre, référence au funiculaire de la toute proche 'Grottenbahn' sur la colline du 'Pöstlingberg'. Le passage nous ramène ensuite, trois mois plus tard encore, au Casino Luxembourg où le visiteur est confronté à l'Histoire de 'l'histoire'. Le lustre a fondu et un nouveau mythe est né.

This is where a chandelier of monumental dimensions refers to the 'grotto train' on the 'Pöstlingberg.' Three months later the tunnel leads back to the Casino Luxembourg where the visitor is confronted with the history of the story. The chandelier has melted and a new myth has come into being.

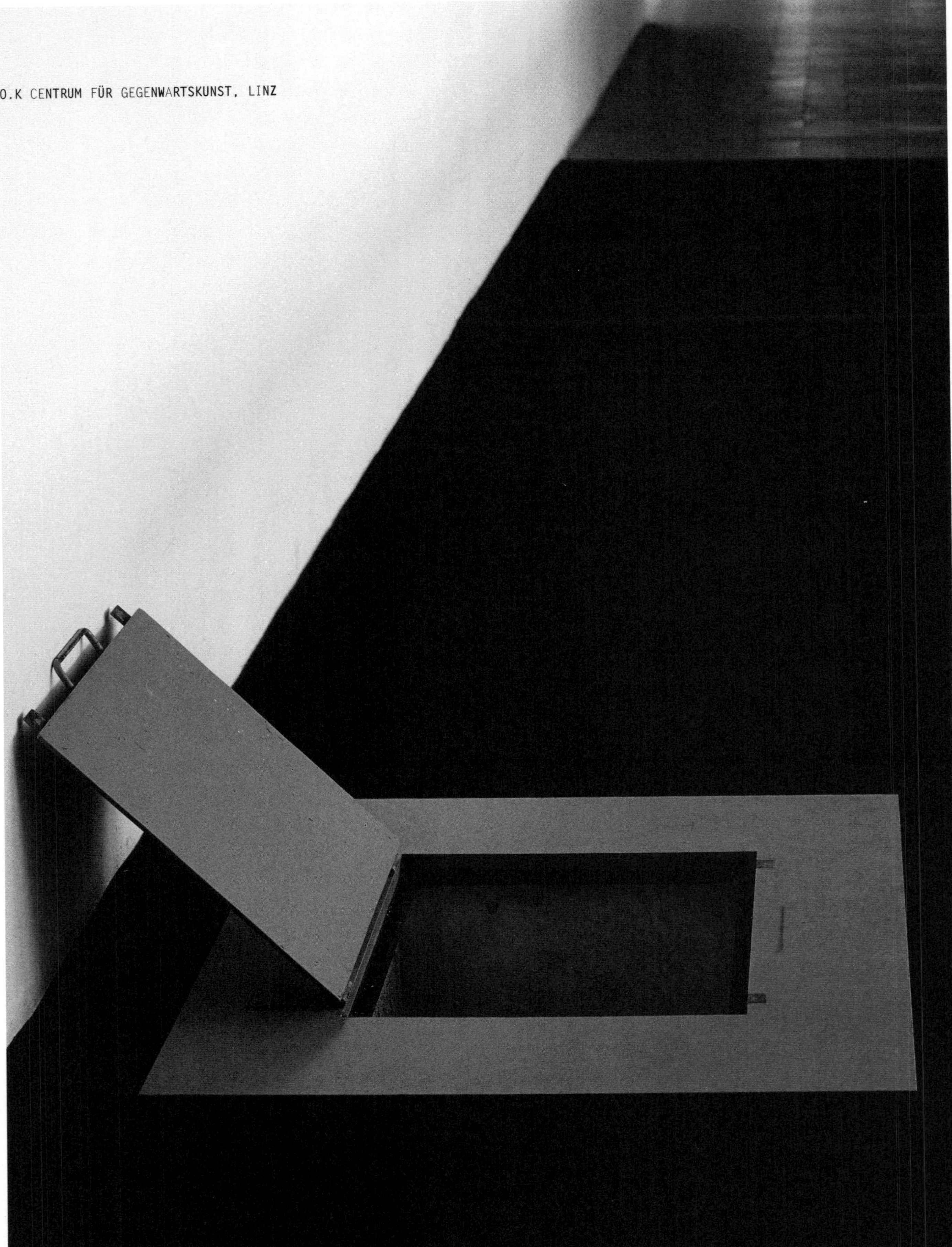
O.K CENTRUM FÜR GEGENWARTSKUNST, LINZ

CASINO LUXEMBOURG

CASINO LUXEMBOURG

KEITH TYSON

RECURSIVE CPK GAMEBOARD NO 1 (CENTRAL PROCESSING KNOT), 2001

MIXED MEDIA, VIDEODOKUMENTATION, VARIABLE DIMENSIONEN

COURTESY ANTHONY REYNOLDS GALLERY, LONDON

PRODUKTION O.K CENTRUM FÜR GEGENWARTSKUNST, LINZ / CASINO LUXEMBOURG - FORUM D'ART CONTEMPORAIN, LUXEMBURG

KEITH TYSON

RECURSIVE CPK GAMEBOARD NO 1 (CENTRAL PROCESSING KNOT), 2001

TECHNIQUE MIXTE, DOCUMENTATION VIDÉO, DIMENSIONS VARIABLES

COURTESY ANTHONY REYNOLDS GALLERY, LONDRES

PRODUCTION O.K CENTRUM FÜR GEGENWARTSKUNST, LINZ / CASINO LUXEMBOURG - FORUM D'ART CONTEMPORAIN, LUXEMBOURG

KEITH TYSON

RECURSIVE CPK GAMEBOARD NO 1 (CENTRAL PROCESSING KNOT), 2001

MIXED MEDIA, VIDEO DOCUMENTATION, VARIABLE DIMENSIONS

COURTESY ANTHONY REYNOLDS GALLERY, LONDON

PRODUCTION O.K CENTRUM FÜR GEGENWARTSKUNST, LINZ / CASINO LUXEMBOURG - FORUM D'ART CONTEMPORAIN, LUXEMBOURG

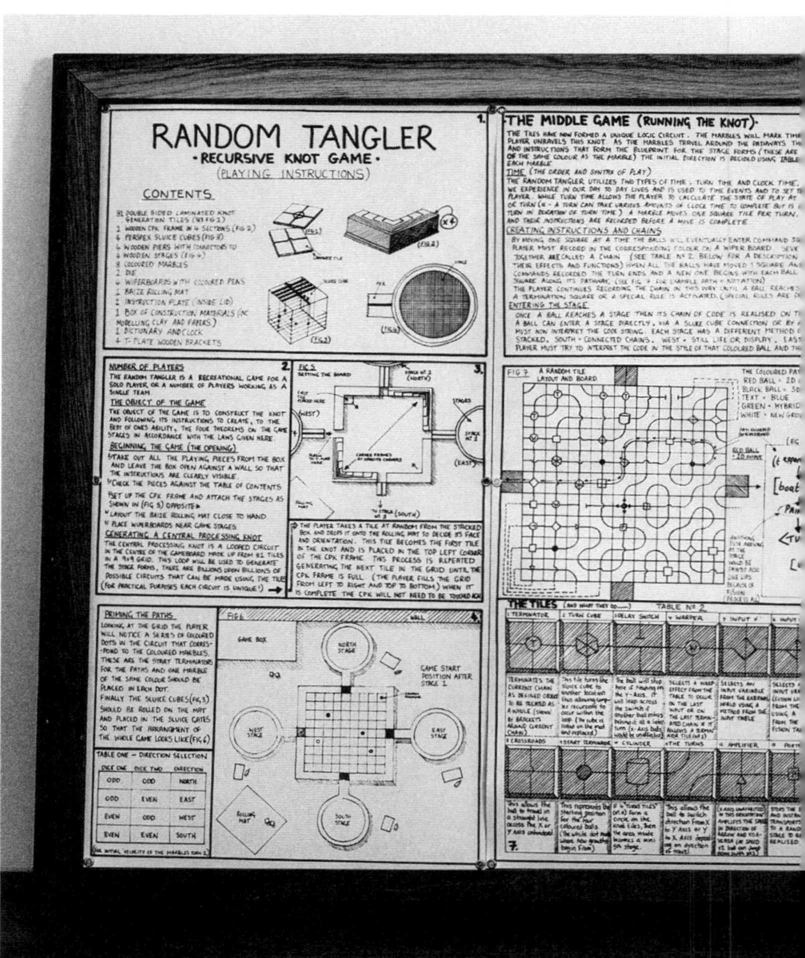

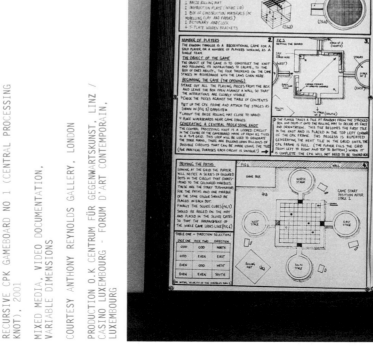

Seit 1994 arbeitet Keith Tyson (°1969/UK, Ulverston) an der Werkgruppe 'Artmachine Iteration', für deren Herstellung sich der Künstler ein Computerprogramm erstellen ließ, das eine Gebrauchsanleitung 'errechnet' und vom Künstler intrepretiert wird. Die Arbeit 'Recursive CPK Gameboard no 1 (Central Processing Knot)' ist sozusagen die tragbare Version innerhalb dieser Serie, die es ermöglicht eine unendliche Anzahl skulpturaler Konfigurationen an verschiedenen Orten zu schaffen. Es handelt sich dabei um eine Art Spiel für eine oder mehrere Personen. Ziel ist es, die im Verlauf des Spiels ermittelten Begriffe, deren Addition eine absurde Tatsache formt, zu interpretieren und Gestalt werden zu lassen (Zeichnung, Skulptur oder Text bzw. eine Kombination davon). Das Spielen führt im weitesten Sinne zu einer zufallsgenerierten, partizipativen in situ-Rauminstallation.
Das 'Gameboard' besteht aus einer zentralen Plattform mit 81 'Knotenpunkten' und vier 'Bühnen'. Vier verschiedenfarbige Kugeln, deren Farben an eine bestimmte 'Form' gebunden sind (rot = zweidimensional; blau = dreidimensional; gelb = Text; grün = Hybrid von allen drei) bewegen sich schrittweise über die 'Knotenpunkte'. Die zwölf verschiedenen Knotenpunkte bestimmen den weiteren Spielverlauf, indem sie auf unterschiedliche 'Charts', 'Inputs' oder 'Prozesse' der Spielanleitung verweisen. Die Aneinanderreihung der einzelnen Knotenpunkte und deren generierten Bedeutungen führt zu 'Bedeutungsketten', welche letztendlich vom Spieler interpretiert werden müssen.

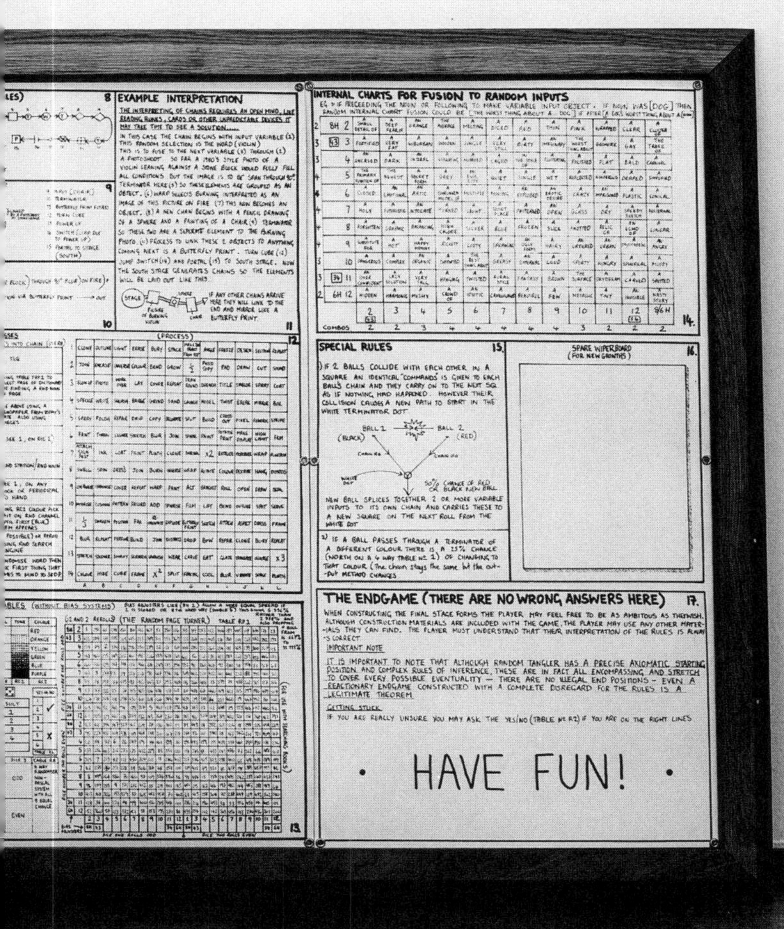

'Recursive CPK Gameboard no 1 (Central Processing Knot)' ist teils Spiel, teils Kunstwerk, teils mathematischer Knoten, teils logisches Diagramm. Durch Feedback-Loops und Datenverarbeitung generiert das Spiel komplexe und unvorhersagbare Muster und Formen. Vielleicht beschreibt jener Hinweis in der Spielanleitung noch am deutlichsten den Verlauf des Spiels: „Die Interpretation der Ketten setzt einen offenen Geist voraus, wie beim Rätsellösen, Kartenlesen oder ähnlichen unvorhersehbaren Tricks. Es kann dauern, bevor sich einem eine Lösung offenbart."

O.K CENTRUM FÜR GEGENWARTSKUNST, LINZ

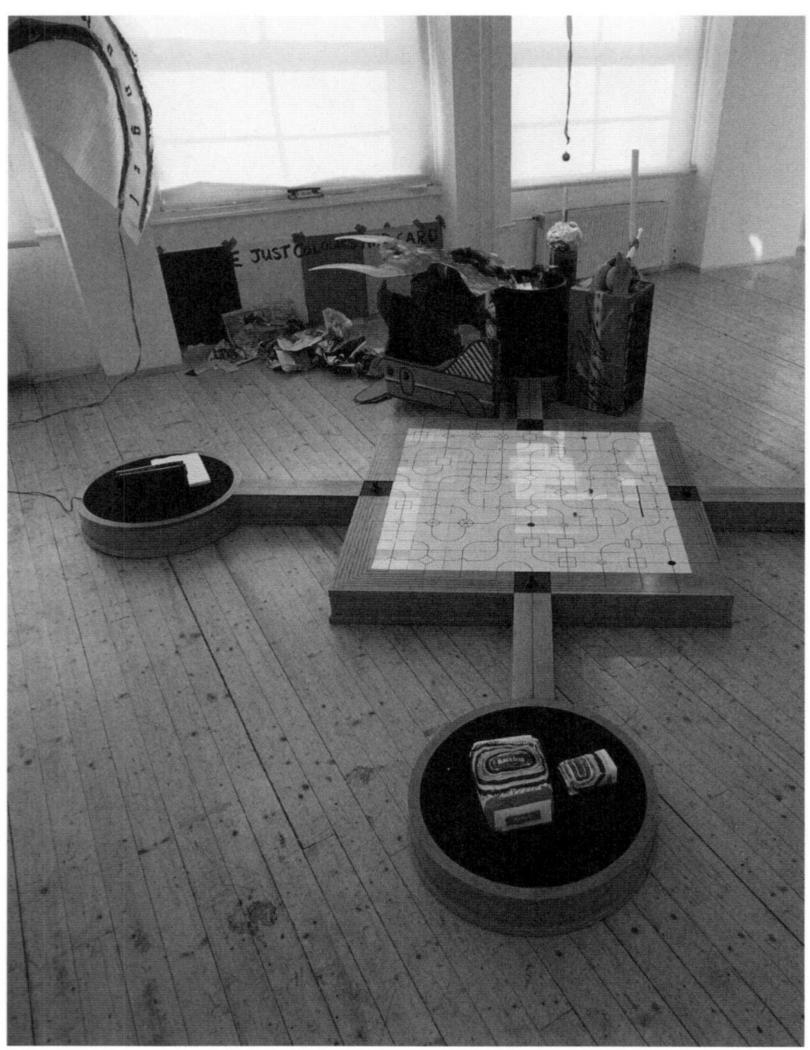

Keith Tyson (°1969/UK, Ulverston) travaille depuis 1994 sur la série 'Artmachine Iteration' pour laquelle il a fait élaborer un programme informatique 'calculant' un mode d'emploi, interprété par l'artiste. Le travail 'Recursive CPK Gameboard no 1 (Central Processing Knot)' représente en quelque sorte la version portable au sein de cette série qui permet de créer un nombre infini de configurations sculpturales en différents lieux. Il s'agit en fait d'une sorte de jeu pouvant se jouer à une ou plusieurs personnes. Le but est d'interpréter des termes calculés au cours du jeu dont l'addition forme un fait absurde, et de leur faire prendre forme (dessin, sculpture ou texte, voire une combinaison de ces éléments). Le jeu aboutit, au sens large du terme, à une installation participative et au résultat aléatoire dans un lieu donné.
Le 'gameboard' se compose d'une plateforme centrale comprenant 81 'nœuds de communication' et quatre 'scènes'. Quatre boules de couleur différente, dont les couleurs sont associées à une 'forme' précise (rouge = bidimensionnel ; bleu = tridimensionnel ; jaune = texte ; vert = hybride des trois autres éléments) se déplacent progressivement en passant par les 'nœuds de communication'. Les douze différents nœuds de communication déterminent la suite du jeu, en renvoyant à divers 'graphiques', 'entrées' ou 'processus' des règles de jeu. La succession des nœuds de communication et des significations ainsi générées entraîne la création de 'chaînes de signification' que le joueur doit finalement interpréter.

'Recursive CPK Gameboard no 1 (Central Processing Knot)' est tantôt jeu, tantôt œuvre d'art, tantôt problème mathématique, tantôt diagramme logique. Les boucles de feed-back et le traitement des données font que le jeu génère des modèles et des formes complexes et imprévisibles. Peut-être cette remarque que l'on trouve dans l'énoncé des règles de jeu décrit-elle au plus précis le déroulement du jeu : « L'interprétation des chaînes suppose un esprit ouvert, comme pour la résolution d'énigmes, la cartomancie et autres astuces similaires et imprévisibles. Il faut parfois du temps avant qu'une solution ne se dévoile au(x) joueur(s). »

O.K CENTRUM FÜR GEGENWARTSKUNST, LINZ

Since 1994 Keith Tyson (°1969/UK, Ulverston) has been working on a body of works entitled 'Artmachine Iteration' for the realisation of which he commissioned a computer programme 'calculating' instructions to be interpreted by the artist. 'Recursive CPK Gameboard no 1 (Central Processing Knot)' is, so to speak, the portable version of the series which makes it possible to create an infinite number of sculptural configurations in different locations. It is a game for one or several players. The aim is to interpret and give shape (as a drawing, sculpture or text, or a combination of these) to the notions identified in the course of the game, which in turn add up to an absurd fact. In the widest sense, playing the game leads to the random generation of a participatory site-specific installation in space.
The 'gameboard' consists of a central platform with 81 'nodes' and four 'stages.' Four balls in different colours, each linked with a certain 'form' (red = two-dimensional, blue = three-dimensional, yellow = text; green = hybrid of all three elements) move gradually over the 'nodes.' The twelve different nodes determine the further course of the game in that they refer to different 'charts,' 'inputs,' or 'processes' in the game instructions.
The sequence of the individual nodes and the meanings they generate lead to 'chains of meaning' which eventually have to be interpreted by the player. 'Recursive CPK Gameboard no 1 (Central Processing Knot)' is in part play, in part work of art, in part mathematical

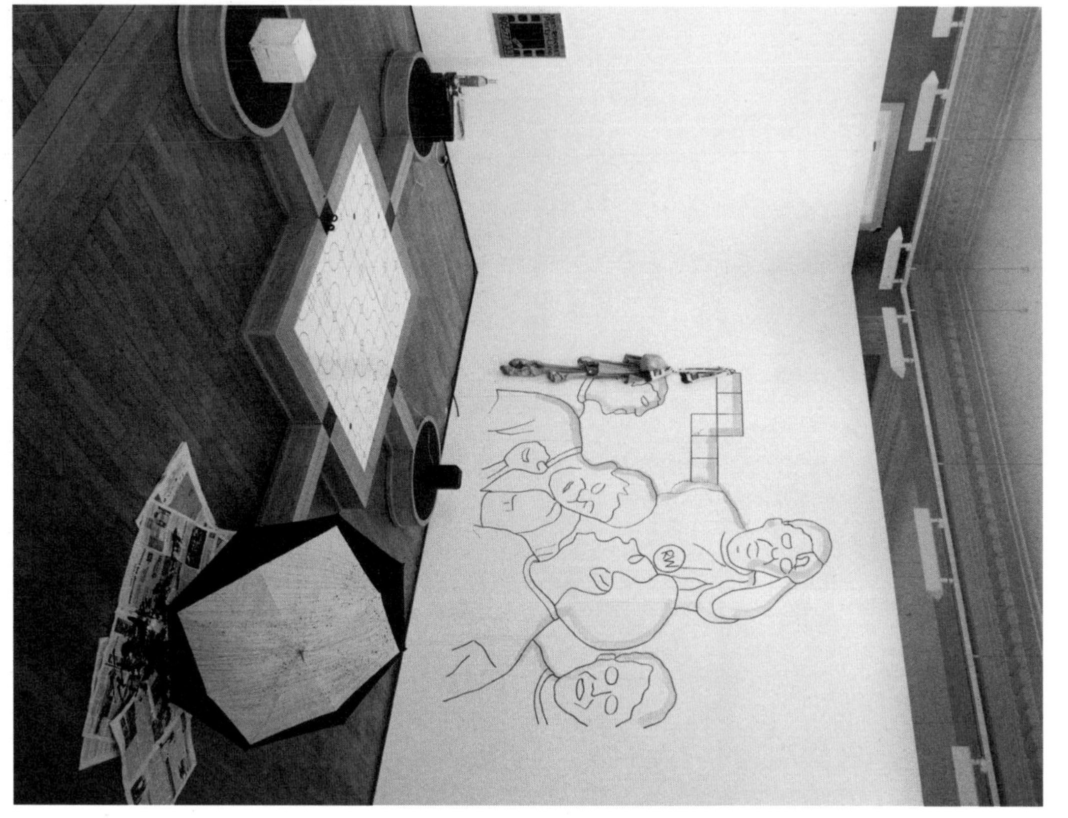

CASINO LUXEMBOURG

node, in part logical diagram. Using feedback loops and data processing, the game generates complex and unpredictable patterns and shapes. The course of the game is probably best described by a hint in the instructions for playing: "The interpretation of chains requires an open mind, just like solving riddles, reading cards and similar unforeseeable tricks. It may take some time before a solution reveals itself."

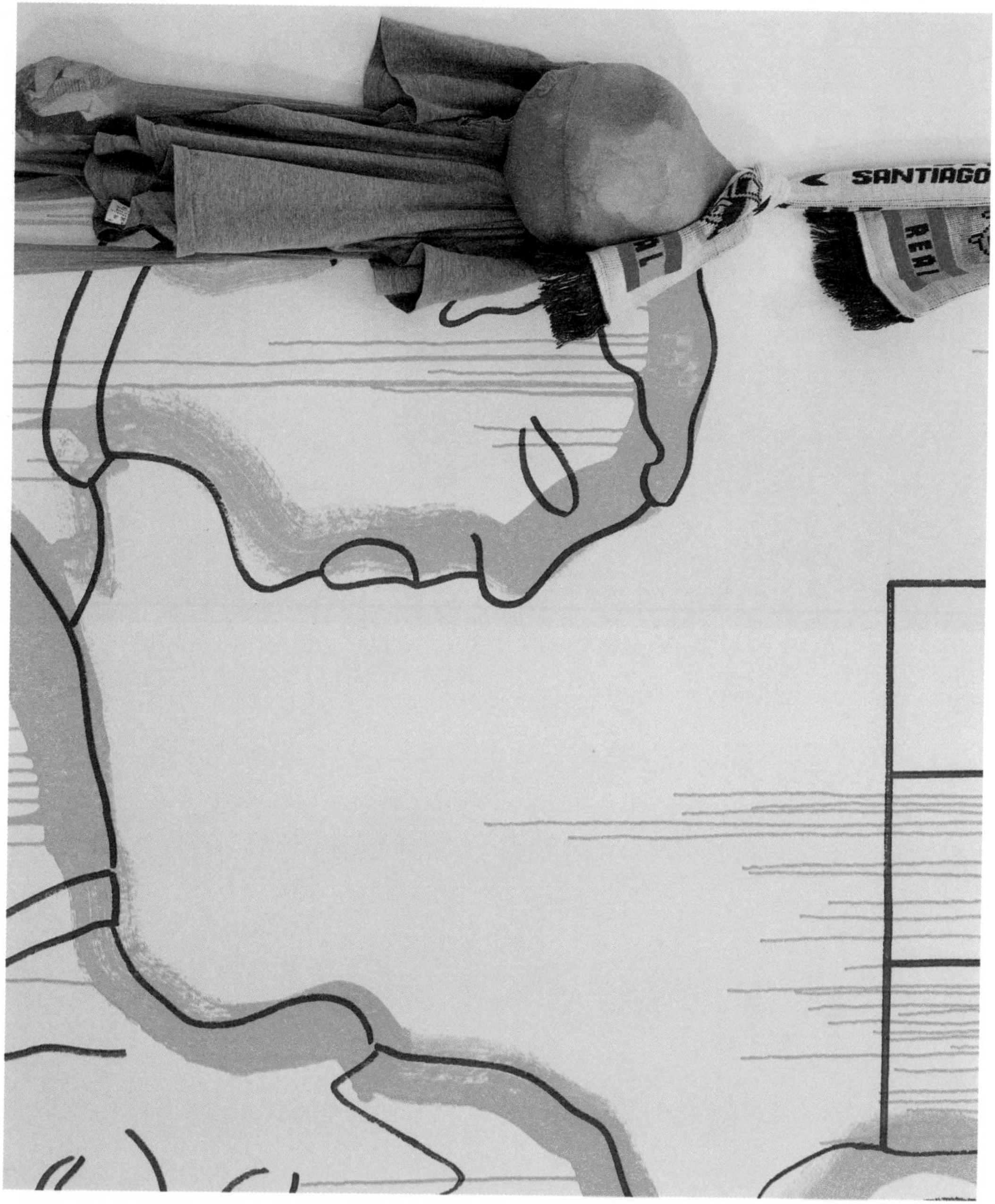

163

CASINO LUXEMBOURG

MANON DE BOER

MIND MAPPING (AUSSTELLUNGSVERSION), 2001

PC, COMPUTERTERMINAL, PROJEKTION, BÜCHERGESTELL (210 X 280 CM), BÜCHERDUMMYS, VARIABLE DIMENSIONEN

COURTESY GALERIE JAN MOT, BRÜSSEL

PRODUKTION O.K CENTRUM FÜR GEGENWARTSKUNST, LINZ / CASINO LUXEMBOURG - FORUM D'ART CONTEMPORAIN, LUXEMBURG

MANON DE BOER

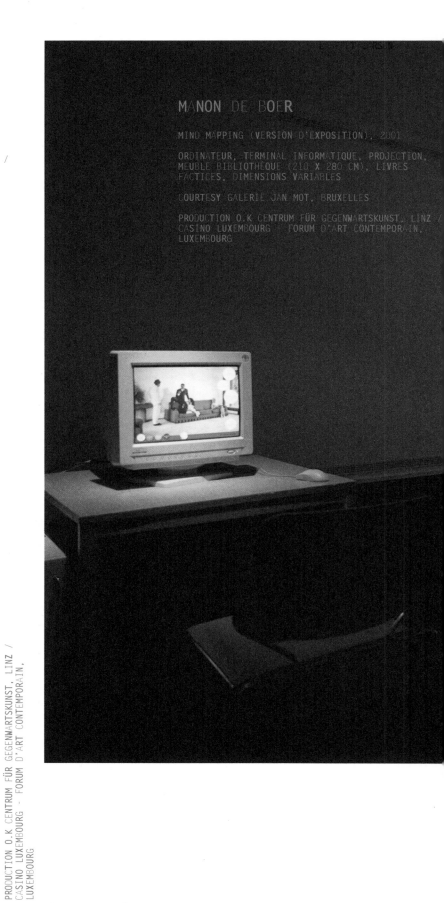

MIND MAPPING (VERSION D'EXPOSITION), 2001

ORDINATEUR, TERMINAL INFORMATIQUE, PROJECTION, MEUBLE BIBLIOTHÈQUE (210 X 280 CM), LIVRES FACTICES, DIMENSIONS VARIABLES

COURTESY GALERIE JAN MOT, BRUXELLES

PRODUCTION O.K CENTRUM FÜR GEGENWARTSKUNST, LINZ / CASINO LUXEMBOURG - FORUM D'ART CONTEMPORAIN, LUXEMBOURG

MANON DE BOER

MIND MAPPING (EXHIBITION VERSION), 2001

PC, COMPUTER TERMINAL, PROJECTION, BOOKSHELF (210 X 280 CM), BOOK DUMMIES, VARIABLE DIMENSIONS

COURTESY GALERIE JAN MOT, BRUSSELS

PRODUCTION O.K CENTRUM FÜR GEGENWARTSKUNST, LINZ / CASINO LUXEMBOURG - FORUM D'ART CONTEMPORAIN, LUXEMBOURG

O.K CENTRUM FÜR GEGENWARTSKUNST, LINZ

Von Manon de Boer (°1966/NL, Kodaicanal, Indien) wird zum ersten Mal eine Ausstellungsversion der ursprünglich in die 'Hoofstedelijke Openbare Bibliotheek', die Flämische Bibliothek in Brüssel, fest integrierten Arbeit 'Mind Mapping' gezeigt. Sie ist Teil des internen Datenverarbeitungssystems und stellt eine Beziehung zwischen dem Bestand der Bibliothek (Bücher, Platten, Videos) und den individuellen Benutzern her. In der Vorbereitungsphase von 'Mind Mapping' fragte Manon de Boer dreißig Personen – teils Freunde, teils unbekannte User – nach einer Top-Ten Liste ihrer bevorzugten Bücher, CDs und Videos und bat die BesucherInnen um eine kurze Selbstbeschreibung (z.B. als transparente Frau, Bibliothekscasanova, Taugenichts usw.). Aus diesen Listen destillierte die Künstlerin fiktive Porträts: fiktiv insofern, da derartige Listen immer Momentaufnahmen sind und die Porträtierten nur über Treffwörter beschrieben und nicht namentlich genannt werden. Alle Bücher, CDs und Videos, die sowohl in den dreißig Listen als auch im Bestand der Bibliothek vorkommen, sind mit Aufklebern versehen, die wiederum auf das jeweilige Porträt bzw. das Projekt 'Mind Mapping' verweisen.
In der Integration von individuellen Erinnerungen realer aber abwesender Personen treffen die Bibliotheksbesucher auf verschiedene Porträts und somit auf verschiedene kulturelle Referenzkader und Geschichten. In den Computerterminals der Bibliothek können sämtliche dreißig Porträts über das Hauptmenü abgerufen werden. Die ersten fünfzehn

sind zudem mit Text-, Bild- und Tonfragmenten versehen, die über Links wiederum auf andere Titel bzw. Porträts verweisen. Die Bibliothek und ihre Benutzer werden so ein Teil eines Meta-Porträts kultureller Preferenzen.

C'est la première fois que Manon de Boer (°1966/NL, Kodaicanal, Inde) présente une version d'exposition de son travail 'Mind Mapping' qui, à l'origine, fait partie intégrante de la 'Hoofstedelijke Openbare Bibliotheek', la bibliothèque flamande de Bruxelles. Le travail est assimilé au système informatique interne et instaure une relation entre l'inventaire de la bibliothèque (livres, disques, vidéos) et les usagers individuels. Lors de la préparation de 'Mind Mapping', Manon de Boer a demandé à trente personnes — des amis et des utilisateurs inconnus — d'établir la liste de leurs dix premiers livres, CD et vidéos préférés, et aux visiteurs de la bibliothèque de dresser de façon succincte leur autoportrait (p.ex. en tant que femme transparente, Casanova de bibliothèque, vaurien, etc.). À partir de ces listes, l'artiste a distillé des portraits fictifs : fictifs dans le sens où de telles listes sont toujours des instantanés et que les personnes portraitées ne peuvent être décrites que par des mots-clés et ne sont pas désignées nommément. Tous les livres, CD et vidéos que l'on retrouve aussi bien dans les trente listes que dans l'inventaire de la bibliothèque, sont pourvus d'autocollants qui, à leur tour, renvoient au portrait concerné ou au projet 'Mind Mapping'. Dans l'intégration des souvenirs individuels de personnes réelles mais absentes, les visiteurs de la bibliothèque tombent sur différents portraits et, partant, sur différents cadres de références culturelles et histoires. L'ensemble des trente portraits peut

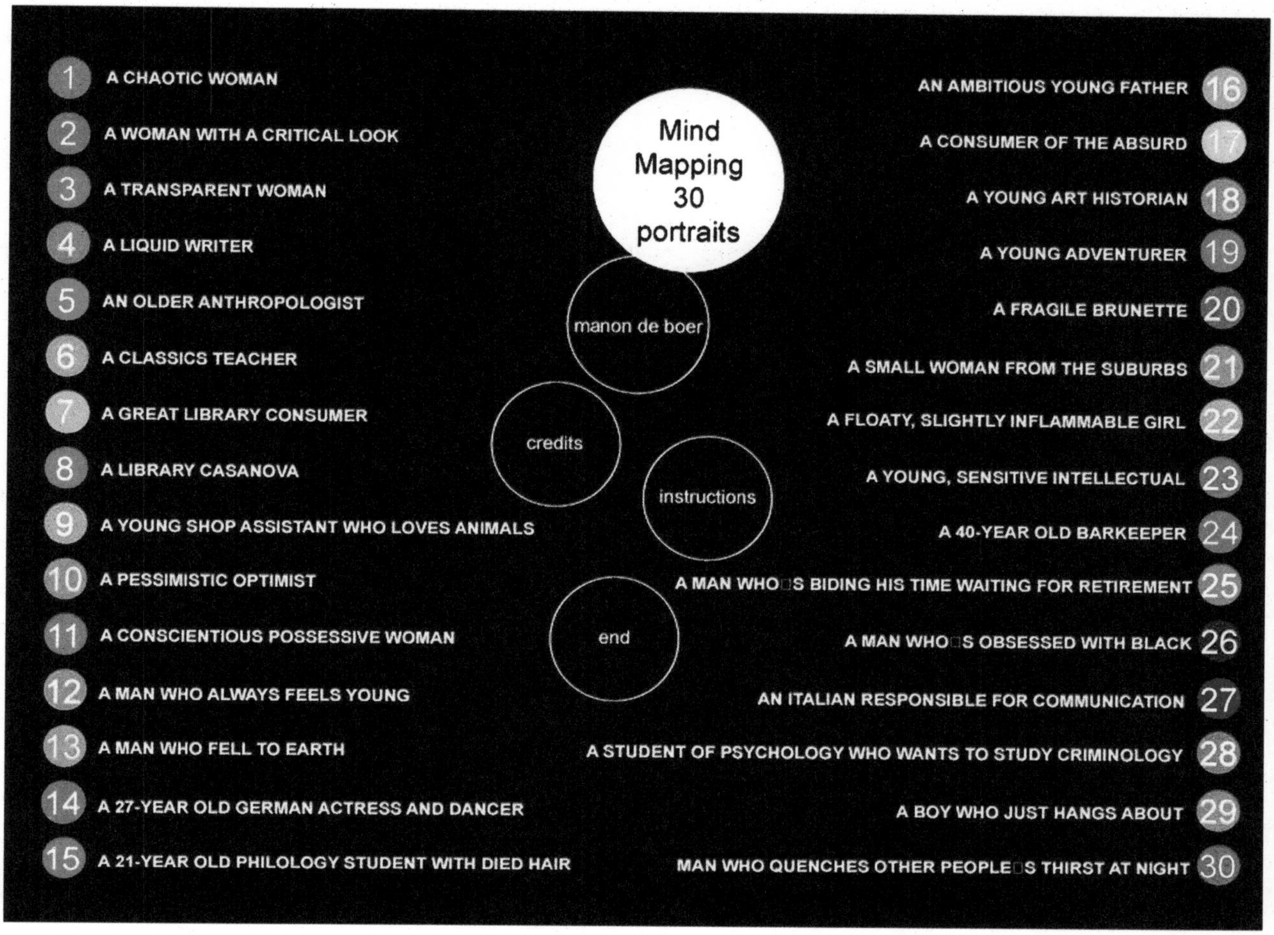

1 A CHAOTIC WOMAN
2 A WOMAN WITH A CRITICAL LOOK
3 A TRANSPARENT WOMAN
4 A LIQUID WRITER
5 AN OLDER ANTHROPOLOGIST
6 A CLASSICS TEACHER
7 A GREAT LIBRARY CONSUMER
8 A LIBRARY CASANOVA
9 A YOUNG SHOP ASSISTANT WHO LOVES ANIMALS
10 A PESSIMISTIC OPTIMIST
11 A CONSCIENTIOUS POSSESSIVE WOMAN
12 A MAN WHO ALWAYS FEELS YOUNG
13 A MAN WHO FELL TO EARTH
14 A 27-YEAR OLD GERMAN ACTRESS AND DANCER
15 A 21-YEAR OLD PHILOLOGY STUDENT WITH DIED HAIR

Mind Mapping 30 portraits

manon de boer

credits

instructions

end

AN AMBITIOUS YOUNG FATHER 16
A CONSUMER OF THE ABSURD 17
A YOUNG ART HISTORIAN 18
A YOUNG ADVENTURER 19
A FRAGILE BRUNETTE 20
A SMALL WOMAN FROM THE SUBURBS 21
A FLOATY, SLIGHTLY INFLAMMABLE GIRL 22
A YOUNG, SENSITIVE INTELLECTUAL 23
A 40-YEAR OLD BARKEEPER 24
A MAN WHO□S BIDING HIS TIME WAITING FOR RETIREMENT 25
A MAN WHO□S OBSESSED WITH BLACK 26
AN ITALIAN RESPONSIBLE FOR COMMUNICATION 27
A STUDENT OF PSYCHOLOGY WHO WANTS TO STUDY CRIMINOLOGY 28
A BOY WHO JUST HANGS ABOUT 29
MAN WHO QUENCHES OTHER PEOPLE□S THIRST AT NIGHT 30

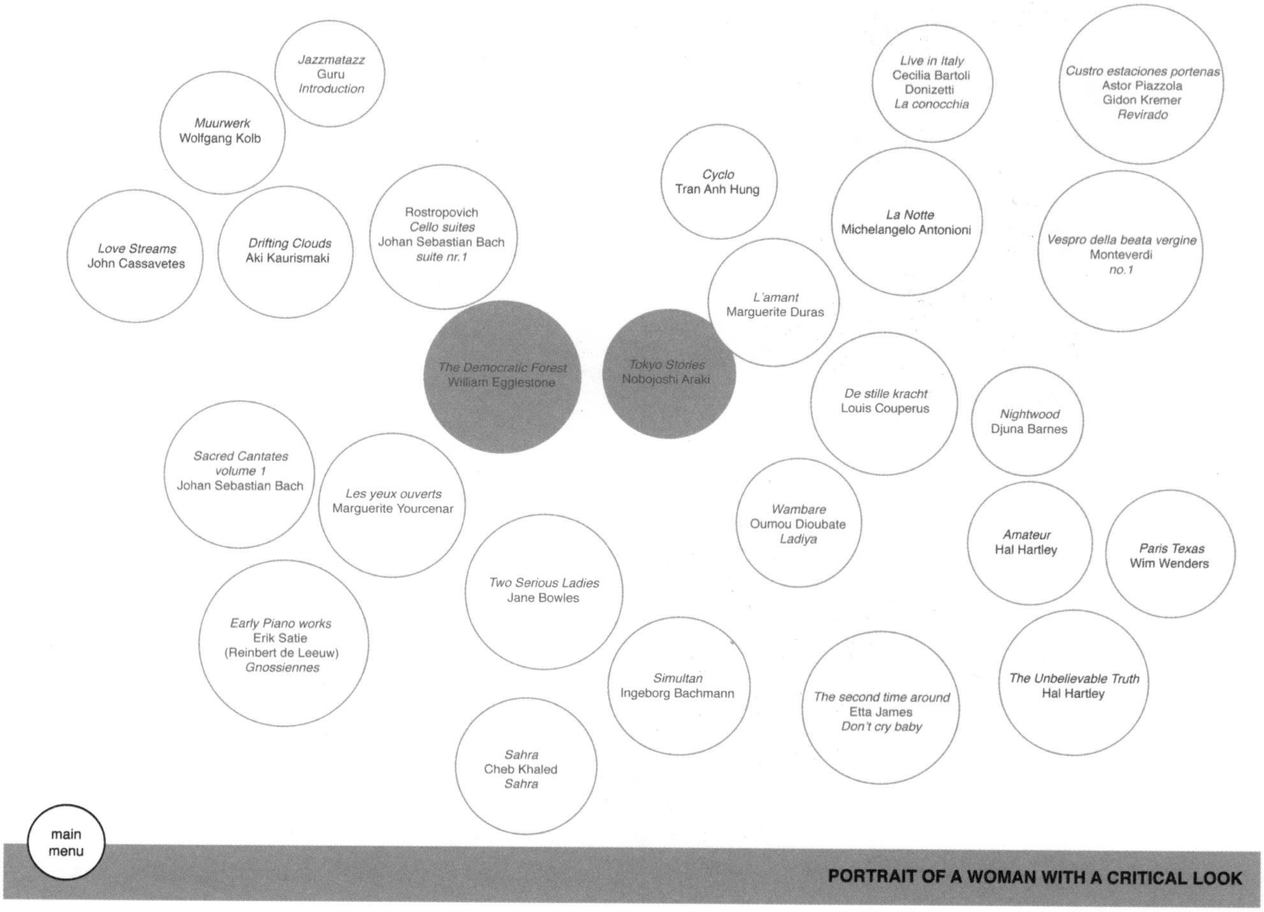

Jazzmatazz
Guru
Introduction

Muurwerk
Wolfgang Kolb

Love Streams
John Cassavetes

Drifting Clouds
Aki Kaurismaki

Rostropovich
Cello suites
Johan Sebastian Bach
suite nr.1

The Democratic Forest
William Eggleston

Tokyo Stories
Nobojoshi Araki

Sacred Cantates volume 1
Johan Sebastian Bach

Les yeux ouverts
Marguerite Yourcenar

Early Piano works
Erik Satie
(Reinbert de Leeuw)
Gnossiennes

Two Serious Ladies
Jane Bowles

Sahra
Cheb Khaled
Sahra

Simultan
Ingeborg Bachmann

Cyclo
Tran Anh Hung

L'amant
Marguerite Duras

Live in Italy
Cecilia Bartoli
Donizetti
La conocchia

La Notte
Michelangelo Antonioni

De stille kracht
Louis Couperus

Wambare
Oumou Dioubate
Ladiya

The second time around
Etta James
Don't cry baby

Custro estaciones portenas
Astor Piazzola
Gidon Kremer
Revirado

Vespro della beata vergine
Monteverdi
no.1

Nightwood
Djuna Barnes

Amateur
Hal Hartley

Paris Texas
Wim Wenders

The Unbelievable Truth
Hal Hartley

main menu

PORTRAIT OF A WOMAN WITH A CRITICAL LOOK

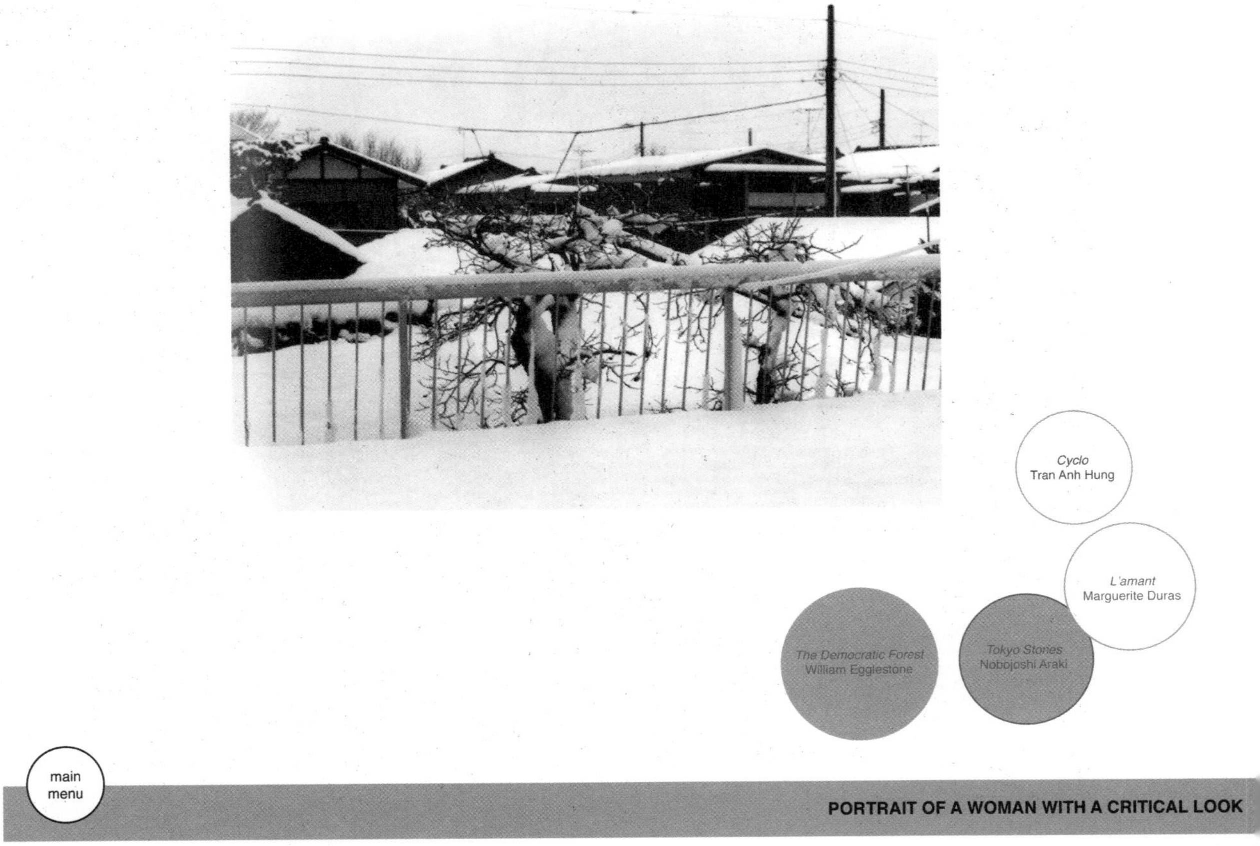

Cyclo
Tran Anh Hung

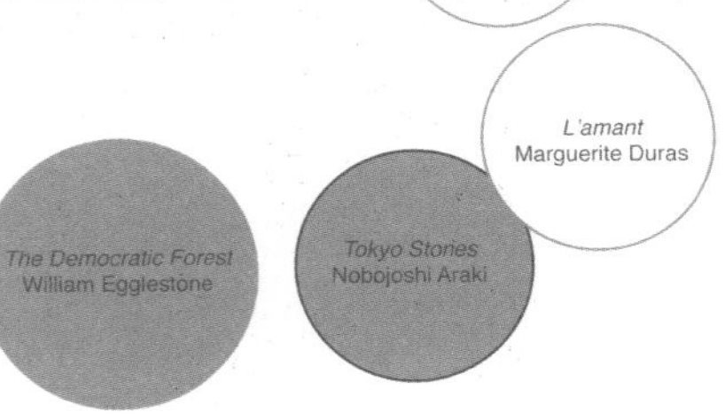

main menu

PORTRAIT OF A WOMAN WITH A CRITICAL LOOK

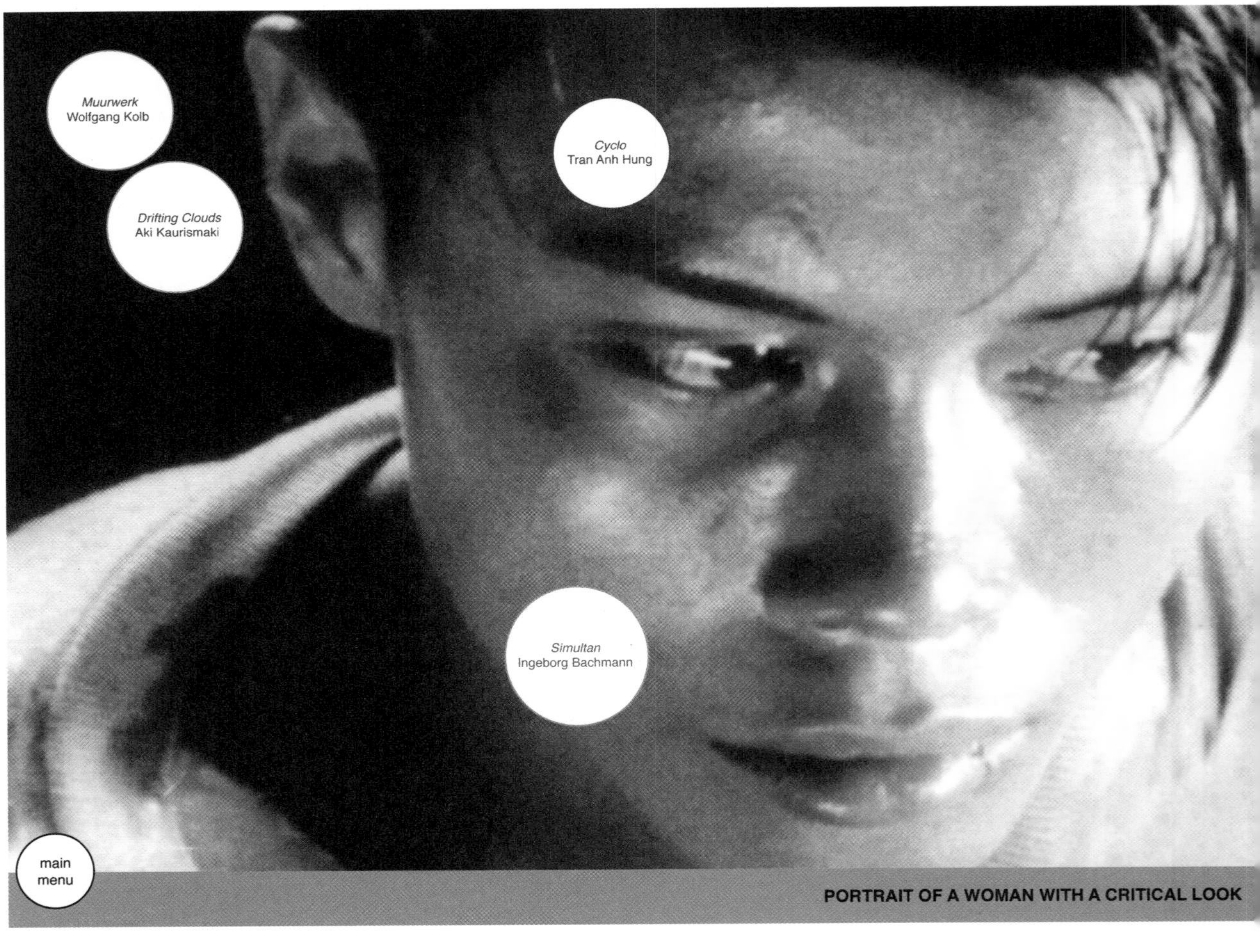

Muurwerk
Wolfgang Kolb

Drifting Clouds
Aki Kaurismaki

Cyclo
Tran Anh Hung

Simultan
Ingeborg Bachmann

main menu

PORTRAIT OF A WOMAN WITH A CRITICAL LOOK

'Mind Mapping' by Manon de Boer (°1966/NL, Kodaikanal, India) is actually the first exhibition version of an eponymous work that is an integral part of the 'Hoofstedelijke Openbare Bibliotheek', the Flemish Library in Brussels. It is located in the internal data processing system and relates the inventory of the library (books, records, videos) to individual users. In the preparatory phase of 'Mind Mapping' Manon de Boer asked thirty persons – some of them friends, some unknown users – to provide a 'top ten' list of their favourite books, CDs and videos, and visitors to give a short self-description (e.g. as a transparent woman, library Casanova, good-for-nothing etc.) The artist then distilled fictitious portraits from the lists: they are fictitious in that the lists will always be mere 'snapshots' and because all those portrayed are only described by keywords, but not named. All the books, CDs and videos figuring in the thirty lists and in the library inventory are marked with stickers referring to the portrait and the 'Mind Mapping' project. As the individual recollections of real but absent people are integrated, the library visitors discover various portraits as well as different cultural frameworks of reference and stories. The thirty portraits can be retrieved from the library computer terminals via the main menu. The first fifteen portraits are even complemented by fragments of texts and images as well as soundbites referring to other titles or portraits via links. The library and its users become part of a meta-potrait of cultural preferences.

être consulté sur les ordinateurs de la bibliothèque à partir du menu principal. Les quinze premiers sont en plus dotés de fragments de textes, d'images et de son qui, par des liens, renvoient à leur tour à d'autres titres ou portraits. La bibliothèque et ses visiteurs deviennent ainsi partie intégrante d'un méta-portrait de préférences culturelles.

GERHARD DIRMOSER

DENKEN - EIN NETZWERK, 1996-2001

(DOSE.SERVUS.AT/DENK)

83 ZEICHNUNGEN (21 X 29,7 CM) AUF 6 TISCHEN
(80 X 194 X 70 CM), VARIABLE DIMENSIONEN

COURTESY KÜNSTLER, LINZ

PERFORMANCE ART CONTEXT, 2000-2001

(ASA.DE/RESEARCH/KONTEXT/)

4 INK-JET PRINTS, GESAMTMAßE 240 X 168 CM

COURTESY KÜNSTLER, LINZ
IN ZUSAMMENARBEIT MIT BORIS NIESLONY

GERHARD DIRMOSER

DENKEN - EIN NETZWERK, 1996-2001

(DOSE.SERVUS.AT/DENK)

83 DESSINS (21 X 29,7 CM) SUR 6 TABLES
(80 X 194 X 70 CM), DIMENSIONS VARIABLES

COURTESY L'ARTISTE, LINZ

PERFORMANCE ART CONTEXT, 2000-2001

(ASA.DE/RESEARCH/KONTEXT/)

4 IMPRESSIONS À JET D'ENCRE, DIMENSION TOTALE
240 X 168 CM

COURTESY L'ARTISTE, LINZ
EN COOPÉRATION AVEC BORIS NIESLONY

GERHARD DIRMOSER

DENKEN - EIN NETZWERK, 1996-2001

(DOSE.SERVUS.AT/DENK)

83 DRAWINGS (21 X 29.7 CM) ON 6 TABLES
(80 X 194 X 70 CM), VARIABLE DIMENSIONS

COURTESY THE ARTIST, LINZ

PERFORMANCE ART CONTEXT, 2000-2001

(ASA.DE/RESEARCH/KONTEXT/)

4 INK-JET PRINTS, OVERALL DIMENSIONS
240 X 168 CM

COURTESY THE ARTIST, LINZ
IN CO-OPERATION WITH BORIS NIESLONY

Gerhard Dirmoser (°1958/A, Linz) ist Informatiker und versteht sich nicht als Künstler im eigentlichen Sinne. 1999 realisierte er in Zusammenarbeit mit dem Künstler Boris Nieslony das monumentale Diagramm 'Performance Art Context', das ein vielfältiges Bezugsnetz von KünstlerInnen, AutorInnen, VermittlerInnen, Institutionen, Galerien usw. herstellt und anhand von 64 Ansichten 2000 Statements über Performance-Strategien zeigt. Dadurch wird das Diagramm selbst Teil des von ihm dargestellten Kontextes.

'Denken - Ein Netzwerk', an dem Gerhard Dirmoser seit 1996 arbeitet, wurde eigens für die Ausstellung fertiggestellt. Das Projekt schematisiert und visualisiert das Denken an sich und bringt 1670 Denkbegriffe und 7000 sogenannte Vernetzungskanten zusammen, die über 30 Denk-Plateaus zugeordnet sind: räumliches, zeitliches, bewegtes / musikalisches, akustisches / ethnologisches, anthropologisches, asiatisches, anthroposophisches, religiöses / unternehmerisches, werbendes / zu 'Flusser' / erfahrungs / strukturales, implizites / ganzheitliches, ordnerisches Gedächtnis / atmosphärisches / forschendes / kontextuelles / philosophisches, vernünftiges / technisches, wissenschaftliches, informatisches, mediales / mimetisches / morphologisches / kunsttheoretisches, sprachliches, schriftliches / 'zu Warburg', physiognomisches / kreatives, leidenschaftlich-wissendes / körperliches / pädagogisches, alltägliches / feministisches / androgynes / politisch-ethisches / ästhetisches / psychoanalytisches,

psychologisches / dunkles wildes / materielles Denken.
Die beiden gezeigten Arbeiten bewirken einen Loop-Effekt, ein sich kontinuierliches Verstricken und Verlieren im Netzwerk. Das Feedback entsteht in erster Instanz mit dem Publikum, das während des Lesens selbst Teil des dargestellten Systems über Denkwelten oder Performance-Strategien wird.

Gerhard Dirmoser (°1958/A, Linz) est informaticien et ne se considère pas comme un artiste au sens propre du terme. En 1999, en collaboration avec l'artiste Boris Nieslony, il a réalisé le diagramme géant 'Performance Art Context' qui crée un réseau de références multiples entre artistes, auteurs, médiateurs, institutions, galeries, etc., et présente, par le recueil de 64 opinions, 2000 déclarations sur les stratégies de performance. Ainsi le diagramme même devient partie intégrante du contexte qu'il expose.
Le projet 'Denken - Ein Netzwerk', auquel Gerhard Dirmoser travaille depuis 1996, a été achevé spécialement pour l'exposition. Le projet schématise et visualise la pensée en soi et rassemble 1670 notions de pensée et 7000 'angles d'interconnexion' classés en fonction de 30 plateaux de pensées : pensée dans l'espace, le temps, le mouvement / musicale, acoustique / ethnologique, anthropologique, asiatique, anthroposophique, religieuse / d'entreprise, publicitaire / liée à 'Flusser' / liée à l'expérience / structurelle, implicite / de mémoire globale, de classement / atmosphérique / inquisitrice / contextuelle / philosophique, raisonnable / technique, scientifique, informatique, relevant des médias / mimétique / morphologique / théorique sur l'art, linguistique, écrite / liée à 'Warburg', physiognomonique / créative, de connaissance passionnée / corporelle / pédagogique, quotidienne / féministe / androgyne / d'éthique politique / esthétique / psycho-analytique, psychologique / sombre, sauvage / matérielle.

Gerhard Dirmoser (°1958/A, Linz) is a computer scientist and does not think of himself as an artist in the strict sense of the word. In 1999 he co-operated with the artist Boris Nieslony and produced the monumental diagram 'Performance Art Context,' which creates a highly diverse network of relations between artists, authors, mediators, institutions, galleries etc. and conveys 2,000 statements about performance strategies in 64 views. In this way the diagram itself becomes part of the context it presents.
'Denken - Ein Netzwerk', which Gerhard Dirmoser had been working on since 1996, was specially completed for the exhibition. The project visualises the concept of thinking in a diagram, bringing together 1,670 notions and 7,000 so-called networking edges which are allocated to 30 plateaus of thinking: spatial, temporal, moved / musical, acoustic / ethnological, anthropological, Asian, anthroposophic, religious / entrepreneurial, advertising / about 'Flusser' / experiential / structural, implicit / holistic, ordering memory / atmospheric / research-related / contextual / philosophical, rational / technical, scientific, computer-related, media-related / mimetic / morphological / art-theoretical, linguistic, writing-related / 'on Warburg', physiognomic / creative, passionately knowing / physical / paedagogic, commonplace / feminist / androgynous / political-ethical / aesthetic / psychoanalytical, psychological / dark wild / material thinking.
The two works on display give rise to a loop effect, a way of getting continu-

Les deux travaux présentés provoquent un effet de boucle, un entrelacement et un égarement perpétuel dans le réseau. Le feed-back s'établit d'abord avec le public qui, pendant qu'il lit, devient lui-même partie intégrante du système exposé sur les mondes de pensée ou les stratégies de performance.

ously deeper into the network, and losing oneself there. First and foremost, feedback involves the viewer who, while reading, becomes part of the system involving worlds of ideas or performance strategies.

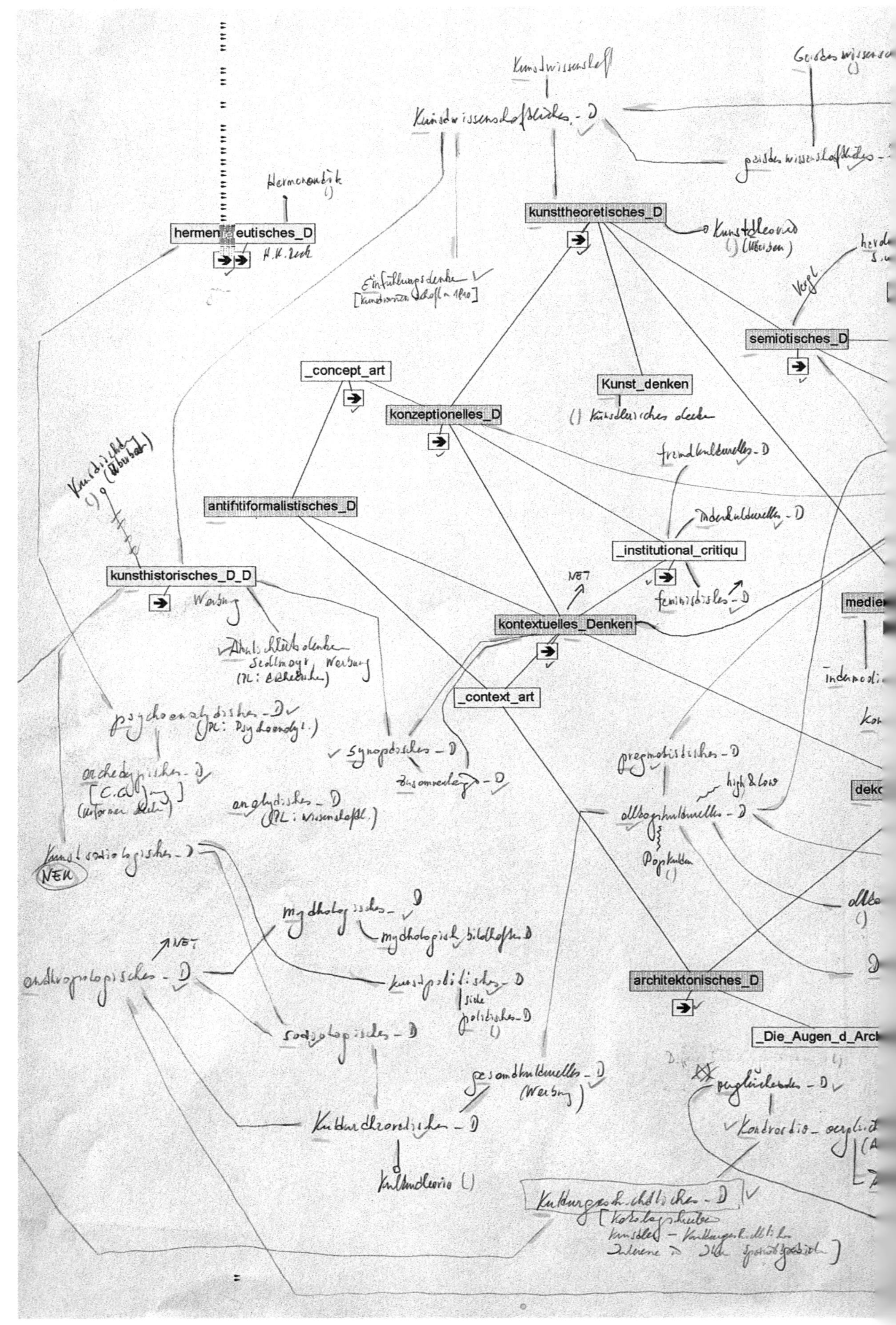
Kunstwissenschaft
hermeneutisches_D
Hermeneutik
kunsttheoretisches_D
semiotisches_D
_concept_art
Kunst_denken
konzeptionelles_D
antifitiformalistisches_D
_institutional_critiqu
kunsthistorisches_D_D
kontextuelles_Denken
_context_art
architektonisches_D
_Die_Augen_d_Arch

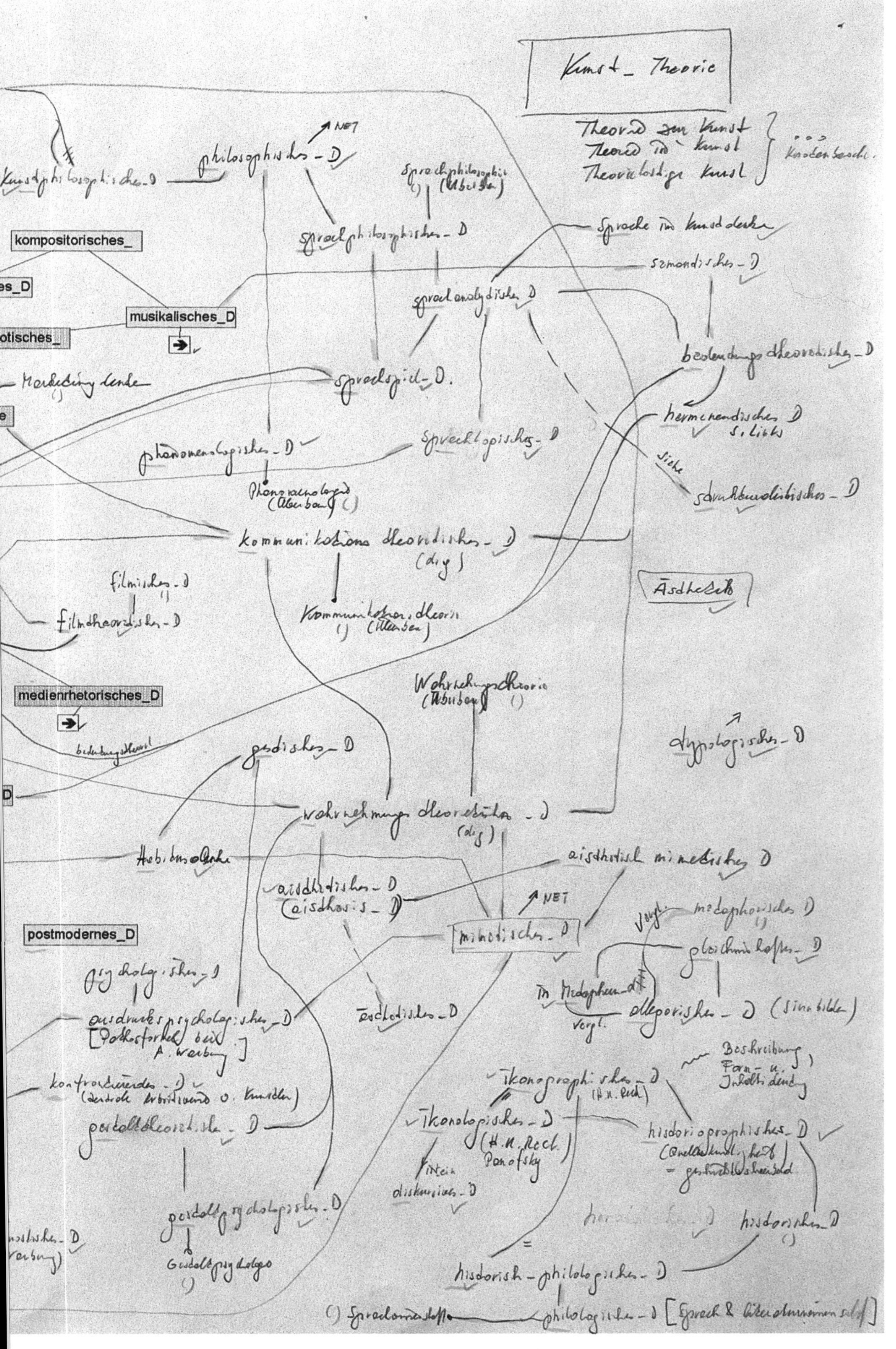

Kunst_Theorie
Theorie zur Kunst
Theorie der Kunst
Theorielosigkeit Kunst
kompositorisches_
es_D
musikalisches_D
iotisches_
medienrhetorisches_D
postmodernes_D
philosophisches_D
sprachphilosophisches_D
sprachanalytisches_D
bedeutungstheoretisches_D
hermeneutisches_D
phänomenologisches_D
kommunikationstheoretisches_D
filmisches_D
filmtheoretisches_D
Ästhetik
wahrnehmungstheoretisches_D
mimetisches_D
ikonographisches_D
ikonologisches_D
Panofsky
historiographisches_D
historisches_D
historisch-philologisches_D
philologisches_D
gestaltpsychologisches_D
gestalttheoretisches_D
ausdruckspsychologisches_D
psychologisches_D
allegorisches_D

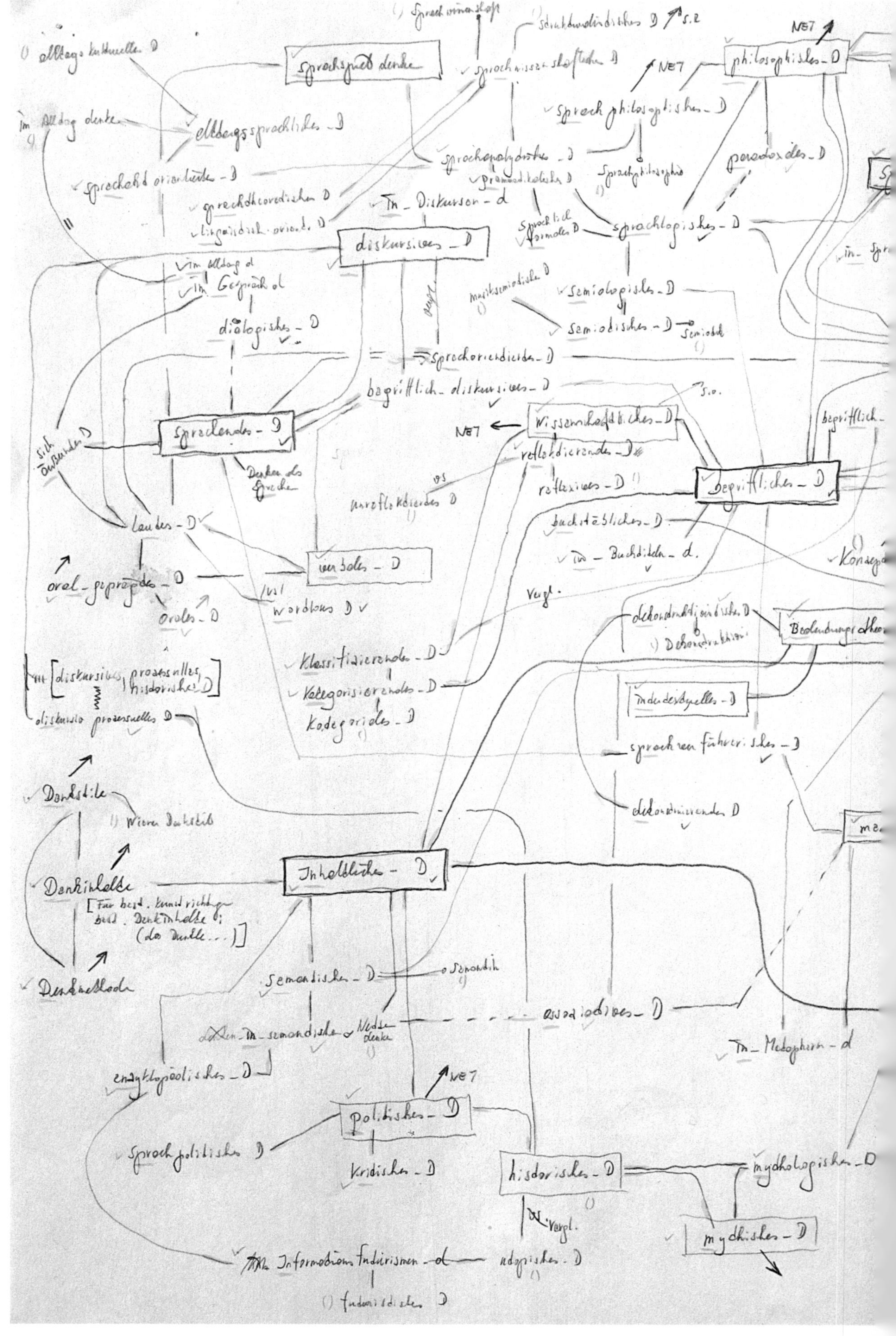

alltagssprachliches_D
philosophisches_D
NET
sprachphilosophisches_D
paradoxes_D
sprachtheoretisches_D
Im_Diskurs_d
diskursives_D
sprachlogisches_D
im Alltag d
im Gespräch d
dialogisches_D
semiologisches_D
semiotisches_D
begrifflich_diskursives_D
sprechendes_D
wissenschaftliches_D
reflektierendes_D
reflexives_D
begriffliches_D
buchstäbliches_D
Im_Buchstaben_d
lautes_D
verbales_D
oral_geprägtes_D
orales_D
wortloses D
Vergl.
dekonstruktivistisches_D
Klassifizierendes_D
Kategorisierendes_D
kategoriales_D
diskursiv prozessuelles D
Denkstile
Wiener Denkstil
Denkinhalte
Denkmethode
dekonstruierendes D
Inhaltliches_D
semantisches_D
assoziatives_D
Im_Metaphern_d
enzyklopädisches_D
politisches_D
Sprachpolitisches D
kritisches_D
historisches_D
mythologisches_D
mythisches_D
utopisches_D

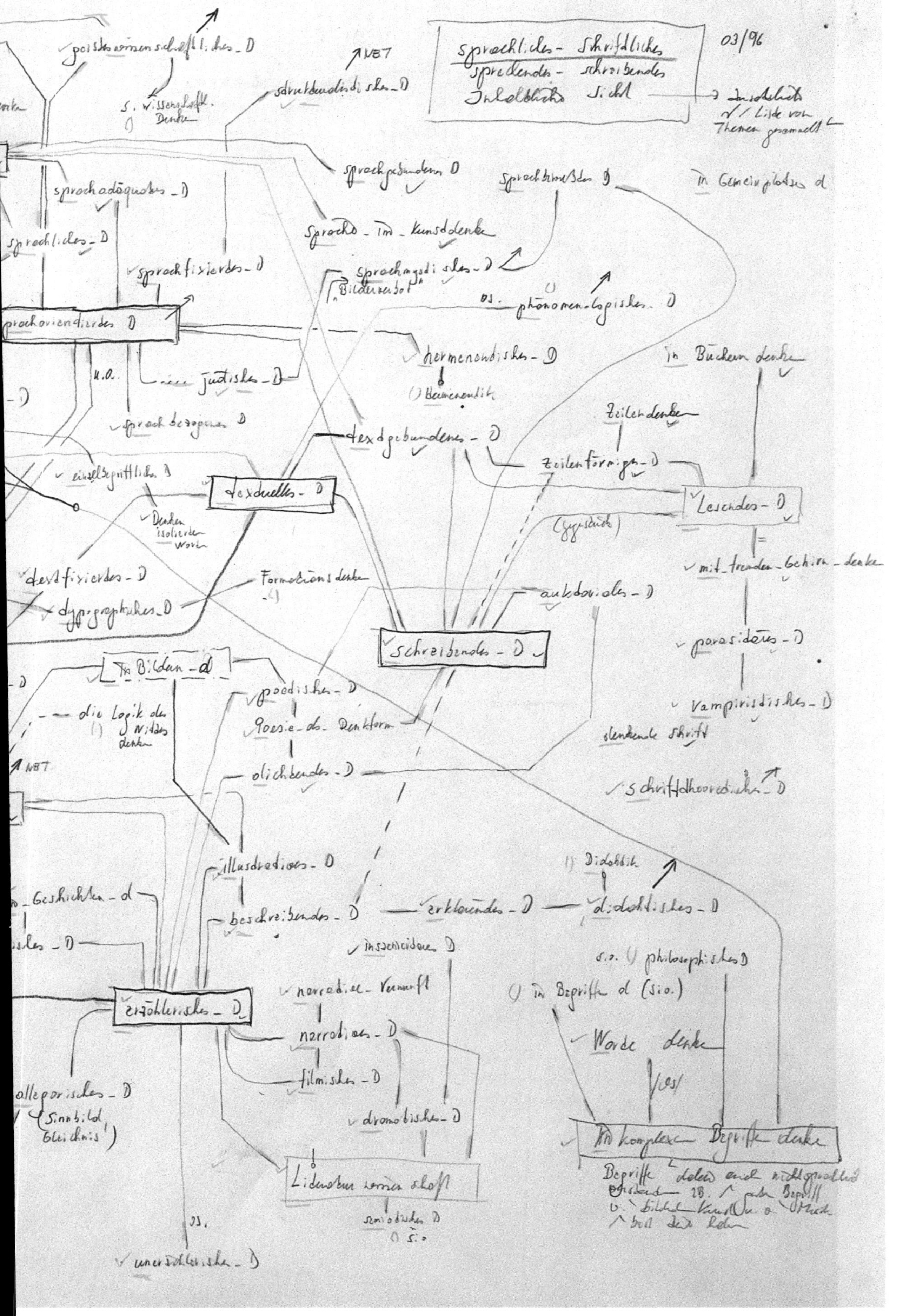

sprachliches – schriftliches
sprechendes – schreibendes
inhaltliches Sicht
03/96
geisteswissenschaftliches_D
s. wissenschaftl. Denken
strukturalistisches_D
sprachgebundenes D
sprachkritisches D
in Gemeinplätzen d
sprachadäquates_D
sprachliches_D
Sprache_im_Kunstdenken
sprachfixiertes_D
sprachagnostisches_D
Bilderverbot
phänomenologisches_D
sprachorientiertes D
hermeneutisches_D
Hermeneutik
jüdisches_D
in Büchern denken
sprachbezogenes D
textgebundenes_D
Zeilendenken
zeilenförmiges_D
einzelbegriffliches D
textuelles_D
Lesendes_D
Denken isolierter Worte
mit_fremdem_Gehirn_denken
textfixiertes_D
typographisches_D
Formationsdenken
anekdotisches_D
schreibendes_D
parasitäres_D
In Bildern_d
poetisches_D
Poesie_als_Denkform
die Logik des Bildes denken
vampirisches_D
denkende Schrift
dichtendes_D
schrifttheoretisches_D
Didaktik
illustratives_D
Geschichten_d
beschreibendes_D
erklärendes_D
didaktisches_D
inszenierendes D
philosophisches D
narrative_Vernunft
in Begriffen d (s.o.)
erzählerisches_D
narratives_D
Worte denken
filmisches_D
allegorisches_D
(Sinnbild, Gleichnis)
dramatisches_D
in komplexen Begriffen denken
Literaturwissenschaft
semiotisches D
unerzählerisches_D

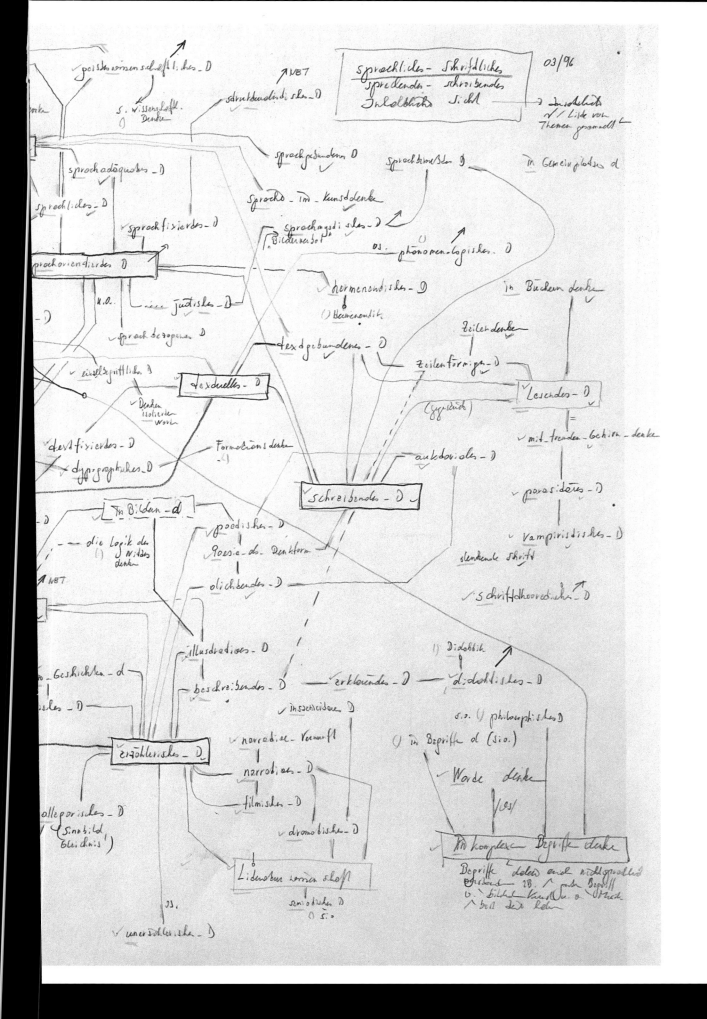

PETER ZIMMERMANN

RETROSPECTIVE BOXES, 1993-2001

OFFSET- UND SIEBDRUCK AUF KARTONSCHACHTELN, SECHS VERSCHIEDENE TYPEN AUS DER SERIE 'TEMPORÄRE ARCHITEKTUR-PRÄSENTATION VON SCHACHTELN' (1993-2001), GESAMTVOLUMEN CA. 150 X 210 X 1100 CM

COURTESY KLEMENS GASSER & TANJA GRUNERT GALLERY, NEW YORK

PRODUKTION O.K CENTRUM FÜR GEGENWARTSKUNST, LINZ / CASINO LUXEMBOURG - FORUM D'ART CONTEMPORAIN, LUXEMBURG

PETER ZIMMERMANN

RETROSPECTIVE BOXES, 1993-2001

IMPRESSION OFFSET ET SÉRIGRAPHIE SUR DES BOÎTES EN CARTON, SIX TYPES DIFFÉRENTS ISSUS DE LA SÉRIE 'TEMPORÄRE ARCHITEKTUR-PRÄSENTATION VON SCHACHTELN' (1993-2001), VOLUME TOTAL ENV. 150 X 210 X 1100 CM

COURTESY KLEMENS GASSER & TANJA GRUNERT GALLERY, NEW YORK

PRODUCTION O.K CENTRUM FÜR GEGENWARTSKUNST, LINZ / CASINO LUXEMBOURG - FORUM D'ART CONTEMPORAIN, LUXEMBOURG

O.K CENTRUM FÜR GEGENWARTSKUNST, LINZ

PETER ZIMMERMANN

RETROSPECTIVE BOXES, 1993-2001

OFFSET AND SILKSCREEN PRINT ON CARDBOARD BOXES, SIX DIFFERENT TYPES FROM THE SERIES 'TEMPORÄRE ARCHITEKTUR-PRÄSENTATION VON SCHACHTELN' (1993-2001), OVERALL VOLUME APPROX. 150 X 210 X 1100 CM

COURTESY KLEMENS GASSER & TANJA GRUNERT GALLERY, NEW YORK

PRODUCTION O.K CENTRUM FÜR GEGENWARTSKUNST, LINZ / CASINO LUXEMBOURG - FORUM D'ART CONTEMPORAIN, LUXEMBOURG

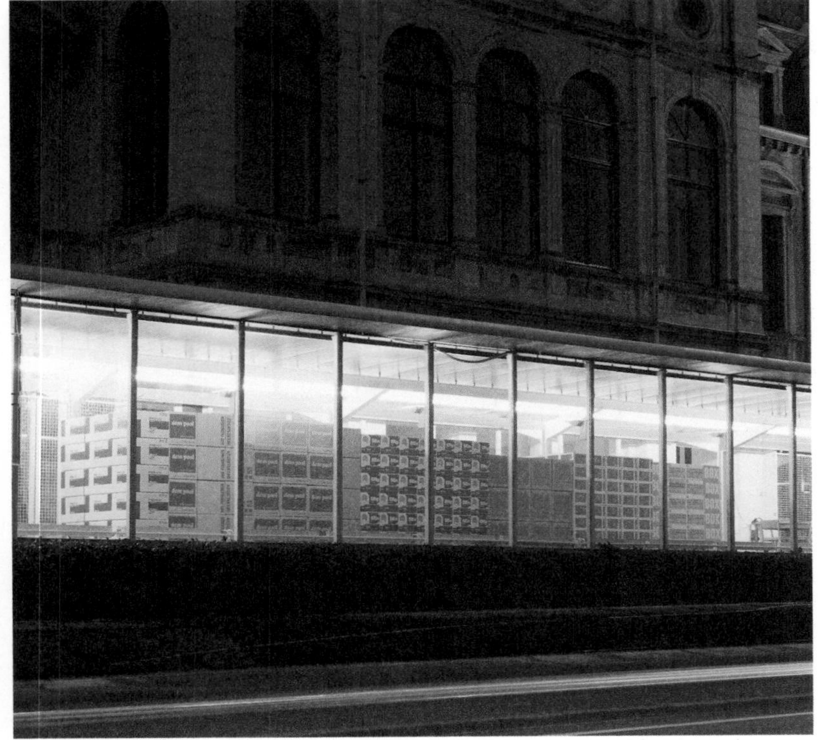

„Unsere Umgebung stellt sich als Installation realer Objekte dar, auf die ständig neue Oberflächen projiziert werden. [...] Das Bedürfnis Gedanken dingfest zu machen, produziert so auf einfache Art und Weise ein Außen und ein Innen, eine Hülle und einen Inhalt. Die Zentralperspektive veranschaulicht dieses Bestreben für das Publikum. Sie ist eine Schachtel, die die Fiktion einer geordneten Welt erlaubt. Die Transformation dieses Prozesses in die materielle Welt erzeugt Raum. Die einfachste Art Raum herzustellen ist die Schachtel. Häuser sind Schachteln, die wiederum in diverse Unterschachteln wie Zimmer, Schränke, Schubladen und Bücher unterteilt sind. Es gibt außer den quaderförmigen auch unregelmäßige weiche Schachteln, wie Flaschen, Rucksäcke und Taschen, oder bewegliche wie Autos, Flugzeuge, Züge usw. [...] Außer ihrer Schutzfunktion besitzt die Hülle die Fähigkeit zur Kommunikation. Die Beschriftung geht in den meisten Fällen über die bloße Inhaltsangabe hinaus. Sie verweist auf das Konzept sozialer bzw. psychologischer Repräsentation, durch das die Gegenständlichkeit der Dinge erst gewährleistet wird. [...] Fernsehen und Computer sind moderne Spielarten dieses Schachtelschemas. Sie bieten den Vorteil des Blickes nach außen/innen und gewährleisten den Kontakt zu anderen Einheiten. [...] Die Grenze zwischen dem Ausgangsmaterial und seiner Imitation verwischt sich zusehends [...]“.
Dies ist lediglich ein Textausschnitt von einer der sechs präsentierten 'Schachteln' von Peter Zimmermann

CASINO LUXEMBOURG

(°1956/D, Freiburg), die zusammen einen neuen 'retrospektiven Gedankenkörper' formen. Die Schachteln (Verpackung, Container, Transportmittel, Meta-Raum) sind hier eine Metapher für Kommunikation schlechthin, die als monumentaler Block ein mehrfaches Feedback bewirken: als Imitate existierender Verpackungen, als Textcollagen aus unterschiedlichen Quellen (Bücher, Zeitschriften, Kataloge), als Räume, die den Betrachter zu verschiedenen Standorten zwingen, als eine kontextreflektierende Kontextarbeit, als Echo und Referenz auf Andy Warhols monumentales Werk 'Big Retrospective Painting' aus dem Jahre 1979, das selbst verschiedene Themen innerhalb des Oeuvres von Warhol reflektiert: 'Flowers' (1964), 'Kellogg's Corn Flakes Box' (1964), 'Marilyn' (1967), 'Car Crash' (1963), 'Cow Wallpaper' (1966), 'Mao' (1972), 'Campbell's Soup Can' (1962), 'Early Electric Chair' (1963), 'Self-Portraits' (1964).

« Notre environnement se présente comme une installation d'objets réels sur lesquels sont projetées en permanence de nouvelles surfaces. [...] Le besoin d'appréhender les pensées produit ainsi, de façon très simple, un extérieur et un intérieur, un contenant et un contenu. La perspective centrale illustre ce souci pour le public. C'est la boîte qui constitue la fiction d'un monde ordonné. La transposition de ce processus dans le monde matériel crée de l'espace. La boîte est la plus simple manière de créer de l'espace. Les maisons sont des boîtes qui sont elles-mêmes subdivisées en diverses sous-boîtes telles que les pièces, les armoires, les tiroirs et les livres. Outre les boîtes aux formes rectangulaires, il existe aussi des boîtes souples, aux contours irréguliers, telles que les bouteilles, les sacs à dos et autres sacs, ou des mobiles telles que les voitures, les avions, les trains, etc. [...] En dehors de sa fonction protectrice, le contenant a la faculté de communiquer. Dans la plupart des cas, l'inscription va au-delà de la simple indication du contenu. Elle renvoie au concept de représentation sociale ou psychologique, permettant ainsi d'assurer la matérialité des choses. [...] La télévision et l'ordinateur sont des variantes ludiques modernes de ce schéma de boîtes. Ils offrent l'avantage du regard vers l'extérieur/l'intérieur et assurent le contact avec d'autres unités. [...] La frontière entre le matériel de base et son imitation s'estompe à vue d'œil [...]. »

"Our environment presents itself as an installation of real objects onto which new surfaces are projected constantly. [...] The need to pin down thoughts thus produces an inside and an outside in a simple manner, a casing and contents. The central perspective illustrates this for the audience. It is a box that permits the fiction of an ordered world. The transformation of this process in the material world generates space. The simplest way to produce space is a box. Houses are boxes that are divided again into various sub-boxes like rooms, cupboards, drawers and books. In addition to the square-shaped ones, there are also irregular, soft boxes like bottles, backpacks and pockets, or movable ones such as cars, airplanes, trains etc. [...] In addition to its protective function, the casing also has a capability for communication. Most of the time, the labelling goes beyond a mere specification of the content. It refers to the concept of social or psychological representation, which is first guaranteed by the objecthood of the things. [...] Television and computer are modern variations of this box schema. They offer the advantage of a view to the outside/inside and ensure contact with other units. [...] The boundary between the starting material and its imitation is blurring more and more [...]."
This is simply a text segment from one of the six presented 'boxes' by Peter Zimmermann (°1956/D, Freiburg), which together form a new 'retrospective body of thought'. Here the boxes (packaging, container, means of transport, meta-

Il s'agit ici d'un extrait de texte figurant sur l'une des six 'boîtes' présentées par Peter Zimmermann (°1956/D, Fribourg) qui ensemble forment un nouveau 'corps de pensée rétrospective'. Les boîtes (emballage, conteneur, moyen de transport, méta-espace) sont ici une métaphore de la communication par excellence et, sous forme de bloc géant, provoquent un feed-back multiple : en tant qu'imitations d'emballages existants, en tant que collages de textes extraits de diverses sources (livres, magazines, catalogues), en tant qu'espaces entraînant l'observateur de force vers d'autres lieux, en tant que travail de contexte sur le contexte, en tant qu'écho et référence à l'œuvre monumentale d'Andy Warhol 'Big Retrospective Painting' de 1979 qui réfléchit elle-même différents sujets au sein de l'œuvre globale de Warhol: 'Flowers' (1964), 'Kellogg's Corn Flakes Box' (1964), 'Marilyn' (1967), 'Car Crash' (1963), 'Cow Wallpaper' (1966), 'Mao' (1972), 'Campbell's Soup Can' (1962), 'Early Electric Chair' (1963), 'Self-Portraits' (1964).

space) are a metaphor for communication per se, oscillating in multiple feedback as a monumental block: as imitations of existing packages, as text collages from different sources (books, newspapers, catalogues), as spaces forcing the viewer to take new stances, as a context-reflecting context work, as echo and reference to Andy Warhol's monumental work 'Big Retrospective Painting' from 1979, which itself reflects various themes within Warhol's oeuvre: 'Flowers' (1964), 'Kellogg's Corn Flakes Box' (1964), 'Marilyn' (1967), 'Car Crash' (1963), 'Cow Wallpaper' (1966), 'Mao' (1972), 'Campbell's Soup Can' (1962), 'Early Electric Chair' (1963), 'Self-Portraits' (1964).

einrichten kann■

PERMANENTE VERÄNDERBARKEIT IST WIE EIN FETISCH

Durch die Vielfalt der TV-Angebote, der Kanäle und Formate wird aber auch die

FRAGMENTIERUNG DES SOZIAL VERBINDLICHEN

- **Wirklichkeitsmodells**

  sichtbar. Es entsteht eine Vielfalt des

- **Wirklichen,**

  aus der sich jeder individuell seine eigene

- **Wirklichkeit**

  zusammenstellen

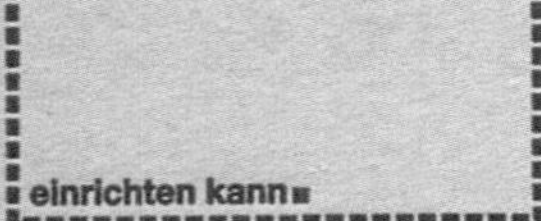

PERMANENTE VERÄNDERBARKEIT IST WIE EIN FETISCH

Durch die Vielfalt der TV-Angebote, der Kanäle und Formate wird aber auch die

FRAGMENTIERUNG DES SOZIAL VERBINDLICHEN

möglicher
Auswahl u

fin

innerhalb dessen „unsere s

dem

möglicher
Auswahl

fi

innerhalb dessen „unsere

Informationen aus dem
dem pool
möglicher Wirklichkeitsbeschreibungen. Über die
Auswahl und die Art und Weise der Aufbereitung
findet eine Fokussierung statt,
die einen Rahmen vorgibt,
innerhalb dessen „unsere soziale Plastik“ funktioniert.
8

SEn
Sie mark
lert werden. Sie werden aus dem < unmarked space > herausgehoben und als
Figur
VOR EINEN konturierenden Hintergrund gestellt. Das Objekt kann sich von seinem Hint
ERg
Rund gest
Elt. Das Objekt kann sich von seinem Hintergrund lösen und zu einer kompakten
Einheit
WERDEN. Die Markierung, die den Gegenstand abgrenzt, umgibt ihn wie eine Haut.

containers for all sort of things.

THE NEED TO CONCRETISE THOUGHT PROCESSES PRODUCES OUTSIDES AND INSIDES, **CASES AND CONTENTS. FOR THE** VIEWER THIS ENDEAVOUR IS ILLUSTRATED BY THE CENTRAL PERSPECTIVE: A BOX THAT ALLOWS THE **FICTION OF AN ORDERED WORLD. THE TRANSFORMATION OF THIS PROCESS INTO THE MATERIAL WORLD CREATES SPACE.** THE SIMPLEST WAY TO FABRICATE SPACE IS BY MEANS OF BOXES. HOUSES ARE BOXES, WHICH THEMSELVES ARE DIVIDED INTO SEVERAL SUB-BOXES LIKE ROOMS, CUPBOARDS, DRAWERS, BOOKS... BESIDE THE RECTANGULAR-SHAPED BOXES THERE ARE ALSO IRREGULAR ONES LIKE BOTTLES, RUCKSACKS AND BAGS, AS WELL AS MOBILE ONES LIKE CARS, PLANES, TRAINS, ... THE MULTITUDE OF BOXES CAN BE PUT DOWN TO ONE ELEMENTARY **FORM: CONTAINERS FOR ALL SORTS OF THINGS.** FOR THIS REASON THE SHAPE OF CONTAINERS CONFORM LESS AND LESS TO THEIR CONTENT. BY MEANS OF THEIR STANDARD PROPORTIONS THEY ARE UNIVERSALLY COMBINABLE, STORABLE AND COMPATIBLE. THEY ARE INTEGRAL PARTS FOR EXCHANGE AND TRADE. APART FROM IT'S PROTECTIVE FUNCTION

MARGARETE JAHRMANN
MAX MOSWITZER

(WWW.CLIMAX.AT)

OBJECTILE, 2001

MACHINIMA-MOVIE, DATA-OBJECTILE , FLAT-SCREEN AUF SOCKEL, 200 X 300 X 50 CM

COURTESY KÜNSTLER, WIEN

PRODUKTION O.K CENTRUM FÜR GEGENWARTSKUNST, LINZ / CASINO LUXEMBOURG - FORUM D'ART CONTEMPORAIN, LUXEMBURG

MARGARETE JAHRMANN
MAX MOSWITZER

(WWW.CLIMAX.AT)

OBJECTILE, 2001

MACHINIMA-MOVIE, DATA-OBJECTILE, ÉCRAN PLAT SUR SOCLE, 200 X 300 X 50 CM

COURTESY LES ARTISTES, VIENNE

PRODUCTION O.K CENTRUM FÜR GEGENWARTSKUNST, LINZ / CASINO LUXEMBOURG - FORUM D'ART CONTEMPORAIN, LUXEMBOURG

MARGARETE JAHRMANN
MAX MOSWITZER

(WWW.CLIMAX.AT)

OBJECTILE, 2001

MACHINIMA MOVIE, DATA OBJECTILE , FLAT SCREEN ON PLINTH, 200 X 300 X 50 CM

COURTESY THE ARTISTS, VIENNA

PRODUCTION O.K CENTRUM FÜR GEGENWARTSKUNST, LINZ / CASINO LUXEMBOURG - FORUM D'ART CONTEMPORAIN, LUXEMBOURG

Eine Arbeit, die auf das Internet und dessen Wesen zurückgreift, tendiert dazu einen rhizomatischen Charakter zu haben. Das Rhizom ist aber das Gegenteil vom Larsen Effekt: es ist offen, linear, endlos und zufällig. Die Arbeit 'Objectile' von Margarete Jahrmann (°1968/A, Oberwart) und Max Moswitzer (°1968/A, Wien) schlägt in gewisser Hinsicht eine Brücke zwischen diesen beiden Phänomenen. Das 'Objectile' ist ein aus abstrakter Datenmasse des Netzes destilliertes taktiles Objekt, welches aus der Programmstruktur der 3-D Architektur hervorgegangen ist. Dieser Datenkörper findet sein Äquivalent im präsentierten Film, welcher 'Flüge' durch das Datenobjekt ermöglicht. Durch das Bewegen der Maus dringt man in die Netzstruktur vor, durch das Anklicken wechselt man die drei 'internen' Kamerastandpunkte. Die Software des Films basiert auf verschiedenen, so genannten 'Game Engines' die im Netztwerkprotokoll laufen. Die Bildästhetik des Films ergibt sich einerseits aus dem zufälligen Zusammenspiel der einzelnen Programme (zu vergleichen mit einem Ping-Pong Spiel) und, andererseits, aus dem spontanen Einwirken des Betrachters mittels der Maus. Die gezeigte Arbeit verbindet also mehrere Rückkopplungen auf verschiedenen Ebenen: abstrakte Dateninformation wird einerseits virtuelles Ambiente und andererseits konkrete Masse.

Un travail recourant aux particularités de l'Internet tend à présenter un effet de rhizome. Mais le rhizome est le contraire de l'effet Larsen : il est ouvert, linéaire, infini et fortuit. Le travail 'Objectile' de Margarete Jahrmann (°1968/A, Oberwart) et de Max Moswitzer (°1968/A, Vienne) établit, d'une certaine manière, un pont entre ces deux phénomènes. L''objectile' est un objet tactile distillé à partir d'une masse de données abstraites du réseau et issu de la structure d'un programme informatique d'architecture en 3-D. Cette association de données trouve son équivalent dans le film présenté qui permet de 'voler' à travers l'objet numérique. En déplaçant la souris, on pénètre dans la structure du réseau ; un clic permet de changer les trois angles de vue 'internes' des caméras. Le logiciel du film s'appuie sur différents 'game engines' qui sont opérationnels dans le protocole du réseau. L'esthétique des images du film résulte à la fois du concours fortuit des différents programmes (à comparer à un jeu de ping-pong) et de l'influence spontanée exercée par l'observateur à travers la manipulation de la souris. Le travail présenté associe ainsi plusieurs rétroactions à différents niveaux : des données informatiques abstraites se muent, d'une part, en une ambiance virtuelle et, d'autre part, en une masse concrète.

'MACHINIMA' NYBBLE FILM 4-6 © CLIMAX 2001

'MACHINIMA' NYBBLE FILM 1-3 © CLIMAX 2001

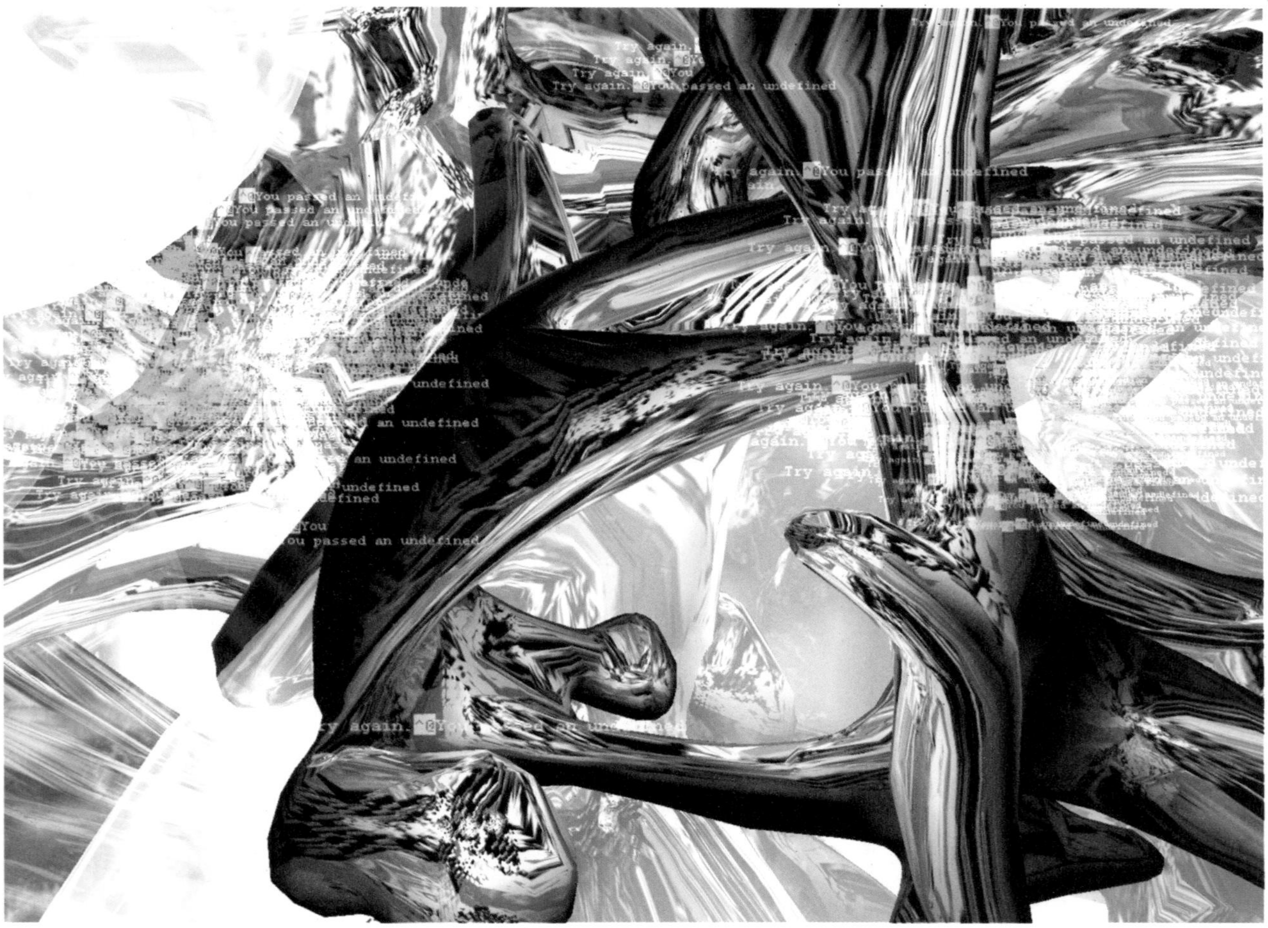

A work of art that takes recourse to the Internet and its features tends to be rhizomatic in nature. However, the rhizome is the opposite of the Larsen effect: it is open, linear, infinite and random. In certain respects 'Objectile' by Margarete Jahrmann (°1968/A, Oberwart) and Max Moswitzer (°1968/A, Vienna) bridges the gap between the two phenomena. The 'objectile' is a tactile object distilled from abstract data masses on the Net which emerged from the programme structure of 3-D architecture. The equivalent of the body of data is the presented film, enabling the viewer to 'fly' through the data object. By moving the mouse, we proceed in the network structure, mouse clicks cause us to change from one of the three 'internal' camera perspectives to the other. The software of the film is based on various 'game engines' running under the network protocol. The visual aesthetics of the film result from the random interaction of the individual programmes (comparable to a game of table tennis) and the spontaneous intervention of the viewer operating the mouse. The work shown here thus links feedback at various levels: abstract data turn into a virtual environment on the one hand and concrete mass on the other.

BIOGRAFIEN (AUSWAHL)

BIOGRAPHIES (SÉLECTION)

BIOGRAPHIES (SELECTED)

SVEN AUGUSTIJNEN

°1970 MECHELEN / B
LIVES AND WORKS IN
BRUSSELS / B

EXHIBITIONS

2002
TRANSMEDIALE
Berlin / D (cat.)

2001
Galerie Jan Mot,
Bruxelles / B

Escale,
Düsseldorf / D

BEING-TOGETHER
Marres - Centrum
Beeldende Kunst,
Maastricht / NL (cat.)

Palais des Beaux-Arts,
Bruxelles / B (cat.)

2000
METRO>POLIS
Bruxelles / B (cat.)

RENCONTRES URBAINES
2000
La Villette,
Paris / F (cat.)

1999
W139,
Amsterdam / NL

BIG BROTHER
Stroom - Haags Centrum
voor Beeldende Kunsten,
Den Haag / NL

WORLD WIDE VIDEO
FESTIVAL
Amsterdam / NL (cat.)

8E BIENNALE POUR
L'IMAGE EN MOUVEMENT
Genève / CH (cat.)

1998
KUNSTENFESTIVALDESARTS
Bruxelles / B (cat.)

VIDEOSZENE BRÜSSEL
Kunsthalle Basel,
Basel / CH

1997
VIDÉOFORMES
Clermont-Ferrand / F
(cat.)

1996
FESTIVAL INTERNATIONAL
DU FILM DE L'ART
(Prix Essai)
Paris / F (cat.)

PIERRE BISMUTH

° 1963 PARIS / F
LIVES AND WORKS IN
LONDON / UK

EXHIBITIONS

2001
PLATEAU OF HUMANKIND
Bienale di Venezia,
Venezia / I

CAC,
Vilnius / LT (cat.)

Centre d'art contempo-
rain,
Brétigny / F

Diana Stigter Gallery,
Amsterdam / NL

Kunsthalle Basel,
Basel / CH

2000
Galerie Mot & Van Den
Bogaard,
Bruxelles / B

CINEMA WITHOUT WALLS
Museum Boijmans van
Beuningen,
Rotterdam / NL

1999
Galerie Yvon Lambert,
Paris / F (cat.)

1998
Yokohama Museum,
Yokohama / J

1997
Witte de With,
Rotterdam / NL

Kunsthalle Wien,
Wien / A

LISTENING ME WATCHING
THEM/HUMMING/SYNOMYMS
Galerie Yvon Lambert,
Paris / F

INSTANTS DONNÉS
ARC - Musée d'Art
Moderne de la Ville de
Paris,
Paris / F

1996
LE BRUIT DE SON
Lisson Gallery,
London / UK

MANON DE BOER

° 1966 KODAICANAL / IND
LIVES AND WORKS IN
BRUSSELS / B &
AMSTERDAM / NL

EXHIBITIONS

2001
THE ALPHA & OMEGA
PROJECT
Galerie Jan Mot,
Bruxelles / B

Raum Aktueller Kunst,
Wien / A

INTENTIONAL COMMUNITIES
Rooseum,
Malmö / S

STILL LIFE, HARTWARE
PROJECTS
Kunstverein Dortmund,
Dortmund / D

2000
EXIT
Chisenhale Gallery,
London / UK

THREENESS
Museum Dhondt Dhaenens,
Deurle / B

MIND MAPPING
commissioned by
Koning Boudewijn
Foundation,
Bruxelles / B

1999
FOUR TAKES
Stedelijk Museum Bureau
Amsterdam,
Amsterdam / NL

Établissement d'en face,
Bruxelles / B

1998
Galerie Mot & Van den
Boogaard,
Bruxelles / B

ENOUGH
Tannery,
London / UK

1997
THE MONOLOGUES
Vaalserberg,
Rotterdam / NL

PRIX DE LA JEUNE
PEINTURE BELGE
(award winner)
Palais des Beaux-Arts,
Bruxelles / B

GERHARD DIRMOSER

° 1958 LINZ / A
LIVES AND WORKS IN LINZ / A

EXHIBITIONS

2001
ART OF OBJECTS
TransPublic,
Linz / A

PSi7,
Mainz / D

DENKEN - EIN NETZWERK
O.K Centrum für Gegenwartskunst,
Linz / A

HILLINGER - EIN SEMANTISCHES NETZ
dose.servus.at/scripts/publikationen/information/info2.idc

PERFORMANCE ART CONTEXT - PERFORMATIVITÄT IN KUNST UND WISSENSCHAFT
PSi7,
Mainz / D;
Performance-Tage,
Pfäffikon / CH;
Weibern / A

2000
DIE KUNST DER AUSSTELLUNG - ART IN CONTEXT
O.K Centrum für Gegenwartskunst,
Linz / A

DIE MACHT DER ABHÄNGIGKEIT
'Spielregeln der Kunst',
O.K Centrum für Gegenwartskunst,
Linz / A

1995
Hochschule für Gestaltung,
Linz / A

KUNST-TEXT-NETZ-WERK
Depot
Wien / A

1994
FABRIKANTEN - ABENTEUER KOMMUNIKATION
Die Fabrikanten,
Linz / A

KUNST IM KONTEXT
O.K Centrum für Gegenwartskunst,
Linz / A

NETZ ZUR FRANZ. PHILOSOPHIE
O.K Centrum für Gegenwartskunst,
Linz / A

STRUKTURALISMUS-NETZ
O.K Centrum für Gegenwartskunst,
Linz / A

1991
Stadtwerkstatt-TV
Linz / A

DAN GRAHAM

° 1942 URBANA (IL) / USA
LIVES AND WORKS IN NEW YORK (NY) / USA

EXHIBITIONS

2001-2002
WORKS 1965-2000
Museu de Arte Contemporanea de Serralves,
Porto / P;
Musée d'Art Moderne de la Ville de Paris,
Paris / F;
Kröller-Müller Museum,
Otterlo / NL;
Kiasma - Museum of Contemporary Art,
Helsinki / FIN (cat.)

1999
ARCHITEKTURMODELLE
Kunstwerke Berlin,
Berlin / D

1998
Fundació Antoni Tápies,
Barcelona / E (cat.)

1997
Centro Galego de Arte Contemporánea,
Santiago de Compostela / E (cat.)

SKULPTUR PROJEKTE MÜNSTER
Westfälisches Landesmuseum, Münster / D

DOCUMENTA X
Kassel / D

1995
VIDEO/ARCHITECTURE/PERFORMANCE
EA-Generali Foundation,
Wien / A;
Kunstwerke Berlin,
Berlin / D

1994
Villa Stuck,
München / D

NEW AMERICAN FILM AND VIDEO SERIES
Whitney Museum of American Art,
New York (NY) / USA

1994-93
THE CHILDREN'S PAVILION
Museum Boijmans van Beuningen, Rotterdam / NL

1994-92
WALKER EVANS/DAN GRAHAM
Witte de With Center for Art,
Rotterdam / NL;
Musée Cantini,
Marseille / F;
Westfälisches Landesmuseum,
Münster / D;
Whitney Museum of American Art,
New York (NY) / USA

1993
ART IN RELATION TO ARCHITECTURE/ARCHITECTURE IN RELATION TO ART
Stedelijk Van Abbesmuseum,
Eindhoven / NL

1992-93
TRAVAUX, 1964-1992
Le Nouveau Musée - Institut d'Art Contemporain,
Villeurbanne / F

1992
DOCUMENTA IX
Kassel / D

1988
PAVILIONS
Kunstverein München,
München / D (cat.)

1987
SKULPTUR PROJEKTE MÜNSTER
Westfälisches Landesmuseum,
Münster / D

1982
DOCUMENTA VII
Kassel / D

1977
DOCUMENTA VI
Kassel / D

1976
AMBIENTE ARTE
Bienale de Venezia,
Venezia / I

1972
DOCUMENTA V
Kassel / D

MARGARETE JAHRMANN

° 1968 OBERWART / A
LIVES AND WORKS IN VIENNA / A

www.climax.at
www.konsum.net/fem

EXHIBITIONS

2001
26TH YOUTH SALON
Zagreb / HR

E-BODY
Kunstmuseum Luzern,
Luzern / CH

2000
WUNSCHWELTEN DER KOMMUNIKATION
Kornhaus Bern,
Bern / CH

1999
NET_CONDITION
ZKM - Zentrum für Kunst und Medientechnologie,
Karlsruhe / D

STEIRISCHER HERBST
Graz / A

Siggraph,
Los Angeles (CA) / USA

OPENX
Ars Electronica,
Graz / A

VRML_ART SHOW
Heinz Nixdorf Museum,
Paderborn / D

1998
Avatara,
Amsterdam / NL

EUROPEAN MEDIA FESTIVAL
OSNABRÜCK
Osnabrück / D

1997
STEIRISCHER HERBST
Graz / A

1996
DATAGOLD
MAK - Museum für
Angewandte Kunst,
Wien / A

EUROPEAN MEDIA FESTIVAL
Osnabrück
Osnabrück / D

DANIELA KEISER

° 1963 NEUHAUSEN AM
RHEINFALL / CH
LIVES AND WORKS IN
ZURICH / CH

EXHIBITIONS

2001
SWEET SPOT
Scalo Zürich,
Zürich / CH

AUS HEITEREM HIMMEL III
Nicc,
Antwerpen / B (cat.)

Art32
Galerie Stampa,
Basel / CH

MEDIA SCULPTURA
'Video-Kunst-Szene-
Schweiz'
(itinerant exhibition
in South America)

FELLONI & BUONVICINI II
O.K Centrum für
Gegenwartskunst,
Linz / A

2000
DEMETS MOMENTS
Art31
Galerie Stampa,
Basel / CH

ÜBERSTUNDEN IM PARK II
Museion,
Bolzano / I

SCHÖNE SOMMERZEIT
Viral Rooms, Sanatorium
Albul,
Davos / CH

BEI TAGESLICHT,
OUT OF SPACE
Kunstmuseum Thun,
Thun / CH (cat.)

1999
SCHLAFENDES GRÜN
Museum für
Gegenwartskunst,
Basel / CH

YOUNG - NEUE FOTOGRAFIE
DER SCHWEIZERKUNST
Fotomuseum Winterthur,
Winterthur / CH (cat.)

AUS HEITEREM HIMMEL II
Art30
Galerie Stampa,
Basel / CH

1998
STADT IM SOMMER
Galerie Stampa,
Basel / CH

STEIRISCHER HERBST
Graz / A (cat.)

1997
FLECK DER ENGEL, ANDERE
ORTE
Öffentliche Räume und
Kunst.
Kunstmuseum Thurgau,
Warth / CH

BAUMHAUS
Kiosk,
Bern / CH

1996
CABINES DE BAIN
Attitudes/Genève,
Fribourg / CH

AKKUMULATOR
Filiale,
Basel / CH

1995
PRÈS DE TOI
L'art en plein air,
Môtiers / CH

YOUR BUNDLE IS AT YOUR
HOME OR IN YOUR OFFICE.
TAKE CARE.
Swiss Institutes,
New York (NY) / USA

DIETER KIESSLING

° 1957 MÜNSTER / D
LIVES AND WORKS IN
DÜSSELDORF / D

EXHIBITIONS

2002
Galerie Michael Zink,
München / D

2001
BIG NOTHING
Staatliche Kunsthalle
Baden-Baden / D (cat.)

MINIMAL/MAXIMAL
Chiba City Museum of
Art,
Chiba / J;
The National Museum of
Art,
Kyoto / J;
Fukuoka Art Museum,
Fukuoka / J (cat.)

Rolf Hengesbach/
Raum für aktuelle
Kunst,
Wuppertal / D

2000
ORBIS TERRARUM. WAYS OF
WORLDMAKING,
CARTOGRAPHY AND
CONTEMPORARY ART
Museum Plantin Moretus,
Antwerpen / B (cat.)

DIE KÜNSTLERSTIFTUNG,
25 JAHRE KARL SCHMIDT-
ROTTLUFF STIPENDIUM
Kunsthalle Düsseldorf,
Düsseldorf / D (cat.)

1999
CONTACT ZONES:
THE ART OF CD-ROM
Centro de la Imagen,
Mexico City / MEX
(cat.)

REWIND TO THE FUTURE
Bonner Kunstverein,
Bonn / D;
Neuer Berliner
Kunstverein,
Berlin / D (cat.)

1998
MINIMAL/MAXIMAL
Neues Museum Weserburg,
Bremen / D (cat.)

BLICKWECHSEL
ZKM - Zentrum für Kunst
und Medientechnologie,
Karlsruhe / D

11TH SYDNEY BIENNIAL
Sydney / AUS (cat.)

1996
OBJEKT VIDEO
Oberösterreichische
Landesgalerie,
Linz (cat.)

1995
KWANGJU BIENNIAL
Kwangju / ROK (cat.)

1994
MEDIENBIENNALE
Leipzig / D (cat.)

VIDEOBRASIL
Sesc Pompeji,
São Paulo / BR (cat.)

KEN LUM

° 1956 VANCOUVER / CDN
LIVES AND WORKS IN
VANCOUVER / CDN

EXHIBITIONS

2001
Galerie Grita Insam,
Wien / A

The Agency
Contemporary Art,
London / UK

Andrea Rosen Gallery,
New York (NY) / USA

Center for Contemporary
Art,
Kitakyushu / J

Contemporary Art
Gallery,
Vancouver / CDN (cat.)

THERE IS NO PLACE LIKE
HOME
Museum in progress,
Wien / A

LA Galerie Lothar
Albrecht,
Frankfurt / D

UNPACKING EUROPE
Museum Boijmans van
Beuningen,
Rotterdam / NL (cat.);
House of World
Cultures,
Berlin / D

2000
CONTEMPORARY
PHOTOGRAPHY II:
ANTI-MEMORY
Yokohama Museum of Art,
Yokohama / J (cat.)

BIENAL DE HAVANA
Havana / C (cat.)

SHANGHAI SPIRIT:
SHANGHAI BIENNIAL 2000
Shanghai Art Museum,
Shanghai (cat.)

1999
BABEL
Ikon Gallery,
Birmingham / UK (cat.)

LIFE CYCLES
Galerie für
Zeitgenössische Kunst,
Leipzig / D (cat.)

1998
24TH SÃO PAULO BIENNIAL
São Paulo / BR (cat.)

PHOTOGRAPHY AS CONCEPT
4. INTERNATIONALE FOTO-
TRIENNALE ESSLINGEN,
Esslingen / D (cat.)

1997
Camera Oscura,
San Casciano dei
Bagni / I

FRAC Haute-Normandie,
Galerie Duchamp,
Yvetot / F

Galerie Art & Public,
Genève / CH

Andrea Rosen Gallery,
New York (NY) / USA

CITIES ON THE MOVE
Wiener Secession,
Wien / A (cat.)

2ND JOHANNESBURG
BIENNIAL
Johannesburg / ZA
(cat.)

INSITE 97
various public sites in
San Diego (CA) / USA &
Tijuana / MEX (cat.)

1996
Stills Gallery,
Edinburgh / UK

MAX MOSWITZER

° 1968 VIENNA / A
LIVES AND WORKS IN
VIENNA / A

www.climax.lu
www.konsum.net/max/

EXHIBITIONS

2001
26TH YOUTH SALON
Zagreb / HR

E-BODY
Kunstmuseum Luzern,
Luzern / CH

2000
WORLD-INFORMATION.ORG
Technisches Museum,
Wien / A

BRUXELLES, VILLE
EUROPÉENNE DE LA
CULTURE 2000
Bruxelles / B

1999
NET_CONDITION
ZKM - Zentrum für Kunst
und Medientechnologie,
Karlsruhe / D

STEIRISCHER HERBST
Graz / A

ASCII-RACE
O.K Centrum für
Gegenwartskunst,
Linz / A

OPENX
Ars Electronica,
Graz / A

SYNREAL
Messepalast,
Wien / A

1998
BITSTREAM
Enschede / NL

1996
DUTCH ELECTRONIC
ARTS FESTIVAL
Rotterdam / NL

EUROPEAN MEDIA FESTIVAL
OSNABRÜCK
Osnabrück / D

DATAGOLD
MAK - Museum für
Angewandte Kunst,
Wien / A

MATT MULLICAN

°1951 SANTA MONICA
(CA) / USA
LIVES AND WORKS IN
NEW YORK (NY) / USA

EXHIBITIONS

2000-01
Fundação Serralves,
Porto / P

Fundació Antoni Tápies,
Barcelona / E

Kaiser Wilhelm Museum,
Krefeld / D

1998
Marian Goodman,
Paris / F

Galerie Mai 36,
Zürich / CH

1997
DOCUMENTA X
Kassel / D

1995
Nationalgalerie,
Berlin / D

Ivam, Centro del Carme,
Valencia / E (cat.)

1992
Barbara Gladstone
Gallery,
New York (NY) / USA

DOCUMENTA IX
Kassel / D

1991
Rijksmuseum Kröller-
Müller,
Otterlo / NL

1990
Portikus,
Frankfurt / D

Le Magasin,
Grenoble / F

1989
A FOREST OF SIGNS
Museum of Contemporary Art,
Los Angeles (CA) / USA

1987-88
Michael Klein Inc.,
New York (NY) / USA

SKULPTUR PROJEKTE MÜNSTER
Münster / D

1980-82
Mary Boone,
New York (NY) / USA

1973
Project Inc.,
Boston (MA) / USA

BORIS REBETEZ

° 1970 LACOIX / CH
LIVES AND WORKS IN
BASLE / CH &
BRUSSELS / B

EXHIBITIONS

2002
Graphische Sammlung der ETH,
Zürich / CH (cat.)

DIAZONAL
Paços das Artes,
São Paulo / BR (cat.)

2001
Kunstraum Riehen,
Riehen / CH

ANALOGUE/DIALOGUE
Kunstmuseum Solothurn,
Solothurn / CH (cat.)

2000
GASTSPIEL
Peter Merian Haus,
Basel / CH

ARTteufen,
Teufen / CH

1999
CHAMBRESVILLE
Konsumbäckerei,
Solothurn / CH (cat.)

YOUNG@ALL.AGES
Deweer Art Gallery,
Otegem / B (cat.)

1998
EXP: BRUXELLES
Musée jurassien des arts,
Moutier / CH (cat.)

SLIPSTREAM
Nijmegen / NL

5 ABENTEUER
Kleines Helmhaus,
Zürich / CH

1997
Konsumbäckerei,
Solothurn / CH

CAN - Centre d'Art de Neuchâtel,
Neuchâtel / CH

GESCHLOSSENE GESELLSCHAFT
Graphische Sammlung der ETH,
Zürich / CH

1995
Kunsthalle St. Gallen,
St. Gallen / CH (cat.)

DANIEL ROTH

° 1969 SCHRAMBERG / D
LIVES AND WORKS IN
KARLSRUHE / D

EXHIBITIONS

2001
Galerie Fons Welters,
Amsterdam / NL

Artist Space,
New York (NY) / USA

CTRL Space
ZKM - Zentrum für Kunst und Medientechnologie,
Karlsruhe / D

SZENARIEN, ODER DER HANG ZUM THEATER
Kunstverein Bonn,
Bonn / D

ARCHISCULPTURES
Kunstverein Hannover,
Hannover / D (cat.)

SOUS LES PONTS, LE LONG DE LA RIVIÈRE...
Casino Luxembourg - Forum d'art contemporain,
Luxembourg / L (cat.)

FUTUREWORLD
Museum Abteiberg,
Mönchengladbach / D;
Museum van Bommel van Dam,
Venlo / NL (cat.)

SUPERMAN IN BED
Sammlung Schürmann,
Museum am Ostwall,
Dortmund / D (cat.)

BERLIN BIENNALE
Kunstwerke Berlin,
Berlin / D (cat.)

LA REPUBBLICHE DELL' ARTE GERMANIA,
LA CONSTRUZIONE DI UN' IMMAGINE
Palazzo delle Papesse - Centro Arte Contemporanea,
Siena / I (cat.)

2000
STATEMENT
Art31
Meyer Riegger Galerie,
Basel / CH

DAS LINKE BEIN DES OFFIZIERS
Kunsthaus Glarus,
Glarus / CH (cat.)

1999
WIE DIE LEICHEN DER MAFIA VORBEITREIBEN
Galerie Johnen & Schöttle,
Köln / D

1998
WELLER VOLKER
Meyer Riegger Galerie,
Karlsruhe / D

SIMON STARLING

° 1967 EPSOM / UK
LIVES AND WORKS IN
GLASGOW / UK &
BERLIN / D

EXHIBITIONS

2002
INVERTED RETROGRADE THEME
Casey Caplan,
New York (NY) / USA

2001
BURN-TIME / READING ROOM
Galerie für Gegenwartskunst,
Barbara Claassen-Schmal,
Bremen / D

WORK, MADE READY
Kunstverein Hamburg,
Hamburg / D;
Les Baux de Provence / F

CMYK/RGB
FRAC Languedoc-Roussillon,
Montpellier / F (cat.)

INVERTED RETROGRADE THEME,
RESCUED RHODODENDRON
Wiener Secession,
Wien / A (cat.)

TOTAL OBJECT COMPLETE WITH MISSING PARTS
Tramway,
Glasgow / UK

STRATEGIES AGAINST ARCHITECTURE II
Laboratorio per l'arte contemporanea,
Pisa / I

SQUATTERS
Museu Serralves,
Porto / P

CIRCLES °4
ZKM - Zentrum für Kunst und Medientechnologie,
Karlsruhe / D

2000
METOD 1:
SIMON STARLING
Signal,
Malmö / S

Camden Arts Center,
London / UK (cat.)

ROBIÈRES/ROBERIES
Marres - Centrum beeldende Kunst,
Maastricht / NL

MANIFESTA 3 -
EUROPEAN BIENNIAL OF CONTEMPORARY ART
Ljubljana / SLO (cat.)

MICROPOLITIQUES
Le Magasin,
Grenoble / F (cat.)

THE WORK IN THIS SPACE IS A RESPONSE TO THE EXISTING CONDITIONS AND/OR WORK PREVIOUSLY SHOWN WITHIN THE SPACE
Neugerriemschneider,
Berlin / D (cat.)

1999
DUMMY
Catalyst Arts Project,
Belfast / IRL

1998
Moderna Museet
Project Room,
Stockholm / S (cat.)

RECONSTRUCTIONS
Smart project Space,
Amsterdam / NL (cat.)

1997
BLUE BOAT BLACK
Transmission Gallery,
Glasgow / UK (cat.)

L'AUTOMNE DANS TOUTES SES COLLECTIONS
MAC - Musée d'art contemporain,
Marseille / F

FISHING FOR SHAPES
Künstlerhaus Bethanien,
Berlin / D

1996
SICK BUILDING
Transmission Gallery,
København / DK

1995
ABOUT PLACE
Collective Gallery,
Edinburgh/ UK

MITJA TUŠEK

°1961 MARIBOR / SLO
LIVES AND WORKS IN BRUSSELS / B

EXHIBITIONS

2001
Galerie Nelson,
Paris / F

Michael Kohn Gallery,
Los Angeles (CA) / USA

1999
Kohn-Turner Gallery,
Los Angeles (CA) / USA

Kohn-Turner Gallery,
Los Angeles (CA) / USA

1998
NO DOUBT
Xavier Hufkens,
Bruxelles / B

Museum of Modern Art,
Oxford / UK

1997
ABSTRACTION/
ABSTRACTIONS, GÉOMÉTRIES PROVISOIRES
Musée d'Art Moderne,
Saint-Etienne / F

HEAVEN, PUBLIC VIEW
PS1,
New York (NY) / USA

1996
Laura Carpenter
Fine Art,
Santa Fe (CA) / USA

THE EVENT HORIZON
The Irish Museum of Modern Art,
Dublin / IRL

1995
SOMEHOW, ANYHOW
L'Aquarium,
Valenciennes / F

PITTURA/IMMEDIA
Neue Galerie,
Graz / A

1994
ET PASSIM
Kunsthalle Bern,
Bern / CH

1993
QUELCONQUE
Fundació Joan Miró,
Barcelona / E

Galerie Bruges la morte,
Brugge / B

THE SUBLIME VOID
Koninklijk Museum voor Schone Kunsten,
Antwerpen / B

1992
Galerie Paul Andriesse,
Amsterdam / NL

Moderna Galerija,
Ljubljana / SLO

DOCUMENTA IX
Kassel / D

KEITH TYSON

° 1969 ULVERSTON / UK
LIVES AND WORKS IN LONDON / UK

EXHIBITIONS

2002
Kunsthalle Zürich,
Zürich / CH (cat.)

SUPERCOLLIDER
South London Gallery,
London / UK (cat.)

SÃO PAULO BIENNIAL
São Paulo / BR (cat.)

BRAVE NEW WORLD
Galeria OMR,
México / MEX (cat.)

2001
CENTURY CITY: ART AND CULTURE IN THE MODERN METROPOLIS
Tate Modern,
London / UK (cat.)

BIENALE DI VENEZIA
Venezia / I (cat.)

BERLIN BIENNALE
Berlin / D (cat.)

THE FANTASTIC RECURRENCE OF CERTAIN SITUATIONS:
RECENT BRITISH ART AND PHOTOGRAPHY
Sala de exposiciones del Canal de Isabel II,
Madrid / E (cat.)

2000
STUDIO WALL DRAWINGS
Anthony Reynolds Gallery,
London / UK

ONE OF EACH
Galerie Ursula Krinzinger,
Wien / A (cat.)

DREAM MACHINES
Hayward Gallery,
London / UK (cat.);
Dundee Contemporary Arts,
Dundee / UK

OVER THE EDGES
SMAK - Stedelijk Museum voor Actuele Kunst,
Gent / B (cat.)

THE BRITISH ART SHOW
Edinburgh / UK (cat.)

1999
Delfina,
London / UK (cat.)

MOLECULAR COMPOUND 4
Kleines Helmhaus,
Zürich / CH (cat.)

1998
SEEING TIME: SELECTION FROM THE PAMELA AND RICHARD KRAMLICH COLLECTION OF MEDIA ART
San Francisco Museum of Modern Art,
San Francisco (CA) / USA (cat.)

1997
Anthony Reynolds Gallery,
London / UK
Paris / F

PRIVATE FACE - URBAN SPACE
Gasworks, Athens / GR;
L. Kanakakis Municipal Gallery of Rethymnon,
Creta / GR (cat.)

1996
David Zwirner Gallery,
New York (NY) / USA

PANDEMONIUM
Institute of
Contemporary Art,
London / UK

SURFING SYSTEMS
Kasseler Kunstverein,
Kassel / D (cat.)

1995
FROM THE ARTMACHINE
Anthony Reynolds
Gallery,
London / UK

INSTITUTE OF
CULTURAL ANXIETY
Institute of
Contemporary Art,
London / UK

PETER ZIMMERMANN

°1956 FREIBURG / D
LIVES AND WORKS IN
COLOGNE / D

EXHIBITIONS

2001
FLOW
Kunstverein Heilbronn,
Heilbronn / D

Kunsthalle Erfurt,
Erfurt / D

ART& ECONOMY
Deichtorhallen Hamburg,
Hamburg / D

2000
REALITY BITES
Kunsthalle Nürnberg,
Nürnberg / D (cat.)

ORBIS TERRARUM. WAYS OF
WORLDMAKING, CARTOGRAPHY
AND CONTEMPORARY ART
Museum Plantin Moretus,
Antwerpen / B (cat.)

STANZE
Museion, Bolzano / I

1999
BILLBOARD PROJECT
The Liverpool Biennial
of Contemporary Art,
Liverpool / UK (cat.)

1998
EIGENTLICH KÖNNTE ALLES
AUCH ANDERS SEIN
Kölner Kunstverein,
Köln / D

1997
(OMU)
Otto Dix-Haus,
Gera / D

1994
AURA
Wiener Secession,
Wien / A (cat.)

TEMPORARY TRANSLATIONS -
SAMMLUNG SCHÜRMANN
Deichtorhallen Hamburg,
Hamburg / D;
Kunsthalle der Hypo-
Kulturstiftung,
München / D (cat.)

1993
APERTO
Bienale di Venezia,
Venezia / I (cat.)

KONTEXT KUNST
Neue Galerie am
Landesmuseum Joanneum,
Graz / A (cat.)

1992
Westfälischer
Kunstverein,
Münster / D (cat.)

Lenbachhaus,
München / D

Kunstverein
Ludwigsburg,
Ludwigsburg / D

IMPRESSUM

DIESES BUCH ERSCHEINT ANLÄSSLICH DER AUSSTELLUNG:

DER LARSEN EFFEKT
PROZESSHAFTE RESONANZEN IN DER ZEITGENÖSSISCHEN KUNST

COLOPHON

CE LIVRE A ÉTÉ PUBLIÉ Á L'OCCASION DE L'EXPOSITION:

L'EFFET LARSEN
PROCESSUS DE RÉSONANCES DANS L'ART CONTEMPORAIN

IMPRINT

THIS BOOK HAS BEEN PUBLISHED ON THE OCCASION OF THE EXHIBITION:

THE LARSEN EFFECT
PROGRESSIVE FEEDBACK IN CONTEMPORARY ART

8.12.2001 - 7.2.2002

O.K Centrum für Gegenwartskunst
Oberösterreich

O.K. CENTRUM FÜR
GEGENWARTSKUNST

DAMETZSTRAßE 30
A - 4020 LINZ

T : +43 732 78 41 78
F : +43 732 77 56 84

OFFICE@OK-CENTRUM.AT

WWW.OK-CENTRUM.AT

9.3.2002 - 9.6.2002

CASINO LUXEMBOURG
Forum d'art contemporain

CASINO LUXEMBOURG - FORUM
D'ART CONTEMPORAIN

41, RUE NOTRE-DAME
L - 2240 LUXEMBOURG

T : +352 22 50 45
F : +352 22 95 95

CASINO-LUXEMBOURG@
CI.CULTURE.LU

WWW.CASINO-LUXEMBOURG.LU

TRITON

TRITON VERLAG KEG

MARIAHILFER STRASSE 88A/III
A-1070 WIEN

T : +43 1 524 87 85
F : +43 1 524 87 85-18

OFFICE@TRITON-VERLAG.COM
TRITON-VERLAG.COM

DIE DEUTSCHE BIBLIOTHEK -
CIP-EINHEITSAUFNAHME

EIN DATENSATZ FÜR DIESE
PUBLIKATION IST BEI DER
DEUTSCHEN BIBLIOTHEK
ERHÄLTLICH

ISBN 3-85486-132-X

EXHIBITION

CONCEPT & CURATING:
MORITZ KÜNG, BRUSSELS

TEAM LINZ

DIRECTION: MARTIN STURM

PRODUCTION MANAGEMENT:
GEORG SEYFRIED

ORGANISATION:
EVA IMMERVOLL

PRODUCTION OFFICE:
KARIN PILS

DIRECTION OF PRODUCTION OFFICE:
NORBERT SCHWEIZER

PRODUCTION SUPERVISION:
ALFRED FÜRHOLZER

TTECHNICAL SUPERVISION:
ANDREAS STEINDL

VIDEO PRODUCTION:
GOTTFRIED GUSENBAUER

TECHNICAL PRESENTATION:
RAINER JESSL

WORKSHOPS:
FRANZ QUIRCHTMAYR

EXHIBITION TEAM:
MARTIN HASELSTEINER, BENEDIKT PURKHART, MICHAEL WEINGÄRTNER, PETRA FOHRINGER, MARTINA RAUSCHMAYR, DIETRICH KILLER, MARTIN HONZIK, MICHAEL SCHWEIGER

PRESS OFFICE AND PUBLIC RELATIONS:
MARIA FALKINGER, BARBARA MAIR, WOLFGANG NAGL

EDUCATIONAL DEPARTMENT:
ERIKA BALDINGER, DAGMAR HÖSS, ELFI SONNBERGER

SECRETARIAT:
INGRID VOGTENHUBER

BOOK-KEEPING:
MARION GILLHOFER, BRIGITTE ROSENTHALER

TEAM LUXEMBOURG

ARTISTIC DIRECTOR:
ENRICO LUNGHI

ADMINISTRATION MANAGER:
JO KOX

EXHIBITION ASSISTANT:
CHRISTINE WALENTINY

PRESS OFFICE:
LAURE FABER

EDUCATIONAL DEPARTMENT:
BETTINA HELDENSTEIN, ANITA TOTARO

DEPARTMENT OF PUBLICATIONS:
SANDRA KOLTEN

TECHNICAL COORDINATION:
PATRICK SCHOLTES

TECHNICAL AND SECURITY DEPARTMENT:
ARTHUR COOS, EDMOND KREMER, MARCO KRIER, ALY LIST, CARLO MEYERS

INFOLAB, LIBRARY, ARCHIVES:
BRIGITTE REUTER

RECEPTION, BOOKSHOP:
LYSIANE SORÈZE

TRAINEES:
TOM LUCAS, CLAIRE NOESEN, BIRGIT THALAU, ANNOUK WILWERTZ, BERTHIE VALUZZI

CATALOGUE

EDITORS:
O.K CENTRUM FÜR GEGENWARTSKUNST OÖ, LINZ
CASINO LUXEMBOURG FORUM D'ART CONTEMPORAIN, LUXEMBOURG

CONCEPT:
MORITZ KÜNG

COORDINATION, EDITING:
SANDRA KOLTEN

COPY EDITING:
ELISABETH FRANK-GROßEBNER, SANDRA KOLTEN, RENATE PLÖCHL

TRANSLATIONS:
ISABELLE CANNAS / THOMAS MUSYL (D-F-D), ANN CREMIN (F-E), ELISABETH FRANK-GROßEBNER (D-E)

EXHIBITION PHOTOGRAPHS (LINZ): OTTO SAXINGER
P. 79, 80, 84-85, 87, 89, 95, 101, 107, 131, 132, 136-137, 147, 148, 154-155, 158-159, 160, 161, 164-165, 178, 182-185, 189

EXHIBITION PHOTOGRAPHS (LUXEMBOURG):
ROMAN MENSING/ARTDOC.DE
P. 82, 88, 91, 93, 105, 108, 110-113, 115, 123, 129, 135, 144-145, 156-157, 162, 163, 171, 174-177, 179, 186-187

CHRISTIAN MOSAR
P. 151-152

BORIS REBETEZ
P. 97-98

MARTIN BÜHLER, ÖFFENTLICHE KUNSTSAMMLUNG BASEL
P. 109

SCREEN SHOTS
P. 117-120, 125-126, 138-139, 141-143, 167-168, 190

GRAPHIC DESIGN:
MEVIS & VAN DEURSEN, AMSTERDAM

PRINT:
IMPRIMERIE CENTRALE S.A., LUXEMBOURG

IMPRESSION:
1500 COPIES

PUBLISHED BY :
TRITON VERLAG, WIEN

ISBN:
3-85486-132-X

LENDERS:
ANDREA ROSEN GALLERY, NEW YORK; ANTHONY REYNOLDS GALLERY, LONDON; ARTCONCERN, KORTRIJK; GALERIE KLOSTERFELDE, BERLIN; GALERIE MEYER RIEGGER, KARLSRUHE; GALERIE NEUGERRIEMSCHNEIDER, BERLIN; GALERIE STAMPA, BASEL; LISSON GALLERY, LONDON; MAI 36 GALERIE, ZÜRICH; RÄUME FÜR NEUE KUNST, WUPPERTAL; SAMMLUNG JAN MACKERT, MÜNCHEN; STEDELIJK VAN ABBEMUSEUM, EINDHOVEN

AND THE ARTISTS

THANKS TO:
FRANZ XAVER BAIER, MÜNCHEN; CHRISTIAN BARTHEL, LINZ; MARIE-CLAUDE BEAUD, LUXEMBOURG; CHRISTIANE BERNDES, EINDHOVEN; GISÈLE BIACHE, REMICH; MARIANNE BROUWER, ARNHEM; JO COUKE, OTEGEM; KARINA DASKALOV, NEW YORK; LIEVEN DE CAUTER, BRUXELLES; ANNICK DE VILLE, BRUXELLES; JAN DEBBAUT, EINDHOVEN; DEWEER ART GALLERY, OTEGEM; MARK DICKENSON, LONDON; CHRISTIAN DRANTMANN, BRUXELLES; EWALD ELLMECKER, LINZ; SYLVIE ENGEL, LUXEMBOURG; PHILIPPE FETTES, LUXEMBOURG; PETRA FOHRINGER, LINZ; DORA GARCÍA, BRUXELLES; STEFAN GASSER, LINZ; LUCAS GEHRMANN, WIEN; RENATE GEHRMANN-WALLNER, WIEN; ANOUK & YVES GERMAUX, BERTRANGE; VICTOR GISLER, ZÜRICH; FRED GIULIANI, LUXEMBOURG; PIERRE GOERENS, LUXEMBOURG; JÜRGEN HALLER, LINZ; MARTIN HASELSTEINER, LINZ; ROLF HENGESBACH, WUPPERTAL; HORST HÖRTNER, LINZ; LUCIEN HOUDREMONT, REMICH; DENISE HUYNEN, FRISANGE; LENA KIESSLER, BERLIN; DIETRICH KILLER, LINZ; NICO KIRPACH, LUXEMBOURG; MARC KLOPP, LUXEMBOURG; MARTIN KLOSTERFELDE, BERLIN; LAURENT KOX, REMICH; DANIEL KURJAKOVIC, ZÜRICH; LUIGI KURMANN, ZÜRICH; CHRISTIAN LENTZ, REMICH; ISABELLE LINCK, LUXEMBOURG; LUIGI LUNGHI, LUXEMBOURG; MARCOS LUTYENS, LOS ANGELES; SYLVIE MARTIN, LUXEMBOURG; JEFFREY MEULMAN, UTRECHT; JOCHEN MEYER, KARLSRUHE; GENEVIÈVE MOSSERAY, NAMUR; JAN MOT, BRUXELLES; ISABELLE MUHR, LINZ; DANIELLE MULLER, LUXEMBOURG; ANNE NEGRETTI, LUXEMBOURG; TIM NEUGER, BERLIN;

DAVID NICOLAY,
LUXEMBOURG;
JACQUES NICOLAY,
SENNINGERBERG;
LAURENT ORIGER,
DALHEIM;
MONIQUE PAX,
LUXEMBOURG;
UWE PISTSCH, LINZ;
ULLI PÜHRINGER, LINZ;
BENEDIKT PURKHARDT,
LINZ;
TRISTRAM PYE, LONDON;
MARTINA RAUSCHMAYR,
LINZ;
HANS RUDOLF REUST,
BASEL;
CARLO REUTER,
BERTRANGE;
MICHELLE REYES,
NEW YORK;
ANTHONY REYNOLDS,
LONDON;
THOMAS RIEGGER,
KARLSRUHE;
BURKHARD RIEMSCHNEIDER,
BERLIN;
ANDREA ROSEN, NEW YORK;
LISA ROSENDAHL, LONDON;
BRIGITTE ROSENTHALER,
LINZ;
PATRICK RUBIO, FRISANGE;
BEATRIX RUF, ZÜRICH;
BÉATRICE RUPPERT;
DANY SCHALBAR,
LUXEMBOURG;
JOËLLE SCHLENTZ,
DALHEIM;
CAROLE SCHMIT,
LUXEMBOURG;
FRANK SCHMIT,
LUXEMBOURG;
ALBRECHT SCHNIDER,
BERLIN;
RALF SIEGLE,
LUXEMBOURG;
CHRISTIANE SIETZEN,
LUXEMBOURG;
GILLI STAMPA, BASEL;
ANDI STEINDL, LINZ;
DIETER STRAUCH, LINZ;
LIEVEN STORME,
KORTRIJK;
ALLYSON STRAFELLA,
NEW YORK;
BIRGIT THALAU,
LUXEMBOURG;
PEGGY THOMMES, REMICH;
ROLAND TURMES,
LUXEMBOURG;
PIERRE TYRANOWSKI,
LUXEMBOURG;
VLAAMSE
GEMEENSCHAPSCOMMISSIE
VAN HET BRUSSELS
HOOFDSTEDELIJK GEWEST,
BRUXELLES;
BERTHIE VALUZZI,
MERSCH;
FRANCINE VANHOLST,
REMICH;
CARLO WALENTINY,
LUXEMBOURG;
TOBY WEBSTER,
MANCHESTER;
LEONARD WEGSCHEID,
LINZ;
MICHI WEINGÄRTNER,
LINZ;
CHRISTIAN WELTER,
LUXEMBOURG;
FONS WELTERS,
AMSTERDAM;
CHAREL WENNIG,
LUXEMBOURG;
ESTHER WILLEMSE,
UTRECHT;
CLAUDINE ZAHLEN,
LUXEMBOURG;
RAINER ZENDRON, LINZ.

WITH THE SUPPORT OF:

The British Council

Mondriaan Stichting
(Mondriaan Foundation)

i f a Institut für Auslands-
beziehungen e. V.

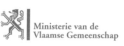

Ministerie van de
Vlaamse Gemeenschap

d'Lëtzebuerger Land

KULTUR LAND
OBERÖSTERREICH